Chata

William P. Young

Chata

Przełożyła Anna Reszka

Warszawa 2009

Tytuł oryginału:
The Shack

Copyright © 2007 by William P. Young

Copyright for the Polish translation
© 2009 by Wydawnictwo Nowa Proza

Redakcja:
Joanna Figlewska

Korekta:
Urszula Okrzeja

Ilustracja i projekt okładki:
Marisa Ghiglieri, Dave Aldrich i Bobby Downes

Opracowanie graficzne okładki:
Jarosław M. Musiał

Projekt typograficzny, skład i łamanie:
Tomek Laisar Fruń

ISBN 978-83-7534-056-3
Wydanie I

Wydawca:
Nowa Proza sp. z o.o.
ul. F. Znanieckiego 16a m. 9, 03-980 Warszawa
tel (22) 251 03 71
www.nowaproza.eu

Wyłączny dystrybutor:
Firma Księgarska Jacek Olesiejuk Sp. z o.o.
ul. Poznańska 91, 05-850 Ożarów Maz.
tel. (22) 721-30-00
www.olesiejuk.pl

Druk i oprawa:
drukarnia@dd-w.pl

Ta historia została napisana dla moich dzieci:
Chada – Łagodnej Głębi
Nicholasa – Czułego Badacza
Andrew – Dobrego Serca
Amy – Radosnego Mędrka
Alexandry (Lex) – Jaśniejącej Mocy
Matthew – Stającego Się Cudu

I dedykowana jest,
po pierwsze:
Kim,
mojej Ukochanej,
której dziękuję za uratowanie życia.

A po drugie:
„…wszystkim nam, błądzącym,
którzy wierzą, że Miłość rządzi.
Wstańcie i pozwólcie jej jaśnieć".

Słowo wstępne

Kto nie odniósłby się sceptycznie do człowieka twierdzącego, że spędził weekend z Bogiem, i to w chacie?

Bo to była chata.

Znam Macka od ponad dwudziestu lat, od dnia, kiedy obaj zjawiliśmy się w domu sąsiada, żeby pomóc mu zebrać z pola siano dla jego dwóch krów. Od tamtej pory zaczęliśmy spędzać razem czas, pijać kawę albo, jeśli o mnie chodzi, herbatę, bardzo gorącą z mlekiem sojowym. Nasze rozmowy sprawiają nam głęboką radość, zawsze są pełne śmiechu, a czasami popłynie parę łez. Prawdę mówiąc, im robimy się starsi, tym częściej ze sobą przebywamy, jeśli wiecie, co mam na myśli.

Jego imię i nazwisko brzmi Mackenzie Allen Phillips, ale większość ludzi mówi do niego Allen. To rodzinna tradycja: wszyscy mężczyźni noszą takie samo pierwsze imię, ale znani są z drugiego, pewnie dlatego że wolą uniknąć ostentacyjnych przydomków Junior, Senior albo numerów I, II, III. Jest to również sposób na telemarketerów, zwłaszcza takich, którzy zwracają się do człowieka jak do najlepszego przyjaciela. Tak więc on, jego dziadek, ojciec, a teraz najstarszy syn, wszyscy mają na imię Mackenzie, ale na ogół używają drugiego. Tylko jego żona Nan i najbliżsi znajomi nazywają go Mack.

Mack urodził się na Środkowym Zachodzie w rodzinie irlandzko-amerykańskich farmerów o stwardniałych dłoniach i rygorystycznych zasadach. Jego nazbyt surowy ojciec, choć pozornie religijny, a do tego starszy kościoła, był w gruncie rzeczy pijakiem, zwłaszcza kiedy nie padał deszcz albo gdy zaczynał padać zbyt wcześnie; zresztą w przerwach między opadami również tęgo popijał. Mack prawie nigdy o nim nie mówi, ale kiedy to robi, z jego twarzy znikają wszelkie emocje, jakby zabrała je fala odpływu, zostawiając tylko posępne oczy bez życia. Z nielicznych opowieści Macka wiem, że tatuś nie należał do tych alkoholików, którzy szybko zasypiają, tylko do tych, którzy tłuką żony, a potem proszą Boga o wybaczenie.

Punkt krytyczny nastąpił wtedy, gdy trzynastoletni Mack niechętnie obnażył duszę przed pastorem i pod wpływem chwili wyznał ze łzami, że nie zrobił nic, żeby pomóc mamie, kiedy wielokrotnie był świadkiem, jak jego pijany tatuś bił ją do nieprzytomności. Nie wziął jednak pod uwagę, że jego powiernik pracuje i chodzi do kościoła razem z panem Phillipsem, więc zanim dotarł do domu, rodzic już czekał na niego na ganku. Mama i siostry były nieobecne. Później Mack dowiedział się, że ojciec przezornie wysłał je do cioci May, żeby samemu móc swobodnie udzielić zbuntowanemu synowi lekcji na temat szacunku. Przywiązał go do dużego dębu na tyłach domu i przez prawie dwa dni bił pasem, smagając jednocześnie wersami z Biblii, gdy tylko budził się z pijackiego snu i odstawiał butelkę.

Dwa tygodnie później, kiedy Mack był już w stanie poruszać nogami, po prostu odszedł z domu, ale wcześniej wlał trutkę na myszy do wszystkich butelek alkoholu, które

nalazł na farmie. Następnie wykopał obok budynku go-
odarczego małe blaszane pudełko ze swoimi ziemskimi
arbami: fotografią rodzinną, na której wszyscy mrużyli
oczy, jakby patrzyli w słońce (tatuś stał z boku), kartą z de-
biutującym baseballistą Luke'em Easterem z 1950 roku,
małą buteleczką Ma Griffe (jedynych perfum, których
używała jego matka), szpulką nici, paroma igłami, małym
srebrnym modelem odrzutowca Air Force F-86 i oszczęd-
nościami całego życia w wysokości piętnastu dolarów i trzy-
nastu centów. Potem jeszcze na chwilę zakradł się do domu
i wsunął liścik pod poduszkę mamy, podczas gdy ojciec
chrapał po kolejnym pijaństwie. Na kartce napisał: „Mam
nadzieję, że kiedyś mi wybaczysz". Przysiągł sobie, że nigdy
tu nie wróci, i... długo dotrzymywał słowa.

Trzynaście lat to niezbyt odpowiedni wiek, żeby roz-
poczynać samodzielne życie, ale Mack nie miał wyboru,
więc szybko dorósł. O latach, które nastąpiły po ucieczce
z domu, do dziś rzadko opowiada. Większość tego czasu
spędził za oceanem, pracując w wielu miejscach na całym
świecie. Zarobione pieniądze wysyłał dziadkom, a oni je
przekazywali jego matce. W jednym z tych dalekich krajów
chyba nawet wziął do ręki broń i brał udział w walce, bo do
dziś nienawidzi wojny z całego serca. Cokolwiek się wtedy
wydarzyło, w wieku dwudziestu paru lat wylądował w seminarium w Australii. Po przyswojeniu stosownej dawki
teologii i filozofii wrócił do Stanów, zawarł pokój z matką
i siostrami i przeniósł się do Oregonu. Tam poznał i poślu-
bił Nannette A. Samuelson.

W świecie gaduł Mack woli myśleć i działać. Niewiele
mówi, jeśli ktoś wprost nie zada mu pytania, a ci, którzy go
znają, nauczyli się tego nie robić. Gdy już się odzywa, człowiekowi przychodzi do głowy, że ma przed sobą kosmitę,

który zupełnie inaczej postrzega krajobraz ludzkich idei i doświadczeń.

Rzecz w tym, że Mack zwykle doszukuje się innego sensu w świecie, w którym większość słyszy to, do czego jest przyzwyczajona, czyli zwykle niewiele. Znajomi na ogół go lubią, pod warunkiem, że Mack nie dzieli się z nimi swoimi przemyśleniami. A kiedy już zabiera głos, nie przestają go lubić, tylko tracą nieco zadowolenia z siebie.

Kiedyś mi powiedział, że w młodości miał zwyczaj mówić, co myśli, ale potem zrozumiał, że tym gadaniem jedynie próbuje zagłuszyć cierpienie. Często kończyło się tak, że wyrzucał z siebie ból, atakując słowami wszystkich w swoim otoczeniu. Podobno wytykał ludziom wady i upokarzał ich, dzięki czemu sam zachowywał poczucie fałszywej władzy i kontroli. Niezbyt miłe z jego strony.

Kiedy piszę te słowa, myślę o Macku, jakiego zawsze znałem: zwyczajnym człowieku, który na pierwszy rzut oka niczym szczególnym się nie wyróżnia. Właśnie kończy pięćdziesiąt sześć lat, jest niepozornym, niskim białym facetem, łysiejącym i z lekką nadwagą, czyli wygląda jak wielu mężczyzn w tych stronach. Pewnie nie zauważyłbym go w tłumie ani nie czułbym się nieswojo, siedząc obok niego w pociągu, kiedy drzemie w czasie cotygodniowej podróży do miasta, jadąc na spotkanie w interesach. Większość pracy wykonuje w swoim małym gabinecie w domu przy Wildcat Road. Sprzedaje jakieś nowoczesne gadżety, tajemnicze ustrojstwa, których nawet nie próbuję zrozumieć, ale dzięki którym wszystko działa szybciej. Jakby życie już nie dość szybko pędziło.

Człowiek nie zdaje sobie sprawy, jaki Mack jest bystry, dopóki nie podsłucha jego rozmowy z ekspertem. Byłem kiedyś przy tym, jak nagle język, w którym mówiono,

10

przestał przypominać angielski, a ja próbowałem zrozumieć słowa wylewające się kaskadą z jego ust. Mój przyjaciel potrafi mówić inteligentnie prawie o wszystkim i choć wyczuwa się, że ma silne przekonania, jest na tyle delikatny, że pozwala innym zachować ich własne.

Jego ulubione tematy to Bóg, Stworzenie i dlaczego ludzie wierzą w to, co robią. Jego oczy zaczynają się iskrzyć, kąciki ust wykrzywia uśmiech, zmęczenie nagle znika jak u małego dziecka, a on sam z trudem nad sobą panuje. Jednocześnie wcale nie jest zbyt religijny. Wydaje się, że do religii ma stosunek, który można określić jako miłość/nienawiść. Chyba podobnie jest z Bogiem, którego uważa za ponurego, dalekiego i wyniosłego. Przez szczeliny w murze jego rezerwy czasami przebijają się małe kolce sarkazmu niczym strzałki zanurzone w truciźnie. Bywa, że czasami obaj pojawiamy się w tym samym małym kościele z ławkami i amboną (Pięćdziesiątego Piątego Niezależnego Zgromadzenia Świętego Jana Chrzciciela, jak lubimy go nazywać), ale widać, że Mack nie czuje się tam dobrze.

Jest żonaty z Nan od ponad trzydziestu pięciu – przeważnie szczęśliwych – lat. Twierdzi, że żona uratowała mu życie i zapłaciła za to wysoką cenę. Z jakiegoś niepojętego powodu ona kocha go teraz bardziej niż kiedykolwiek, choć mam wrażenie, że na początku małżeństwa Mack mocno ją zranił. Ponieważ, jak przypuszczam, większość ran zadają nam najbliżsi, związek z drugim człowiekiem jest też miejscem, w którym najlepiej się one goją, a poza tym wiadomo, że łaska rzadko ma sens dla tych, którzy patrzą z zewnątrz.

Tak czy inaczej, Mack ma żonę, a Nan jest „zaprawą", która spaja ich rodzinę. Podczas gdy on walczy w świecie o wielu odcieniach szarości, jej świat pozostaje głównie czarno-biały. Zdrowy rozsądek przychodzi Nan tak łatwo, że ona nawet nie uważa go za dar. Założenie rodziny przekreśliło jej marzenia o zostaniu lekarzem, ale jako pielęgniarka zyskała wielkie uznanie za opiekę nad terminalnymi pacjentami onkologicznymi. Podczas gdy relacja Macka z Bogiem jest szeroka, relację Nan można nazwać głęboką.

Ta osobliwa para spłodziła pięcioro niezwykle pięknych dzieci. Mack lubi mówić, że wygląd odziedziczyły po nim, „bo Nan zachowała swój". Dwóch z trzech chłopców już wyprowadziło się z domu: Jon, niedawno ożeniony, pracuje w dziale sprzedaży miejscowej firmy, a Tyler, absolwent college'u, rozpoczął studia magisterskie. Josh i jedna z dwóch dziewcząt, Katherine (Kate), mieszkają z rodzicami i chodzą do miejscowej szkoły średniej. I jest jeszcze najmłodsza, Melissa albo Missy, jak lubiliśmy ją nazywać. Ona... cóż, poznacie ich wszystkich lepiej na stronach tej książki.

Ostatnie lata były, że się tak wyrażę, dość dziwne. Mack się zmienił; teraz jest jeszcze bardziej wyjątkowy niż kiedyś. Odkąd go znam, zawsze był raczej łagodny i dobry, ale od pobytu w szpitalu stał się... cóż, jeszcze milszy. Należy do tych nielicznych ludzi, którzy doskonale czują się we własnej skórze. I ja czuję się przy nim dobrze jak przy nikim innym. Gdy się rozchodzimy, wydaje mi się, że właśnie odbyłem najlepszą rozmowę w życiu, nawet kiedy to ja głównie gadam. A jeśli chodzi o Boga, Mack sięgnął w głąb. Ale drogo go to kosztowało.

Dzisiaj jest zupełnie inaczej niż siedem lat temu, kiedy do jego życia wkroczył Wielki Smutek, a on niemal całkiem przestał się odzywać. Mniej więcej w tym czasie na prawie dwa lata przestaliśmy się spotykać, jakby na mocy obopólnej milczącej umowy. Tylko czasami widywałem Macka w miejscowym sklepie spożywczym albo jeszcze rzadziej w kościele i choć zwykle witaliśmy się uprzejmie, nie mówiliśmy o niczym ważnym. Jemu było trudno nawet spojrzeć mi w oczy; pewnie nie chciał zaczynać rozmowy, która mogłaby jeszcze bardziej urazić jego zranione serce.

Wszystko zmieniło się po paskudnym wypadku... Ale znowu wybiegam naprzód. Dojdziemy do tego we właściwym czasie. Powiem tylko, że w ciągu tych ostatnich lat Mack odżył, a ciężar Wielkiego Smutku zelżał. To, co zdarzyło się trzy lata temu, całkowicie zmieniło melodię jego życia i już nie mogę się doczekać, żeby wam ją przedstawić.

Choć werbalnie Mack komunikuje się całkiem sprawnie, nie czuje się pewnie, jeśli chodzi o pisanie. Wie natomiast, że ja je uwielbiam. Poprosił mnie więc, żebym za niego spisał tę historię, jego historię, „dla dzieciaków i Nan". Chciał poprzez nią nie tylko wyrazić głębię swojej miłości, ale również pokazać im, co się dzieje w jego wewnętrznym świecie. Znacie to miejsce, gdzie człowiek jest sam... i może jeszcze Bóg, jeśli w niego wierzycie. Oczywiście Bóg może być w nim obecny, nawet jeśli w niego nie wierzycie. To do niego podobne.

To, co teraz przeczytacie, przez wiele miesięcy staraliśmy się z Mackiem wyrazić słowami. Jest w tym trochę... no, cóż, dużo fantastyki. Czy wszystko jest prawdą, nie mnie osądzać. Wystarczy powiedzieć, że, choć niektórych rzeczy nie da się udowodnić naukowo, nie oznacza to, że nie są prawdziwe. Powiem wam szczerze, że udział w tej historii miał na mnie głęboki wpływ. Odkryłem w sobie miejsca, w których nigdy wcześniej nie byłem i nawet nie wiedziałem o ich istnieniu. Przyznam się, że bardzo bym chciał, żeby wszystko, co opowiedział mi Mack, wydarzyło się naprawdę. Przez większość czasu twardo stoję przy nim, ale w inne dni – kiedy świat betonu i komputerów wydaje się jedynym realnym – tracę orientację i zaczynam mieć wątpliwości.

Jeszcze parę ostatnich uwag. Jeśli przeczytacie tę historię i znienawidzicie ją, Mack chciałby wam powiedzieć: „Przykro mi, ale ona nie została napisana dla was".

A może jednak? Za chwilę się dowiecie, co mój przyjaciel zapamiętał z tamtych wydarzeń. To jest jego historia, a nie moja, więc w kilku miejscach, gdzie się pojawiam, występuję w trzeciej osobie – z punktu widzenia Macka.

Pamięć bywa zawodna, szczególnie w tym wypadku, więc nie byłbym zaskoczony, gdyby mimo naszych starań znalazły się na tych stronach błędy faktograficzne i fałszywe wspomnienia. Z pewnością nie są zamierzone. Mogę was zapewnić, że rozmowy i wydarzenia są spisane jak najwierniej, więc w imieniu Macka proszę o wyrozumiałość. Jak się przekonacie, niełatwo jest mówić o tych sprawach.

Willie

1

Skrzyżowanie ścieżek

„Dwie drogi zbiegły się w połowie mego życia,
Rzekł pewien mądry człowiek.
Wybrałem drogę mniej uczęszczaną
I widzę różnicę co noc i co dzień".
                   Larry Norman (przepraszając Roberta Frosta)

Marzec rozpoczął się ulewnymi deszczami po wyjątkowo suchej zimie. Potem zimny front z Kanady zderzył się z porywistym wiatrem, który z wyciem nadleciał wzdłuż kanionu ze wschodniego Oregonu. Choć wiosna była tuż za progiem, bóg zimy nie zamierzał bez walki oddać z trudem zdobytego panowania. Góry Kaskadowe przysypała nowa warstwa śniegu, deszcz zamarzał w zetknięciu ze zmrożonym gruntem, co każdy uznałby za wystarczający powód, żeby usadowić się z książką, gorącym cydrem i kocem przy trzaskającym ogniu.

Zamiast tego większą część ranka Mack spędził przy biurku w domowym gabinecie. Siedząc wygodnie w spodniach od piżamy i podkoszulku, wykonywał telefony służbowe, głównie na Wschodnie Wybrzeże. Często robił sobie przerwy, słuchał bębnienia krystalicznego deszczu o szyby i obserwował, jak wszystko na zewnątrz z wolna pokrywa się lodem. Nieuchronnie stawał się więźniem w swoim domu – ku własnemu zachwytowi.

Było coś radosnego w burzach, które przerywały rutynę. Śnieg albo marznący deszcz nagle uwalniają człowieka od zobowiązań, tyranii umówionych spotkań i planów. W przeciwieństwie do choroby jest to na ogół zbiorowe, a nie indywidualne doświadczenie. Można niemal usłyszeć chóralne westchnienie dobiegające z miasta i okolic, gdzie interweniowała natura, żeby dać wytchnienie strudzonym ludziom. W takiej sytuacji poszkodowani jednoczą się we wspólnej wymówce, a ich serca nieoczekiwanie wypełnia radość. Nie trzeba żadnych tłumaczeń, że się nie pojawiło na takim czy innym spotkaniu. Wszyscy rozumieją i przyjmują to wyjątkowe usprawiedliwienie, a nagłe zmniejszenie presji sprawia, że mogą przez chwilę oddać się beztrosce.

Oczywiście jest również prawdą, że burze szkodzą interesom i choć kilka firm zarabia dodatkowo, inne tracą pieniądze, co oznacza, że są tacy, którzy nie cieszą się, kiedy wszystko zostaje zamknięte na jakiś czas. Ale nie można winić nikogo za straty ani za to, że nie dał rady dotrzeć do biura. Nawet jeśli oblodzenie utrzymuje się zaledwie dzień albo dwa, każdy czuje się panem swojego świata tylko dlatego, że małe krople wody zamarzają w zetknięciu z ziemią.

Nawet zwyczajne czynności stają się prawdziwym wyzwaniem, a codzienne wybory przygodami i często są odbierane z poczuciem wzmożonej przejrzystości. Późnym popołudniem Mack okutał się płaszczem i wyszedł na dwór, żeby przebrnąć jakieś sto jardów do skrzynki pocztowej. Lód w magiczny sposób zmienił to proste zadanie w walkę z żywiołami, uniesienie pięści przeciwko brutalnej sile natury i akt buntu, śmiech w twarz. Fakt, że nikt tego nie zauważył, nie miał dla niego znaczenia – to była tylko refleksja, do której Mack uśmiechnął się w duchu.

Grudki lodu smagały go po policzkach i rękach, kiedy ostrożnie szedł po drobnych nierównościach podjazdu. Przypuszczał, że wygląda jak pijany marynarz zmierzający do następnej speluniki. Kiedy człowiek stawia czoło burzy lodowej, nie idzie śmiało naprzód z nieposkromioną pewnością siebie. Zuchwałość sprowadza zgubę. Mack musiał dwa razy wstawać z kolan, zanim w końcu objął skrzynkę na listy jak dawno niewidzianego przyjaciela.

Zatrzymał się na chwilę w tej pozycji, żeby chłonąć piękno świata zamkniętego w krysztale. Wszystko odbijało światło, tak że mimo późnego popołudnia było jasno jak w słoneczny dzień. Drzewa na polu sąsiada wdziały przezroczyste płaszcze, każde wyjątkowe w swej urodzie mimo jednakowego stroju. Ten cudowny widok i oślepiający splendor zdjęły na krótką chwilę Wielki Smutek z ramion Macka.

Prawie minutę zajęło Mackowi odłupanie lodu, który zakleił drzwiczki skrzynki. Nagrodą za te wysiłki była pojedyncza koperta z jego imieniem wystukanym na maszynie; żadnego znaczka, żadnego stempla pocztowego ani adresu nadawcy. Zaciekawiony Mack rozerwał kopertę, co nie było łatwe, bo palce miał zdrętwiałe z zimna. Odwrócił się plecami do wiatru zapierającego dech w piersiach i wyjął mały prostokąt niezłożonego papieru. Wiadomość napisana na maszynie brzmiała:

Mackenzie,
minęło trochę czasu. Tęskniłem za Tobą.
Będę w chacie w najbliższy weekend, jeśli chcesz się spotkać.

Tata

Mack zesztywniał, kiedy przetoczyła się przez niego fala mdłości. Zaraz potem ogarnął go gniew. Starał się wyrzucić tamto miejsce z pamięci, a kiedy mu się to nie udawało, jego myśli nie były pozytywne ani ciepłe. Jeśli ktoś zrobił mu dowcip, to naprawdę przeszedł samego siebie. A podpis „Tata" czynił całą rzecz jeszcze bardziej przerażającą.

– Idiota! – warknął Mack, myśląc o listonoszu Tonym, nazbyt przyjaznym Włochu o wielkim sercu, ale niewielkim takcie.

Dlaczego dostarczył taki niedorzeczny list? Nawet nie było na nim znaczka. Mack ze złością zgniótł kopertę, wcisnął ją razem z karteczką do kieszeni płaszcza i ruszył z powrotem do domu. Porywisty wiatr, który najpierw go spowalniał, teraz skrócił czas potrzebny do pokonania trawersem coraz grubszego minilodowca.

Mack radził sobie całkiem dobrze, dopóki nie dotarł do miejsca, gdzie podjazd lekko opadał i skręcał w lewo. Choć wcale nie miał takiego zamiaru, zaczął nabierać szybkości, ślizgając się na butach o gładkich podeszwach, jak kaczka po zamarzniętym stawie. Dziko machając rękami, żeby zachować równowagę, sunął w stronę jedynego drzewa rosnącego przy podjeździe – którego dolne gałęzie przyciął zaledwie kilka miesięcy wcześniej. Teraz czekało, żeby go objąć, półnagie i najwyraźniej żądne zemsty. W ostatniej chwili Mack uznał, że lepiej mieć obolałe pośladki niż wyjmować drzazgi z twarzy. Wybrał tchórzliwe wyjście i pozwolił, żeby stopy wysunęły się spod niego – co i tak zamierzały zrobić bez jego świadomej decyzji.

Mack próbował kontrolować upadek, ale zareagował przesadnie i w rezultacie zobaczył własne nogi unoszące się przed nim w zwolnionym tempie, jakby został poderwany do góry przez pułapkę zastawioną w dżungli. Uderzył twardo o ziemię tyłem głowy i zatrzymał się bezwładnie u podstawy roziskrzonego drzewa, które jakby spoglądało na niego z góry z zadowoleniem wymieszanym z niesmakiem i rozczarowaniem.

Na chwilę świat zrobił się czarny. Mack leżał oszołomiony i patrzył w niebo, mrużąc oczy przed lodowatymi kroplami, które chłodziły jego zarumienioną twarz. Czuł ciepło i dziwny spokój, jakby jego gniew wyparował pod wpływem zderzenia.

– No i kto tu jest idiotą? – mruknął, mając nadzieję, że nikt go nie widzi.

Zimno szybko przeniknęło przez jego płaszcz i sweter. Mack wiedział, że deszcz, który topniał i jednocześnie zamarzał pod nim, wkrótce stanie się bardzo nieprzyjemny. Z jękiem przewrócił się na brzuch i jak starzec dźwignął się na kolana, podpierając się rękami. I wtedy zobaczył czerwony ślad biegnący od miejsca upadku do pnia drzewa. Na ten widok od razu poczuł tępe pulsowanie w tyle głowy. Odruchowo sięgnął do źródła bólu, a kiedy opuścił rękę, zobaczył, że cała jest we krwi.

Szorstki lód i żwir poraniły mu dłonie i kolana, kiedy, pełznąc i ślizgając się, w końcu dotarł do płaskiego odcinka podjazdu. Z trudem stanął na nogi i ostrożnie ruszył do drzwi, upokorzony i pokonany przez połączone siły lodu i grawitacji.

Znalazłszy się bezpiecznie w domu, zaczął mozolnie zdejmować kolejne warstwy ubrania; na pół odmrożone palce działały ze zręcznością i precyzją przerośniętych maczug. Mack zostawił przemoczony i zakrwawiony kłąb w przedpokoju i cały obolały ruszył do łazienki, żeby zbadać obrażenia. Nie było wątpliwości, że oblodzony podjazd odniósł nad nim zwycięstwo. Rozcięcie na tyle głowy krwawiło, kilka małych kamyków wbiło się w skórę. Tak jak Mack się spodziewał, już wyrósł mu porządny guz niczym garbaty wieloryb wyskakujący ponad wzburzone fale jego rzednących włosów.

Mack próbował opatrzyć ranę, stojąc przed dużym lustrem łazienkowym i przystawiając do tyłu głowy małe lusterko. Chwilę później poddał się sfrustrowany. Myliły mu się kierunki i nie był pewien, które z dwóch zwierciadeł kłamie. Ostrożnie macając skórę, zdołał usunąć największe kawałki żwiru, ale potem operacja stała się zbyt bolesna, żeby mógł ją dokończyć. Wziął z apteczki jakąś maść i posmarował nią ranę najlepiej, jak potrafił. Następnie przyłożył ściereczkę i owiązał ją gazą, którą znalazł w szufladzie. Obejrzawszy się w lustrze, uznał, że wygląda jak żeglarz z *Moby Dicka*. Roześmiał się i natychmiast skrzywił z bólu.

Na prawdziwą pomoc medyczną, jedną z wielu korzyści małżeństwa z dyplomowaną pielęgniarką, musiał zaczekać, aż Nan wróci do domu. Tak czy inaczej, wiedział, że im gorzej wygląda, tym więcej współczucia może oczekiwać. Jeśli się zastanowić, to w każdej ciężkiej sytuacji są jakieś dobre strony. Mack zażył kilka tabletek przeciwbólowych, żeby uśmierzyć tępe pulsowanie w tyle głowy, i pokuśtykał do przedpokoju.

Ani na chwilę nie zapomniał o liściku. Przeszukawszy stos mokrych ubrań, znalazł go w kieszeni płaszcza i z karteczką w ręce poszedł do gabinetu. Tam odszukał i wykręcił numer miejscowego urzędu pocztowego. Tak jak się spodziewał, odebrała Annie, kierowniczka poczty i strażniczka sekretów wszystkich mieszkańców okolicy.

– Cześć, jest może Tony?

– Hej, Mack, to ty? Poznałam twój głos. – Oczywiście, że tak. – Przykro mi, ale Tony jeszcze nie wrócił. Właśnie rozmawiałam z nim przez radio, jest dopiero w połowie Wildcat, jeszcze nie dotarł do ciebie. Chcesz, żebym do niego zadzwoniła czy wolisz zostawić wiadomość?

– O, to ty, Annie? – Mack nie zdołał się oprzeć pokusie, choć jej akcent ze Środkowego Zachodu nie pozostawiał żadnych wątpliwości, kto odebrał telefon. – Przepraszam, ale coś odwróciło moją uwagę i nie słyszałem ani jednego twojego słowa.

Kierowniczka się roześmiała.

– Daj spokój, Mack, wiem, że słyszałeś. Nie próbuj oszukać oszusta. Nie urodziłam się wczoraj. Co mam powiedzieć Tony'emu, jeśli wróci żywy?

– Właściwie już odpowiedziałaś na moje pytanie.

Po drugiej stronie zapadła cisza.

– Prawdę mówiąc, nie pamiętam, żebyś jakieś zadał. Co z tobą, Mack? Nadal palisz za dużo trawki czy robisz to tylko w niedzielne poranki, żeby przetrwać mszę? – Parsknęła śmiechem, jakby straciła czujność, zachwycona swoim błyskotliwym poczuciem humoru.

– Wiesz, Annie, że nie palę trawki. Nigdy nie paliłem i nie zamierzam. – Mack nie chciał ryzykować, że kierowniczka poczty zapamięta tę rozmowę na swój sposób. Nie po raz pierwszy jej żart przerodziłby się w dobrą historyjkę, a ta z kolei wkrótce stałaby się faktem. Już słyszał swoje nazwisko rzucone z ambony i skierowaną do wiernych prośbę, żeby się za niego modlić. – W porządku. Złapię Tony'ego innym razem, to nic ważnego.

– Dobrze, siedź w domu, bo tam jest najbezpieczniej. Wiesz, że starszy gość taki jak ty łatwo może stracić równowagę. Nie chciałabym, żeby ucierpiała twoja duma, kiedy się poślizniesz. Tony może w ogóle do ciebie nie dotrzeć. W śniegu, deszczu i nocnych ciemnościach jakoś sobie radzimy, ale ten zamarzający deszcz to prawdziwe wyzwanie.

– Dzięki, Annie. Postaram się zapamiętać twoją radę. Porozmawiamy później. Na razie.

W głowie dudniło mu coraz bardziej, jakby małe młoteczki tłukły go od środka w rytm bicia serca. Ciekawe, kto odważył się włożyć coś takiego do naszej skrzynki? – pomyślał. Środki przeciwbólowe dopiero zaczęły działać, ale to wystarczyło, żeby trochę stępić niepokój, który z wolna go ogarniał. Nagle dopadło go zmęczenie. Położył głowę na biurku i... chwilę później, jak mu się zdawało, obudził go telefon.

– Eee... Halo?

– Cześć, kochanie. Mówisz, jakbym wyrwała cię ze snu.

Głos Nan brzmiał radośnie, ale Mack słyszał w nim nutę smutku, który czaił się pod powierzchnią każdej ich rozmowy. Jego żona też uwielbiała taką pogodę. Mack włączył lampę biurkową i spojrzał na zegarek. Z zaskoczeniem stwierdził, że spał kilka godzin.

– Przepraszam. Chyba się trochę zdrzemnąłem.

– Mówisz, jakbyś jeszcze się nie rozbudził. Wszystko w porządku?

– Tak. – Choć na zewnątrz było prawie ciemno, Mack zobaczył, że burza szaleje dalej, a warstwa lodu powiększyła się o kilka cali. Gałęzie drzew wisiały nisko; jeśli wiatr przybierze na sile, w końcu złamią się pod ciężarem. – Miałem małą przygodę na podjeździe, kiedy szedłem po pocztę, ale poza tym wszystko w porządku. Gdzie jesteś?

– Nadal u Arlene i myślę, że razem z dziećmi spędzę tutaj noc. Dobrze, żeby Kate była blisko rodziny... Zdaje się, że to przywraca jej równowagę. – Arlene była siostrą Nan i mieszkała po drugiej stronie rzeki, w stanie Waszyngton. –

Zresztą jest za ślisko, żeby teraz jechać. Mam nadzieję, że do rana się poprawi. Szkoda, że nie wyruszyliśmy wcześniej, ale trudno. – Umilkła na chwilę. – Jak w domu?

– Absolutnie cudownie, ale bezpieczniej jest wyglądać przez okno niż chodzić, wierz mi. Nie chcę, żebyś jeździła w takich warunkach. Wszędzie pusto. Myślę, że nawet Tony nie da rady dostarczyć nam poczty.

– Myślałam, że już odebrałeś listy?

– Właściwie to nie odebrałem. Myślałem, że Tony już był, więc wyszedłem do skrzynki, ale... – zawahał się, patrząc na liścik, który leżał przed nim na biurku – okazało się, że listonosz jeszcze się nie pojawił. Zadzwoniłem do Annie, a ona powiedziała, że Tony prawdopodobnie w ogóle nie dotrze na wzgórze. Tak czy inaczej, nie zamierzam wypuszczać się drugi raz, żeby to sprawdzić. A przy okazji – zmienił temat, żeby uniknąć dalszych pytań – jak Kate?

Po chwili ciszy ze słuchawki dobiegło długie westchnienie. Kiedy Nan się odezwała, mówiła ściszonym, niewyraźnym głosem, jakby zasłaniała usta.

– Sama chciałabym wiedzieć, Mack. Zupełnie, jakbym mówiła do skały. W żaden sposób nie mogę do niej dotrzeć. Kiedy jest w otoczeniu rodziny, zdaje się, że wychodzi ze skorupy, ale potem znowu się w niej chowa. Po prostu nie wiem, co robić. Modliłam się i modliłam, żeby Tata pomógł nam znaleźć do niej drogę, ale... wygląda na to, że On nas nie słucha.

„Tata". Było to ulubione imię Boga używane przez Nan i wyrażające jej zachwyt bliską przyjaźnią, którą ją z Nim łączyła.

– Skarbie, jestem pewien, że Bóg wie, co robi. Wszystko się ułoży. – Choć Mackowi te słowa nie przynosiły pocieszenia, miał nadzieję, że złagodzą troskę, którą słyszał w głosie żony.

– Wiem – powiedziała Nan z westchnieniem. – Ale chciałabym, żeby się pośpieszył.

– Ja też. – Tylko tyle Mack zdołał z siebie wykrzesać. – Cóż, uważajcie na siebie, ty i dzieci. Pozdrów Arlene i Jimmy'ego i podziękuj im. Mam nadzieję, że zobaczymy się jutro.

– Dobrze, kochanie. Powinnam iść im pomóc. Wszyscy szukają świec, na wypadek gdyby wysiadł prąd. Ty chyba powinieneś zrobić to samo. Są nad zlewem w piwnicy. W lodówce zostawiłam resztkę pasztecików, więc możesz je sobie podgrzać. Na pewno wszystko w porządku?

– Tak, najbardziej ucierpiała moja duma.

– Głowa do góry. Mam nadzieję, że zobaczymy się rano.

– Dobrze, kochanie. Trzymaj się i zadzwoń do mnie, jeśli będziesz czegoś potrzebować. Cześć.

Głupie gadanie, pomyślał, odkładając słuchawkę. Ciekawe, jak miałby im pomóc, gdyby czegoś potrzebowali.

Po rozmowie z Nan Mack przez dłuższą chwilę siedział i patrzył na liścik. Próby rozeznania się w wirze niepokojących emocji i mrocznych obrazów, które zalewały jego umysł, były trudne i bolesne – milion myśli podróżujących z szybkością miliona mil na godzinę. W końcu Mack się poddał, złożył kartkę, wsunął ją do małego blaszanego pudełka, które trzymał na biurku, i zgasił światło.

W kuchni udało mu się znaleźć coś do podgrzania w mikrofalówce. Potem z kocami i poduszką ruszył do salonu. Zerknąwszy na zegar, stwierdził, że już się zaczął show Billa Moyera, ulubiony program, którego starał się nie przegapić. Moyer był jednym z niewielu ludzi, których Mack

24

chciałby poznać – błyskotliwy i wygadany, potrafił niestrudzenie dociekać prawdy i jednocześnie okazywać ludziom współczucie. Tego wieczoru bohaterem jednej z historii był nafciarz Boone Pickens, który dla odmiany zaczął wiercić studnie w poszukiwaniu wody.

Nie odrywając wzroku od telewizora, Mack sięgnął na koniec stołu po oprawioną w ramki fotografię małej dziewczynki. Przycisnął ją do piersi. Drugą ręką naciągnął koce pod brodę i umościł się wygodniej na kanapie.

Wkrótce w salonie rozległo się ciche chrapanie, podczas gdy telewizja skierowała uwagę na ucznia szkoły średniej w Zimbabwe, który został pobity za wypowiedzi przeciwko rządowi. Ale Mack był już nieobecny. Opuścił pokój, żeby zmagać się ze swoimi snami. Może tej nocy nie będzie miał koszmarów, tylko wizje lodu, drzew i grawitacji.

2

Gęstniejący mrok

„Nic nie czyni nas bardziej samotnymi niż nasze
tajemnice".

Paul Tournier

W nocy nieoczekiwany chinook powiał przez dolinę Wil-
lamette, uwalniając świat z lodowatego uścisku, oprócz
miejsc ukrytych w najgłębszym cieniu. W ciągu dwudziestu czterech godzin zrobiło się wiosennie ciepło. Mack spał
do późna jednym z tych snów bez marzeń, po których ma
się wrażenie, że trwały chwilę.

Kiedy w końcu zwlókł się z kanapy, z pewnym żalem
stwierdził, że lodowe dekoracje zniknęły bez śladu, ale godzinę później z radością powitał Nan i dzieci. Najpierw dostał
przewidywaną zasłużoną burę za to, że nie zaniósł zakrwa-
wionych ubrań do pralni, a potem stosowną i zadowalają-
cą liczbę ochów i achów towarzyszących badaniu obrażeń.
Troska żony sprawiła mu dużą przyjemność. Nan wkrótce
go opatrzyła, doprowadziła do porządku i nakarmiła. Mack
nie wspomniał jednak o liście, choć przez cały czas o nim
pamiętał. Nadal nie wiedział, co o nim sądzić. Nie chciał
niepokoić Nan, gdyby się okazało, że to jakiś okrutny żart.

Drobne rozrywki, takie jak burza lodowa, były mile widzianym, choć krótkim wytchnieniem od uporczywej obecności stałego towarzysza, Wielkiego Smutku, jak go nazywał. Krótko po tym lecie, kiedy zniknęła Missy, Wielki Smutek osiadł na jego ramionach jak niewidzialna kołdra. To brzemię zasnuwało mu mgłą oczy, przygniatało plecy. Nawet wysiłki, żeby je zrzucić, były wyczerpujące, jakby jego ręce ugrzęzły w wyblakłych fałdach rozpaczy, a on sam stał się jego częścią. Jadł, pracował, kochał, śnił i bawił się w tym ciężkim odzieniu, garbił się, jakby nosił ołowiany płaszcz, codziennie brnął przez życie z przygnębieniem, które ze wszystkiego wysysało kolor.

Czasami czuł, jak Wielki Smutek powoli zaciska się wokół jego piersi i serca niczym zwoje boa dusiciela, wyciska mu łzy z oczu do ostatniej kropli. Kiedy indziej śniło mu się, że Missy biegnie leśną ścieżką, w czerwonej letniej sukience w złote słoneczniki migającej wśród drzew, a jego stopy grzęzną w lepkim błocie. Dziewczynka była całkowicie nieświadoma tego, że za nią skrada się mroczny cień. Choć Mack jak szalony próbował ostrzec ją krzykiem, z jego ust nie wydobywał się żaden dźwięk. Zawsze się spóźniał i był za słaby, żeby ją uratować. Siadał gwałtownie na łóżku, zlany potem, a fale mdłości i żalu przetaczały się po nim jak tsunami.

Historia zniknięcia Missy, niestety, nie różni się od wielu innych. Wszystko wydarzyło się w czasie długiego weekendu przed świętem pracy, ostatnim podrygiem lata przed kolejnym rokiem szkolnym i jesienną rutyną. Mack dzielnie postanowił, że zabierze troje młodszych dzieci nad jezioro Wallowa w północno-wschodnim Oregonie. Nan miała w tym czasie wykłady w Seattle, a starsi chłopcy już wrócili do swoich zajęć. Mack był pewien, że dzięki swoim umiejętnościom skautowskim i macierzyńskim doskonale sobie poradzi. Ostatecznie Nan dobrze go wyszkoliła.

Uczestnicy wyprawy poczuli zew przygody i w domu zapanowała gorączka przygotowań do biwaku. Gdyby Mack postawił na swoim, podprowadziliby samochód pod drzwi wejściowe i przenieśli do niego zawartość domu niezbędną na długi weekend. Pośród całego zamieszania Mack w pewnym momencie uznał, że potrzebuje odpoczynku, i usadowił się w fotelu, wyrzuciwszy najpierw z niego Judasza, ich kota. Już miał włączyć telewizor, kiedy do pokoju wpadła Missy z małym pudełkiem z pleksiglasu.

– Mogę zabrać swoją kolekcję owadów? – zapytała.

– Chcesz wziąć ze sobą robaki? – zdziwił się ojciec.

– Tatusiu, to nie są robaki, tylko owady. Spójrz, mam ich tutaj dużo.

Gdy Mack niechętnie na to przystał, Missy z entuzjazmem zaczęła opowiadać o swoim skarbie.

– Widzisz, to są dwa koniki polne. Na tym liściu siedzi gąsienica, a tutaj... Jest! Widzisz biedronkę? Mam też tu gdzieś muchę i kilka mrówek.

Podczas gdy córka prezentowała swoją kolekcję, Mack starał się okazywać zainteresowanie, kiwając głową.

– No więc, mogę je zabrać?

– Jasne, że tak, kochanie. Może wypuścimy je na wolność, skoro już będziemy w dziczy.

– Nie! – dobiegł z kuchni głos matki. – Missy, musisz zostawić swój zbiór w domu, skarbie. Uwierz mi, że tutaj będzie bezpieczniejszy. – Nan wsunęła głowę do pokoju i z czułą naganą spojrzała na męża.

Mack wzruszył ramionami.

– Starałem się, kochanie – szepnął do córki.

– Wrr! – zawarczała Missy, ale zdając sobie sprawę, że bitwa jest przegrana, wzięła pudełko i wyszła z salonu.

W czwartek wieczorem van był załadowany po brzegi, przyczepa z namiotem wyposażona w światła, hamulce sprawdzone. W piątek rano, po ostatnim wykładzie Nan na temat bezpieczeństwa, posłuszeństwa, mycia zębów, niezabierania kotów z białymi pasami na grzbiecie i paru innych rzeczy, wyruszyli: Nan międzystanową 205 na północ do Waszyngtonu, a Mack z trójką amigos na wschód do międzystanowej 84. Planowali wrócić we wtorek wieczorem, tuż przed pierwszym dniem szkoły.

Wąwóz Columbii jest sam w sobie wart wycieczki: oszałamiające widoki, wycięte przez rzekę płaskowzgórza, które niczym senni wartownicy sprawują w letnim upale straż nad kanionem. Wrzesień i październik często mają do zaoferowania najlepszą oregońską pogodę. W okolicach święta pracy wraca indiańskie lato i trwa aż do Halloween, kiedy to szybko robi się zimno, mokro i brzydko. Ten rok nie był wyjątkiem. Dzięki niezbyt nasilonemu ruchowi na drodze i sprzyjającej pogodzie uczestnicy wyprawy ledwo zauważyli upływ czasu i pokonywane mile.

Zatrzymali się przy wodospadzie Multnomah, żeby kupić książeczki do kolorowania dla Missy i dwa niedrogie, wodoodporne, jednorazowe aparaty fotograficzne dla Kate i Josha. Następnie postanowili przejść krótki odcinek szlakiem biegnącym w górę do mostu, który znajduje się naprzeciwko wodospadu. Kiedyś była tam ścieżka, która prowadziła wokół głównej sadzawki do płytkiej jaskini ukrytej za ścianą wody, ale niestety, władze parku zamknęły ją z powodu erozji. Missy, której bardzo się tam spodobało, poprosiła tatę, żeby opowiedział jej legendę o pięknej

indiańskiej dziewczynie, córce wodza plemienia Multnomah. Po długich namowach Mack w końcu ustąpił i spełnił jej prośbę, podczas gdy cała czwórka patrzyła na mgły
zasnuwające kaskadę.

Bohaterką legendy była indiańska księżniczka, jedyne
dziecko starzejącego się ojca. Wódz, który uwielbiał córkę,
starannie wybrał dla niej męża, młodego wojownika i wodza
plemienia Clatsop, bo wiedział, że dziewczyna go kocha.
Oba plemiona zebrały się na weselną ucztę, ale niedługo
przed uroczystościami zaczęła się wśród nich rozprzestrzeniać straszna choroba. Zmarło dużo ludzi.

Wodzowie i starsi zasiedli w kręgu, by się naradzić, jak
powstrzymać zarazę, która dziesiątkowała wojowników.
Najstarszy szaman opowiedział, że kiedy jego ojciec był stary i bliski śmierci, wywróżył straszną chorobę, która zabije
współplemieńców i którą będzie można powstrzymać tylko wtedy, gdy czysta i niewinna córka wodza dobrowolnie
odda życie za swój lud. Żeby spełnić proroctwo, dziewczyna musi z własnej woli wspiąć się na urwisko nad Wielką
Rzeką i skoczyć na skały.

Przed radę sprowadzono dwanaście młodych kobiet, córek wodzów. Po długich rozważaniach starsi postanowili,
że nie poproszą o tak cenną ofiarę, opierając się tylko na
legendzie, której prawdziwości w dodatku nie są pewni.

Ale choroba nadal się rozprzestrzeniała, aż w końcu
zapadł na nią również młody wódz, przyszły mąż księżniczki. Dziewczyna, która go kochała, wiedziała, że coś
trzeba zrobić, więc pocałowała go w czoło i wymknęła się
z obozu.

Całą noc i następny dzień zabrało jej dotarcie do miejsca, o którym mówiła legenda, do wysokiego urwiska gó-
rującego nad Wielką Rzeką i otaczającymi ją ziemiami.

Dziewczyna pomodliła się, składając siebie w ofierze Wielkiemu Duchowi, a następnie bez wahania rzuciła się na skały.

Proroctwo się spełniło i następnego ranka chorzy wyzdrowieli. W obozie zapanowała wielka radość, dopóki młody wojownik nie odkrył, że jego narzeczona zniknęła. Kiedy wieść o tym, co się stało, rozeszła się wśród ludzi, wielu wyruszyło na jej poszukiwania. Gdy w milczeniu zebrali się wokół zgruchotanego ciała dziewczyny leżącego u podstawy urwiska, zdjęty żalem ojciec zawołał Wielkiego Ducha, pytając, czy jej ofiara zostanie zapamiętana. W tym momencie z miejsca, z którego skoczyła księżniczka, zaczęła spadać woda, zmieniając się w drobną mgłę i powoli tworząc piękną sadzawkę u stóp zgromadzonych.

Missy uwielbiała tę opowieść, podobnie jak Mack. Legenda miała w sobie wszystkie elementy prawdziwej historii o odkupieniu, jak ta o Jezusie, którą dziewczynka dobrze znała. Był w niej ojciec, któremu prorok przepowiedział ofiarę z jedynego dziecka, a ono z miłości chętnie poświęciło życie, by uratować narzeczonego i współplemieńców od pewnej śmierci.

Ale tym razem, kiedy Mack umilkł, Missy nie odezwała się ani słowem, tylko odwróciła się i ruszyła do samochodu, jakby chciała powiedzieć: „No, dobrze, możemy już jechać".

Zatrzymali się na obiad i krótki odpoczynek nad rzeką Hood, a potem wyruszyli w dalszą drogę. Wczesnym popołudniem dotarli do La Grande. Tam zjechali z I-84 na drogę Wallowa Lake, która po siedemdziesięciu dwóch milach doprowadziła ich do Joseph. Jezioro i kemping, cel ich podróży, znajdowały się zaledwie kilka mil za miastem.

Kiedy już znaleźli sobie miejsce na obozowisko, rozpakowali się i urządzili, może niekoniecznie tak, jak chciałaby Nan, ale całkiem wygodnie.

Pierwszy posiłek był zgodny z tradycją rodziny Phillipsów: łata marynowana w sekretnym sosie wuja Joe. Na deser zjedli ciastka czekoladowe z orzechami, które Nan upiekła dzień wcześniej, i lody waniliowe, które przywieźli w suchym lodzie.

Tego wieczoru, kiedy Mack siedział między trójką roześmianych dzieci, obserwując jeden z najwspanialszych popisów natury, jego serce przepełniała nieoczekiwana radość. Nieliczne chmury, które czekały za kulisami, żeby wejść na scenę jako główni aktorzy tego wyjątkowego przedstawienia, zachodzące słońce malowało w jaskrawe kolory. Mack pomyślał sobie, że jest bogatym człowiekiem, pod wszystkimi względami, które się liczyły.

Zanim posprzątali po kolacji, zapadła noc. Jelenie – codzienni goście na kempingu, a czasami prawdziwe utrapienie – poszły tam, dokąd chodzą spać jelenie. Ich miejsce zajęły nocne rozrabiaki: szopy pracze, wiewiórki i pręgowce, wędrujące całymi stadami w poszukiwaniu każdego niedomkniętego pojemnika. Phillipsowie poznali już ich zwyczaje na poprzednich wyprawach. Pierwsza noc, którą spędzili w tym miejscu, kosztowała ich cztery tuziny Rice Krispies Treats, pudełko czekoladek i wszystkie ciasteczka z masłem orzechowym.

Przed snem wszyscy czworo udali się na krótką wycieczkę poza blask obozowych ognisk i latarni, w ciche i ciemne miejsce, gdzie mogli z zachwytem obserwować Drogę Mleczną, bardzo wyraźną, kiedy nie przyćmiewały jej światła miasta. Mack mógłby tak leżeć i patrzeć całymi godzinami. Czuł się bardzo mały, ale było mu dobrze.

Ze wszystkich miejsc na świecie tutaj najbardziej odczuwał obecność Boga, otoczony przez naturę, pod roziskrzonym niebem. Niemal słyszał pieśń dziękczynną, którą gwiazdy śpiewały Stwórcy, i w głębi niechętnego serca przyłączył się do nich najlepiej, jak potrafił.

Po powrocie do obozu i po kilku wyprawach do toalety i łazienki Mack w końcu bezpiecznie umieścił całą trójkę w śpiworach. Pomodlił się krótko z Joshem, a następnie poszedł do czekających na niego córek. Ale kiedy przyszła kolej Missy na modlitwę, ona wolała porozmawiać.

– Tatusiu, dlaczego ona musiała umrzeć?

Minęła chwila, zanim Mack zrozumiał, o kim mówi córka, i nagle uświadomił sobie, że musiała myśleć o księżniczce Multnomah od postoju przy wodospadzie.

– Kochanie, ona nie musiała umierać, tylko postanowiła się poświęcić, żeby uratować swój lud. Wszyscy byli chorzy, a ona chciała, żeby wyzdrowieli.

Zapadła cisza. Mack wiedział, że w ciemności obok niego formuje się następne pytanie.

– Czy to się naprawdę wydarzyło? – Tym razem zadała je Kate, najwyraźniej zainteresowana ich rozmową.

– Ale co?

– Czy indiańska księżniczka naprawdę zginęła? Czy ta historia jest prawdziwa?

Mack zastanawiał się przez chwilę.

– Nie wiem, Kate. To legenda, a legendy to często historie z morałem.

– Więc to się mogło wydarzyć? – zapytała Missy.

– Mogło, kochanie. Czasami legendy są oparte na prawdziwych historiach, na tych, które naprawdę się wydarzyły.

Znowu cisza, a potem:

– Więc śmierć Jezusa to legenda? – Mack niemal słyszał, jak w głowie Kate obracają się trybiki.

– Nie, kochanie, to prawdziwa historia. I wiesz co? Myślę, że opowieść o indiańskiej księżniczce też jest prawdziwa.

Mack czekał, aż dziewczynki przemyślą jego słowa. Pierwsza odezwała się Missy:

– Czy Wielki Duch to inne imię Boga, no wiesz, Jezusa, tatusiu?

Mack uśmiechnął się w ciemności. Cowieczorne modlitwy Nan rzeczywiście działały.

– Sądzę, że tak. To dobre imię, bo Bóg jest Duchem i jest Wielki.

– Więc dlaczego jest taki podły?

Zatem o to chodziło?

– Co masz na myśli, Missy?

– Wielki Duch zmusił księżniczkę, żeby skoczyła z urwiska, i zmusił Jezusa, żeby umarł na krzyżu. To wydaje mi się podłe.

Mack nie wiedział co odpowiedzieć. W wieku sześciu i pół roku Missy zadawała pytania, z którymi mądrzy ludzie zmagali się od wieków.

– Kochanie, Jezus nie uważał, że jego tata jest podły. Uważał, że jest pełen miłości i bardzo go kocha. On wcale nie kazał mu umrzeć. Jezus sam postanowił oddać życie, bo obaj kochają ciebie, mnie i wszystkich na świecie. Uratował nas od choroby, tak jak księżniczka.

Cisza, która zapadła po tym wyjaśnieniu, trwała dłużej niż zwykle. Mack pomyślał, że dziewczynki usnęły. Już miał się pochylić i pocałować je na dobranoc, kiedy w ciemności rozległ się cichy, wyraźnie drżący głosik.

– Tatusiu?

– Tak, kochanie?

– Będę musiała kiedyś skoczyć z urwiska?

Mackowi omal nie pękło serce, kiedy zrozumiał, o czym naprawdę jest ta rozmowa. Wziął córkę w ramiona i przytulił ją do siebie. Zdławionym głosem odpowiedział:

– Nie, kochanie. Nigdy nie poproszę cię, żebyś skoczyła z urwiska, nigdy, przenigdy.

– A jeśli Bóg poprosi mnie, żebym skoczyła?

– Nie, Missy. Nigdy o coś takiego cię nie poprosi.

Dziewczynka wtuliła się w niego mocniej.

– To dobrze! Dobranoc, tatusiu. Kocham cię.

I zasnęła głęboko, żeby mieć tylko dobre i miłe sny.

Po kilku minutach Mack delikatnie ułożył ją w śpiworze.

– Wszystko w porządku, Kate? – Szepnął, całując ją na dobranoc.

– Tak – dobiegła z ciemności cicha odpowiedź. – Tatusiu?

– Słucham, skarbie.

– Ona zadaje dobre pytania, prawda?

– Jasne. Jest wyjątkową małą dziewczynką, obie jesteście wyjątkowe, tylko że ty już nie jesteś mała. A teraz śpij, bo jutro czeka nas wielki dzień. Słodkich snów, kochanie.

– Tobie też, tatusiu. Kocham się bardzo, bardzo!

– Ja ciebie też, całym sercem. Dobranoc.

Mack wyszedł z namiotu i zasunął zamek. Otarł łzy z policzków i odmówił cichą modlitwę dziękczynną do Boga, a potem poszedł zaparzyć sobie kawy.

3

Punkt przełomowy

„Przebywanie z dziećmi leczy duszę".

Fiodor Dostojewski

Park Stanowy Wallowa w Oregonie i jego okolice są określane jako Mała Szwajcaria Ameryki. Dzikie, poszarpane góry wznoszą się na prawie dziesięć tysięcy stóp, są między nimi ukryte niezliczone doliny, jest mnóstwo strumieni, szlaków pieszych i wysokogórskich łąk usianych polnymi kwiatami. Jezioro Wallowa jest bramą do parku krajobrazowego Eagle Cap i narodowego obszaru rekreacyjnego Hells Canyon, które szczyci się najgłębszym wąwozem w Ameryce Północnej. Wycięty w ciągu wieków przez rzekę Snake miejscami ma kilka mil głębokości i do dziesięciu mil szerokości.

Siedemdziesiąt pięć procent tych terenów jest pozbawione dróg, ma natomiast dziewięćset mil pieszych szlaków. Niegdyś było to terytorium dominującego plemienia Nez Perce, którego pozostałości do dzisiaj zachowały się na całym pustkowiu, podobnie jak ślady po przejściu białych osadników zmierzających na zachód. Pobliskie miasto zostało nazwane Joseph na cześć potężnego wodza, którego indiańskie imię oznaczało Grzmot Toczący Się z Góry. Te obszary są siedliskiem bogatej flory i fauny, między innymi łosi, niedźwiedzi, jeleni i górskich kozic. Obecność grzechotników, zwłaszcza pobliżu rzeki Snake, jest wystarczającym powodem, żeby zachować ostrożność, jeśli się zboczy ze szlaku.

Samo jezioro Wallowa o szerokości jednej mili i długości pięciu mil zostało podobno utworzone przez lodowce przed dziewięcioma milionami lat. Teraz znajduje się jakąś milę od Joseph i leży na wysokości czterech tysięcy czterystu stóp. Woda, przez większą część roku lodowato zimna, pod koniec lata nadaje się do pływania, przynajmniej blisko brzegu. Z wysokości prawie dziesięciu tysięcy stóp spogląda na ten niebieski klejnot pokryta śniegiem, wyniosła Sacagawea.

Następne trzy dni Mack i dzieci wypełnili zabawą i lenistwem. Missy, najwyraźniej zadowolona z odpowiedzi taty, już nigdy więcej nie poruszyła tematu księżniczki, nawet kiedy pewnego dnia w czasie wędrówki dotarli w okolice stromych urwisk. Kilka godzin poświęcili na opłynięcie brzegów jeziora łodziami wiosłowymi, grali w minigolfa, zażarcie walcząc o nagrodę, a nawet wybrali się na konną przejażdżkę. Po porannej wyprawie do historycznego Wade Ranch, znajdującego się w połowie drogi między Joseph a Enterprise, popołudnie spędzili w mieście, odwiedzając małe sklepiki.

Po powrocie nad jezioro Josh i Kate urządzili sobie wyścigi na torze gokartowym. Chłopiec wygrał, ale później tego samego dnia jego siostra odzyskała prawo do przechwałek, kiedy złowiła trzy spore pstrągi. Missy złapała jednego na robaka, natomiast Josh i Mack nie mogli się pochwalić ani jedną zdobyczą mimo wymyślnych przynęt.

W czasie tego weekendu do świata Phillipsów w jakiś magiczny sposób przeniknęły dwie inne rodziny. Jak to się często zdarza, najpierw znajomości zawiązały się między dziećmi, a potem między dorosłymi. Joshowi szczególnie zależało na poznaniu Ducette'ów, których starsza córka Amber okazała się ładną młodą damą w jego wieku. Kate nie przepuszczała żadnej okazji, żeby dręczyć starszego brata docinkami, na co on, czerwony na twarzy i urażony, odmaszerowywał do namiotu. Amber miała siostrę Emmy, tylko o rok młodszą od Kate, więc obie spędzały razem dużo czasu. Państwo Ducette przyjechali z Colorado, gdzie Emil pracował w Służbie Połowu i Dzikiej Przyrody, a Vicki zajmowała się domem i rocznym nieplanowanym synem J.J.'em

Ducette'owie przedstawili Macka i jego dzieci kanadyjskiej parze, którą poznali wcześniej, Jessemu i Sarah Madisonom. Oboje mieli niewymuszony, bezpretensjonalny sposób bycia, tak że Mack od razu ich polubił. Byli niezależnymi konsultantami – on specjalistą od kadr, ona od zarządzania zmianami. Sarah bardzo przypadła do gustu Missy, tak że obie często przebywały w obozowisku Ducette'ów, pomagając Vicki przy J.J.'u

W poniedziałek, który powitał ich doskonałą pogodą, całe towarzystwo było podekscytowane planami wyprawy kolejką na Mount Howard, wznoszącą się osiem tysięcy sto pięćdziesiąt stóp nad poziom morza. Linia zbudowana w 1970 roku miała największe nachylenie w Ameryce Północnej, a długość kabla sięgała prawie czterech mil. Droga na szczyt w wagoniku dyndającym od trzech do stu dwudziestu stóp nad ziemią trwa około piętnastu minut.

Nie zabrali ze sobą kanapek, bo Jesse i Sarah uparli się, że postawią wszystkim obiad w Summit Grill. Zamierzali zjeść od razu po dotarciu na wierzchołek, a potem odwiedzić wszystkie pięć punktów widokowych. Wyruszyli po śniadaniu, uzbrojeni w aparaty fotograficzne, okulary przeciwsłoneczne, butelki z wodą i kremy z filtrem. Zgodnie z planem zafundowali sobie w Summit Grill prawdziwą ucztę złożoną z hamburgerów, frytek i koktajli mlecznych. Wysokość najwyraźniej zaostrzyła im apetyt, bo nawet Missy pochłonęła całą porcję.

Po obiedzie pomaszerowali do punktów widokowych. Najdłuższy szlak prowadził od Valley Overlook do Snake River Country i Seven Devils, razem niewiele ponad trzy czwarte mili. Z tego pierwszego mogli zobaczyć miasta Joseph, Enterprise, Lostine, a nawet Wallowa. Z Royal Purple i Summit w krystalicznie czystym powietrzu podziwiali rozległą panoramę aż po stany Waszyngton i Idaho. Niektórym wydawało się nawet, że za płaskim jak patelnia Idaho widzą Montanę.

Późnym popołudniem wszyscy byli zmęczeni i szczęśliwi. Missy, którą Jesse niósł na barana do dwóch ostatnich punktów widokowych, teraz spała na rękach ojca, kiedy zjeżdżali ze szczytu w trzęsącym się i skrzypiącym wagoniku. Pozostałe dzieci, z twarzami przyklejonymi do szyb, głośno zachwycały się bajecznymi widokami. Ducette'owie siedzieli pogrążeni w cichej rozmowie, trzymając się za ręce, a J.J. spał w ramionach ojca.

To jeden z tych rzadkich i cennych momentów, które trafiają się człowiekowi z zaskoczenia i niemal zapierają mu dech, pomyślał Mack. Gdyby tylko Nan mogła tu być, byłoby naprawdę idealnie.

Wygodniej ułożył śpiącą Missy i odgarnął jej włosy z twarzy, żeby na nią spojrzeć. Umorusana po całym dniu wędrówek, wyglądała jeszcze bardziej niewinnie i uroczo.

Dlaczego dzieci dorastają? – zadumał się Mack, całując ją w czoło.

Wieczorem trzy rodziny przygotowały ostatnią kolację z resztek zapasów: sałatkę taco, dużo świeżych warzyw i dipów. Sarah udało się nawet wyczarować deser czekoladowy z bitą śmietaną, mus, ciasteczka z orzechami i inne specjały, dzięki którym wszyscy poczuli się jak na wystawnej uczcie.

Gdy schowano resztki do lodówek turystycznych, sprzątnięto i umyto naczynia, dorośli usiedli z kawą wokół ogniska. Emil zaczął opowiadać o rozbijaniu siatek przemytników zwierząt zagrożonych wymarciem, łapaniu kłusowników i ludzi polujących nielegalnie. Był utalentowanym gawędziarzem, a zawód miał ciekawy i wręcz sprzyjający przygodom. Mack znowu sobie uświadomił, że w wielu sprawach tego świata jest bardzo naiwny.

Kiedy zrobiło się późno, Emil i Vicki pierwsi udali się do łóżek ze swoim zaspanym niemowlakiem. Jesse i Sarah zgłosili się na ochotnika, że jeszcze trochę zostaną, a potem odprowadzą dziewczynki do obozowiska. Troje młodych Phillipsów i dwie dziewczynki Ducette czym prędzej zniknęli w namiocie, żeby tam w swoim gronie dzielić się różnymi historiami i sekretami.

Jak to często bywa przy ogniskach palących się długo w noc, lekka rozmowa zmieniła się w bardziej osobistą. Sarah przejawiała duże zainteresowanie resztą rodziny Macka, a zwłaszcza Nan.

– Jaka ona jest, Mackenzie?

Mack skwapliwie skorzystał z okazji, żeby pochwalić się swoją żoną.

– Oprócz tego, że jest piękna, a nie mówię tego ot tak sobie, bo naprawdę jest piękna, w środku i na zewnątrz... –

Podniósł nieśmiało wzrok i zobaczył, że oboje Madisonowie uśmiechają się do niego życzliwie. Naprawdę brakowało mu Nan i był zadowolony, że nocny mrok ukrywa jego zakłopotanie. – Jej pełne imię brzmi Nannette, ale prawie nikt tak do niej nie mówi, tylko Nan. Ma świetną opinię w środowisku medycznym, przynajmniej na Północnym Zachodzie. Jest pielęgniarką i opiekuje się pacjentami onkologicznymi – to znaczy, chorymi na raka – w stadium terminalnym. To ciężka praca, ale ona ją kocha. Pisze artykuły i występuje na konferencjach.

– Naprawdę? O czym mówi?

– Pomaga ludziom przemyśleć ich stosunki z Bogiem w obliczu śmierci – odparł Mack.

– Chciałbym więcej o tym usłyszeć – odezwał się Jesse, grzebiąc kijem w ognisku. Płomienie strzeliły w górę z nowym wigorem.

Mack się zawahał. Choć czuł się przy tych dwojgu wyjątkowo swobodnie, tak naprawdę wcale ich nie znał, a rozmowa stawała się zbyt osobista jak na jego gust. Chciał jak najzwięźlej odpowiedzieć na pytanie Jessego.

– Nan jest w tych sprawach dużo lepsza ode mnie. Chyba myśli o Bogu inaczej niż większość ludzi. Nawet nazywa go Tatą ze względu na bliskość ich relacji, jeśli to ma dla was jakiś sens.

– Oczywiście, że ma – zapewniła go Sarah, a jej mąż pokiwał głową. – Czy to rodzinna tradycja? Nazywanie Boga Tatą?

– Nie – odparł Mack ze śmiechem. – Dzieciaki przejęły zwyczaj Nan, ale mnie się wydaje, że to zbytnia poufałość. Poza tym, Nan ma cudownego ojca, więc myślę, że jej jest łatwiej.

Ostatnie słowa wymknęły mu się niechcący. Mack zadrżał w duchu. Miał nadzieję, że nikt nie zwrócił na nie uwagi, ale Jesse spojrzał mu w oczy i zapytał łagodnie:

– Twój ojciec nie był taki cudowny?

– Tak, chyba można śmiało powiedzieć, że nie był cudowny. Umarł, kiedy byłem dzieckiem. Z naturalnych przyczyn. – Mack skwitował swoje wyznanie nerwowym śmiechem. Popatrzył na Madisonów i dodał: – Zapił się na śmierć.

– Bardzo nam przykro – powiedziała Sarah.

Mack wyczuł, że jego nowa znajoma mówi szczerze.

– Cóż – powiedział, zmuszając się do uśmiechu. – Życie bywa ciężkie, ale mam za co dziękować losowi.

Zapadła niezręczna cisza, podczas gdy Mack zastanawiał się, co takiego jest w tej parze, że tak łatwo przebiła się przez jego mur obronny. Chwilę później wybawiły go dzieci, które wypadły z namiotu i wmieszały się między dorosłych. Ku radości Kate, ona i Emmy przyłapały Josha i Amber, jak trzymali się za ręce w ciemności, i teraz Kate chciała, żeby cały świat się o tym dowiedział. Tymczasem jej brat był tak zadurzony, że potulnie godził się na nękanie i dzielnie przyjmował docinki siostry. Mimo usilnych starań nie umiał pozbyć się z twarzy głupiego uśmiechu.

Madisonowie uściskali Phillipsów na dobranoc – Sarah ze szczególną czułością objęła Macka – a potem ruszyli w stronę przyczepy Ducette'ów, trzymając za ręce Amber i Emmę. Mack obserwował całą czwórkę, dopóki w oddali nie ucichły ich głosy i nie zgasło kołyszące się światło latarki. Wtedy uśmiechnął się i zagonił swoje stadko do śpiworów.

Kiedy już odmówiono modlitwy i wymieniono całusy na dobranoc, Kate jeszcze przez chwilę mówiła coś ściszonym głosem do starszego brata i chichotała. Josh od czasu do czasu odpowiadał ostrym szeptem, który wszyscy mogli usłyszeć:

– Zamknij się, Kate! Mówię poważnie. Straszny z ciebie dzieciuch!

W końcu zapadła cisza.

W świetle latarń Mack spakował część rzeczy, ale z resztą postanowił zaczekać do rana. I tak zamierzali wyjechać dopiero wczesnym popołudniem. Zaparzył sobie ostatni kubek kawy i usiadł z nim przy ognisku, z którego została już tylko migocząca kupka żaru. Był sam, ale nie czuł się samotny. Czy nie jakoś tak brzmiała strofa piosenki Bruce'a Cockburna „Rumors of Glory”? Jeśli nie zapomni, może to sprawdzić po powrocie do domu.

Kiedy tak siedział i jak zahipnotyzowany patrzył w ognisko, otulony jego ciepłem, zanosił modły dziękczynne do Boga. Tyle dobrego otrzymał od losu. Można wręcz powiedzieć, że został pobłogosławiony. Był zadowolony i przepełniony spokojem. Jeszcze wtedy nie wiedział, że za dwadzieścia cztery godziny jego modlitwy zmienią się drastycznie.

**

Następny ranek, choć słoneczny i ciepły, nie zaczął się najlepiej. Mack wstał wcześnie, żeby zaskoczyć dzieci pysznym śniadaniem, ale oparzył sobie dwa palce, kiedy naleśniki przywarły do patelni. W reakcji na piekący ból zaczął machać ręką i strącił miskę z ciastem prosto na piasek. Dzieci, obudzone brzękiem i ściszonymi przekleństwami, wystawiły głowy z namiotu, żeby zobaczyć, co to za zamieszanie. Kiedy zorientowały się w sytuacji, zaczęły chichotać, ale wystarczyło warknięcie ojca: „To nie jest zabawne!", żeby schowały się z powrotem. W bezpiecznej kryjówce nadal coś szeptały, obserwując scenę przez siatkowe okna.

Tak więc, zamiast planowanej uczty, na śniadanie były płatki pół na pół z wodą, bo ostatnie mleko Mack zużył do ciasta na naleśniki. Następną godzinę spędził na próbach zwijania obozu, z dwoma palcami w szklance zimnej wody, często odświeżanej kawałkami lodu, które Josh odłupywał łyżką z bloku. Wieść musiała się roznieść po kempingu, bo zjawiła się Sarah Madison z apteczką. Kilka minut po tym, jak posmarowała rękę Macka białawym płynem, ból zaczął ustępować.

W tym czasie Josh i Kate, wykonawszy swoje zadania, spytali ojca, czy mogą ostatni raz popływać kanadyjką Ducette'ów. Z góry obiecali, że włożą kamizelki ratunkowe. Po obowiązkowym sprzeciwie i stosownej liczbie błagań ze strony dzieci, zwłaszcza Kate, Mack w końcu ustąpił i jeszcze raz przypomniał im zasady bezpieczeństwa i dobrych obyczajów. Był spokojny. Obozowisko znajdowało się o rzut kamieniem od jeziora, a dzieci obiecały, że będą się trzymać blisko brzegu. Mack mógł się pakować i jednocześnie mieć na nie oko.

Missy siedziała przy stole i kolorowała książeczkę kupioną przy wodospadzie Multnomah. Jest słodka, pomyślał Mack, zerkając na nią podczas sprzątania bałaganu, który sam zrobił. Miała na sobie ostatnie czyste rzeczy: letnią czerwoną sukienkę haftowaną w polne kwiaty, zakup z pierwszej wyprawy do Joseph.

Piętnaście minut później Mack usłyszał głos córki, wołającej: „Tato!". Podniósł wzrok i spojrzał na jezioro. Kate i jej brat wiosłowali jak zawodowcy. Oboje mieli na sobie kamizelki ratunkowe. Mack im pomachał.

To zadziwiające, że na pozór nieistotna czynność czy wydarzenie może całkiem zmienić życie. W odpowiedzi na gest ojca Kate odruchowo uniosła wiosło i na jej twarzy zastygł wyraz przerażenia, kiedy łódka w ciszy i niemal w zwolnionym tempie zaczęła się przewracać. Josh rozpaczliwie próbował ją wyprostować, ale było już za późno. Z pluskiem zniknął z widoku, nakryty przez kajak. Tymczasem Mack już pędził na brzeg. Nie zamierzał wskakiwać do jeziora, tylko chciał być w pobliżu, kiedy jego dzieci się wynurzą. Kate pokazała się pierwsza, krztusząc się i płacząc, ale Josha nadal nie było widać. Potem nagle ukazały się jego nogi młócące wodę. Mack natychmiast się zorientował, że coś jest nie w porządku.

Ku jego zdumieniu w jednej chwili wróciły wszystkie odruchy, które w sobie wykształcił jako nastoletni ratownik. W biegu zdjął koszulę i buty i kilka sekund później wskoczył do wody. Nie zważając na lodowate zimno, popłynął w stronę kajaka unoszącego się pięćdziesiąt stóp od brzegu. Na razie nie przejmował się rozdzierającym szlochem córki. Kate była bezpieczna. Najpierw musiał ratować Josha.

Wziął głęboki wdech i zanurkował. Woda, choć wzburzona, była w miarę przejrzysta. Widoczność sięgała trzech stóp. Mack szybko znalazł Josha i odkrył przyczynę jego kłopotów. Jeden z pasów kamizelki ratunkowej zaplątał się w fartuch. Mimo wysiłków Mack nie mógł go odczepić, więc próbował dać synowi znak, żeby wsadził głowę do wnętrza kajaka, gdzie zostało trochę powietrza. Ale biedny chłopak wpadł w panikę i na próżno szarpał się w uwięzi.

Mack wychynął na powierzchnię, krzyknął do Kate, żeby płynęła do brzegu, nabrał powietrza i znowu zanurkował. Za trzecim razem, wiedząc, że czas ucieka, zrozumiał, że ma dwie możliwości: uwolnić syna z kamizelki albo odwrócić kajak. Ponieważ Josh w panice nie pozwalał mu się do siebie zbliżyć, Mack wybrał drugi sposób. Dzięki Bogu i aniołom albo Bogu i adrenalinie już przy drugiej próbie udało mu się przekręcić łódkę i wydostać syna ze śmiertelnej pułapki.

Kamizelka nareszcie spełniła swoje zadanie, utrzymując chłopca z głową nad wodą. Josh był nieprzytomny i bezwładny, z rozcięcia na głowie ciekła mu krew. Mack natychmiast zaczął robić synowi sztuczne oddychanie, a tymczasem ludzie, którzy przybiegli nad jezioro, zwabieni odgłosami zamieszania, wyciągnęli ich obu i kajak na płyciznę.

Mack nie zwracał uwagi na krzyki i gorączkowe pytania, tylko skupił się na zadaniu, nie dopuszczając do siebie strachu. Znalazłszy się na ziemi, Josh zaczął kaszleć, wymiotować wodą i śniadaniem. Zgromadzeni wybuchnęli entuzjazmem, natomiast Mack rozpłakał się z wielkiej ulgi. Chwilę potem przyłączyła się do niego Kate, oplatając mu szyję ramionami. Wszyscy obecni śmiali się, płakali i obejmowali.

Wśród tych, których hałas ściągnął nad jezioro, byli Madison i Ducette. W radosnym gwarze Mack usłyszał szept Emila, który, niczym różaniec, powtarzał słowa: „Tak mi przykro... Tak mi przykro... Tak mi przykro...". To był jego kajak. To mogły być jego dzieci. Mack objął go ramieniem i kładąc nacisk na każde słowo, powiedział mu do ucha:

– Przestań! To nie była twoja wina. Już wszystko w porządku.

Emil zaczął szlochać, dając upust hamowanym emocjom: przerażeniu i wyrzutom sumienia.

Kryzys został zażegnany. Przynajmniej tak sądził Mack.

4

Wielki Smutek

„Smutek to ściana między dwoma ogrodami".

Khalil Gibran

Mack stał na brzegu i zgięty wpół łapał oddech. Minęło kilka minut, zanim pomyślał o Missy. Pamiętając, że kolorowała książeczkę, poszedł wzdłuż plaży do miejsca, skąd mógł zobaczyć obozowisko, ale nie dostrzegł jej przy stole. Przyśpieszył kroku i ruszył w stronę przyczepy, wołając córkę, na razie spokojnie. Żadnej odpowiedzi. Choć serce zaczęło mu bić szybciej, tłumaczył sobie, że w zamieszaniu ktoś się nią zajął, prawdopodobnie Sarah Madison, Vicki Ducette albo któreś ze starszych dzieci.

Nie chciał wyjść na panikarza, więc odszukał swoich nowych znajomych i poinformował ich, że nie może znaleźć Missy. Poprosił, żeby zapytali swoich rodzin, czy przypadkiem nie wiedzą, gdzie jest jego córka. Obaj mężczyźni szybko poszli do swoich przyczep. Jesse wrócił pierwszy i oznajmił, że Sarah w ogóle nie widziała Missy tego ranka. Razem skierowali się do obozowiska Ducette'ów, ale zanim tam dotarli, Emil przybiegł do nich z wyrazem niepokoju na twarzy.

– Nikt dzisiaj nie widział Missy i nie wiemy również, gdzie jest Amber. Może są razem? – W głosie Emila brzmiała nuta strachu.

– Na pewno tak jest – powiedział Mack, próbując dodać otuchy sobie i jednocześnie Emilowi. – Gdzie mogą być, jak myślisz?

– Może sprawdzimy w łazienkach i pod prysznicami – podsunął Jesse.

– Dobry pomysł – orzekł Mack. – Ja sprawdzę ten, który jest najbliżej naszego stanowiska. Z niego korzystają moje dzieci. Może ty i Emil zajrzycie do tego, który jest obok was?

Mężczyźni skinęli głowami i ruszyli na poszukiwania, a Mack pobiegł wolnym truchtem w stronę pryszniców. Dopiero teraz zauważył, że jest bez butów i koszuli. To dopiero musi być widok, pomyślał. I pewnie by zachichotał, gdyby nie był tak zaaferowany zniknięciem Missy.

Gdy dotarł do toalet, zapytał nastolatkę wychodzącą z części dla kobiet, czy nie widziała małej dziewczynki w czerwonej sukience. Albo dwóch dziewczynek. Zagadnięta przez niego odpowiedziała, że nikogo nie zauważyła, ale może sprawdzić. Za niecałą minutę wróciła, kręcąc głową.

– Tak czy inaczej dziękuję – rzucił Mack i skierował się na tyły budynku, gdzie znajdowały się prysznice.

Wszedł do środka, głośno wołając Missy. Słyszał płynącą wodę, ale nikt się nie odzywał. Zaczął dobijać się kolejno do wszystkich kabin, aż uzyskał odpowiedź. Niestety, udało mu się jedynie porządnie wystraszyć starszą panią, kiedy bębniąc do drzwi, niechcący je otworzył. Kobieta krzyknęła, a Mack, przepraszając, szybko zamknął kabinę i popędził do następnych.

Pod żadnych z sześciu natrysków nie było Missy. Sprawdził w męskich toaletach i pod prysznicami, starając się nie myśleć, po co w ogóle miałby tam zaglądać. Jego córki nigdzie nie było, więc potruchtał do obozowiska Emila, w duchu powtarzając tylko jedną modlitwę: „Boże, pomóż mi ją znaleźć. O, Boże, proszę, pomóż mi ją znaleźć".

Kiedy Vicki go zobaczyła, wybiegła mu na spotkanie. Próbowała nie płakać, ale nie udało się jej pohamować łez, kiedy go objęła. Nagle Mack rozpaczliwie zapragnął, żeby była przy nim Nan. Ona wiedziałaby, co robić. On czuł się zagubiony.

– Sarah, Josh i Kate są w waszym obozie, więc nie martw się o nich – powiedziała Vicki, szlochając.

O, Boże, pomyślał Mack, który zupełnie o nich zapomniał. Co ze mnie za ojciec? Poczuł ulgę, że jest z nimi Sarah, ale tym bardziej zatęsknił za obecnością Nan.

W tym momencie nadbiegli Madison i Ducette. Emil miał na twarzy wyraz ulgi, Jesse był napięty jak struna.

– Znaleźliśmy ją! – wykrzyknął Emil z radosną miną, ale natychmiast spoważniał, kiedy sobie uświadomił, jak mogły zabrzmieć jego słowa. – To znaczy znaleźliśmy Amber. Właśnie wróciła spod prysznica. Twierdzi, że mówiła mamie, ale Vicki pewnie jej nie usłyszała... – Zawiesił głos.

– Ale Missy nie znaleźliśmy – dodał szybko Jesse, odpowiadając na najważniejsze pytanie. – Amber też jej dzisiaj nie widziała.

Tymczasem Emil przejął dowodzenie i rzeczowym tonem stwierdził:

– Mack, musimy natychmiast skontaktować się z administracją kempingu i wszcząć poszukiwania Missy. Może poszła gdzieś, wystraszona zamieszaniem, i po prostu się

49

zgubiła. Albo próbowała nas znaleźć i skręciła w niewłaściwą stronę. Masz jej fotografię? Jeśli w biurze jest faks, zrobimy parę kopii i w ten sposób zaoszczędzimy trochę czasu.

– Tak, mam jej zdjęcie w portfelu. – Mack sięgnął do tylnej kieszeni i nagle ogarnął go strach, kiedy go tam nie znalazł. Przez głowę przemknęła mu myśl, że jego portfel spoczywa na dnie jeziora Wallowa, ale na szczęście zaraz przypomniał sobie, że po wczorajszej wyprawie kolejką wszystkie dokumenty i pieniądze zostały w samochodzie.

We trzech ruszyli do obozowiska Phillipsów. Jesse pobiegł przodem, by powiadomić Sarah, że Amber jest bezpieczna, ale nadal nie wiadomo, co się stało z Missy. Dotarłszy na miejsce, Mack uściskał Josha i Kate, za wszelką cenę starając się zachować spokój. Zdjął mokre ubranie, włożył dżinsy i koszulkę, suche skarpety i buty do biegania. Sarah obiecała, że razem z Vicki zaopiekują się dwójką starszych dzieci, i szepnęła, że modli się za niego i Missy. Mack przytulił ją w podzięce, ucałował dzieci i dołączył do swoich dwóch towarzyszy. Razem pobiegli do administracji kempingu.

Wieść o akcji ratowniczej na jeziorze zdążyła już dotrzeć do dwupokojowego biura. Panujący w nim radosny nastrój szybko się zmienił, kiedy trzej przybyli mężczyźni opowiedzieli o zniknięciu Missy. Na szczęście była tam fotokopiarka, tak że Mack powiększył kilka zdjęć córki i rozdał je obecnym.

Kemping Wallowa ma dwieście piętnaście stanowisk pogrupowanych w pięć pętli i trzy strefy. Młody zastępca kierownika Jeremy Bellamy zgłosił się na ochotnika, że pomoże w poszukiwaniach, więc podzielili cały obszar na cztery części i wyruszyli uzbrojeni w mapy, zdjęcia Missy i walkie-talkie. Jeden z pracowników administracji udał się z krótkofalówką do obozowiska Phillipsów, żeby meldować, gdyby dziewczynka się pojawiła.

Była to metodyczna praca, o wiele za wolna jak dla Macka, choć zdawał sobie sprawę, że to najbardziej logiczny sposób na szukanie zaginionej córki... O ile nadal znajdowała się na terenie kempingu. Idąc między namiotami i przyczepami, modlił się i składał przyrzeczenia. Wiedział w głębi serca, że obiecywanie Bogu różnych rzeczy jest głupie i irracjonalne, ale nie mógł się powstrzymać. Był zdesperowany, a Stwórca z pewnością wiedział, gdzie jest Missy.

Wielu biwakowiczów już wyjechało, a inni właśnie się pakowali przed powrotem do domu. Nikt nie widział Missy. Grupy poszukiwawcze od czasu do czasu meldowały się w biurze, żeby sprawdzić postępy, ale do prawie drugiej po południu sytuacja się nie zmieniła.

Mack akurat kończył sprawdzać swój rejon, kiedy usłyszał wezwanie przez krótkofalówkę. Jeremy, który wziął teren obejmujący wjazd na kemping, twierdził, że ma jakiś ślad. Emil kazał im stawiać znaki na mapach, żeby wiedzieli, gdzie dotarli w swoich poszukiwaniach, a następnie podał im numer stanowiska, z którego odezwał się Bellamy. Mack zjawił się ostatni i trafił na ożywioną rozmowę Emila, Jeremy'ego i trzeciego młodego mężczyzny, którego jeszcze nie znał.

Emil przedstawił mu Virgila Thomasa, chłopaka z Kalifornii, który od lat biwakował systematycznie w tym miejscu razem z paroma kolegami. Virgil i jego przyjaciele spali do późna, bo poprzedniej nocy zabalowali, tak że tylko on widział starą zieloną furgonetkę wyjeżdżającą z kempingu i kierującą się w stronę Joseph.

– O której mniej więcej to było? – zapytał Mack.

– Już mu mówiłem, że przed południem – odparł Virgil, wskazując na Bellamy'ego. – Nie jestem pewien, kiedy dokładnie. Miałem kaca, a poza tym nie patrzymy tutaj na zegarki.

Mack podsunął mu zdjęcie Missy i spytał ostro:

– Widziałeś ją?

– Kiedy ten gość pokazał mi fotkę, ta mała nie wyglądała mi znajomo – odparł Virgil, przyglądając się zdjęciu. – Ale kiedy powiedział, że miała na sobie jasnoczerwoną sukienkę, przypomniałem sobie, że dziewczynka w zielonej furgonetce była w czymś czerwonym i śmiała się albo ryczała, sam nie wiem. A potem wyglądało, jakby tamten facet spoliczkował ją albo pchnął w dół, ale możliwe, że tylko się wygłupiał.

Macka sparaliżowało. Informacja była dla niego przerażająca, lecz, niestety, tylko ona miała sens spośród wielu, które do tej pory usłyszał. Wyjaśniała, dlaczego nigdzie nie znaleźli śladu Missy. Mimo to nie chciał, żeby okazała się prawdziwa. Odwrócił się i ruszył biegiem w stronę biura, ale zatrzymał go głos Emila.

– Mack, stój! Już skontaktowaliśmy się z biurem i dzwoniliśmy do szeryfa Joseph. Zaraz tu kogoś przyślą i roześlą list gończy za furgonetką.

Zanim skończył mówić, do obozu wjechały dwa wozy patrolowe. Pierwszy skierował się do administracji, drugi skręcił w ich stronę. Mack, machając ręką, popędził na spotkanie policjantowi, który właśnie wysiadał z samochodu. Młody mężczyzna przed trzydziestką przedstawił się jako funkcjonariusz Dalton i od razu zaczął spisywać ich zeznania.

W ciągu następnych godzin poszukiwania Missy ruszyły pełną parą. Informację o zaginięciu dziewczynki rozesłano na zachód do Portland, na wschód do Boise, w Idaho i na północ do Spokane w stanie Waszyngton. Policjanci w Joseph ustawili blokadę drogową na autostradzie Imnaha biegnącej z Joseph w głąb narodowego obszaru rekreacyjnego Hells Canyon. Jeśli porywacz wyruszył tą drogą – a był to tylko jeden z wielu kierunków, które mógł wybrać – policja uznała, że może zdobyć istotne wskazówki od jadących nią kierowców. Ponieważ miała ograniczone siły, skontaktowała się również ze służbą leśną i poprosiła strażników o czujność.

Stanowisko Phillipsów odgrodzono kordonem jako miejsce przestępstwa i przesłuchano wszystkich biwakujących w pobliżu. Virgil podał tyle szczegółów na temat furgonetki, ile zdołał sobie przypomnieć, a sporządzony na ich podstawie opis wysłano do odpowiednich agencji.

Powiadomiono również agentów FBI z Portland, Seattle i Denver. Nan też już była w drodze, jadąc ze swoją najlepszą przyjaciółką Maryanne. Sprowadzono nawet psy tropiące, ale ślad Missy kończył się na parkingu, co potwierdzało obserwacje Virgila.

Gdy technicy kryminalistyczni przeczesali obozowisko, Dalton poprosił Macka, żeby wszedł na odgrodzony teren i dokładnie sprawdził, czy wszystko jest na swoim miejscu. Choć wyczerpany emocjonalnie, Mack bardzo chciał pomóc w dochodzeniu, więc skupił się i próbował sobie przypomnieć, jak wyglądał ranek. Ostrożnie chodząc wokół przyczepy, żeby nie zatrzeć śladów, zaczął odtwarzać w pamięci niedawne wydarzenia. Wiele oddałby za to, żeby cofnąć czas i żeby ten dzień zaczął się jeszcze raz. Nawet gdyby miał sparzyć palce i wyrzucić ciasto naleśnikowe w piasek.

Starannie wykonywał swoje zadanie, ale wszystko wydawało się takie, jak zapamiętał. Nic się nie zmieniło. Podszedł do stolika, przy którym rano siedziała Missy. Książeczka była otwarta na stronie, której nie skończyła kolorować: przedstawiającej indiańską księżniczkę Multnomah. Kredki też leżały na dawnym miejscu, ale brakowało ulubionego koloru Missy: czerwonego. Mack zaczął się rozglądać po ziemi.

– Jeśli szuka pan czerwonej kredki, znaleźliśmy ją tam, pod drzewem – odezwał się Dalton, wskazując na parking. – Pewnie upuściła ją, kiedy się szarpała... – Urwał raptownie.

– Skąd pan wie, że się szarpała? – zapytał Mack.

Policjant się zawahał, ale w końcu odpowiedział niechętnie:

– W krzakach znaleźliśmy jej but. Prawdopodobnie został tam kopnięty. Pana wtedy nie było, więc poprosiliśmy pańskiego syna, żeby go zidentyfikował.

Obraz córki walczącej z jakimś zboczonym potworem był niczym uderzenie pięścią w żołądek. Macka nagle otoczyła ciemność. Oparł się o stół, żeby nie zemdleć albo nie zwymiotować. I wtedy zauważył spinkę z biedronką wystającą z książeczki do kolorowania. Oprzytomniał natychmiast jakby podsunięto mu pod nos sole trzeźwiące.

– Czyje to? – zapytał Daltona, wskazując na spinkę.

– Co czyje?

– Ta spinka! Kto ją tutaj położył?

– Przyjęliśmy, że należy do Missy. Twierdzi pan, że rano jej tutaj nie było?

– Jestem pewien – oświadczył Mack z przekonaniem. – Moja córka nigdy nie miała takiej rzeczy. Z całą pewnością nie było jej tutaj dziś rano.

Dalton już coś mówił przez radio. Parę minut później zjawili się technicy i zabrali spinkę do zbadania.

Policjant wziął Macka na stronę i wyjaśnił:

– Jeśli ma pan rację, musimy założyć, że napastnik zostawił ją tutaj celowo. – Umilkł na chwilę i dodał: – Panie Phillips, to może być dobra wiadomość albo zła.

– Nie rozumiem.

Dalton znowu się zawahał, jakby szukał właściwych słów.

– Cóż, dobra wiadomość jest taka, że mamy wreszcie choć jeden dowód wiążący sprawcę z tym miejscem.

– Co pan sugeruje? – warknął Mack. – Że ten facet to jakiś seryjny zabójca? Że specjalnie zostawia ślad, żeby zaznaczyć terytorium czy coś w tym rodzaju?

Sądząc po minie Daltona, wyraźnie żałował, że w ogóle o tym wspomniał. Ale zanim rozgniewany ojciec wybuchnął gniewem, policjant dostał sygnał przez radio, że chce z nim rozmawiać agent FBI z Portland w Oregonie. Mack nie oddalił się dyskretnie, tylko słuchał, jak kobieta, która przedstawiła się jako agentka specjalna, prosi Daltona, żeby szczegółowo opisał spinkę. Wtedy poszedł razem z nim do miejsca, gdzie ekipa kryminalistyczna urządziła stanowisko robocze. Spinka znajdowała się w torebce na dowody. Stojąc tuż za grupą, Mack przysłuchiwał się rozmowie.

– To spinka w kształcie biedronki, czy raczej broszka, jedna z tych, które kobiety noszą w klapach żakietów – mówił Dalton. – Była wsadzona między kartki książeczki do kolorowania.

– Proszę opisać kolor i liczbę kropek na biedronce – dobiegł głos z radio.

– Zobaczmy – mruknął policjant, niemal wsadzając nos do torebki na dowody. – Głowa jest czarna z... no, po prostu łepek biedronki. Tułów czerwony z czarnymi brzegami i podziałami. Są dwie czarne kropki po lewej stronie, jeśli patrzy się tak, żeby głowa była u góry. Czy to ma sens?

– Jak najbardziej. Proszę mówić dalej – powiedziała cierpliwie agentka.

– Po prawej stronie tułowia są trzy kropki, więc razem jest ich pięć.

Po drugiej stronie zapadła cisza.

– Jest pan pewien, że jest pięć kropek?

– Tak, proszę pani, widzę pięć kropek. – Dalton uniósł wzrok i zobaczył Macka, który przysunął się bliżej, żeby lepiej widzieć. Wzruszył ramionami, jakby chciał powiedzieć: „A kogo obchodzi, ile jest kropek?".

– No dobrze, posterunkowy Dabney...

– Dalton, proszę pani. Tommy Dalton. – Znowu spojrzał na Macka i wywrócił oczyma.

– Przepraszam, posterunkowy Dalton. Proszę odwrócić spinkę i powiedzieć mi, co pan widzi na spodzie, to znaczy na brzuchu biedronki.

Dalton odwrócił torebkę i przyjrzał się uważnie.

– Jest coś wygrawerowanego na spodzie, agentko specjalna... ee... nie dosłyszałem nazwiska.

– Wilkowsky, wymawiane tak, jak się pisze. Są jakieś liczby czy litery?

– Zobaczmy. Tak, chyba ma pani rację. To wygląda jak numer serii. Hm. C... K... 1-4-6, tak. Charlie, Klio, 1,4,6. Trudno dokładnie zobaczyć przez tę folię.

Agentka milczała.

– Proszę ją zapytać, co to znaczy? – szepnął Mack do Daltona.

Policjant zawahał się, ale spełnił jego prośbę. Cisza po drugiej stronie znowu się przedłużała.

– Wilkowsky? Jest tam pani?

– Tak, jestem. – Głos był zmęczony i bezbarwny. – Dalton, znajdzie się tam jakieś miejsce, gdzie mógłbyś porozmawiać na osobności?

Mack energicznie pokiwał głową, a młody policjant zrozumiał, o co mu chodzi.

– Chwileczkę. – Odłożył torebkę ze spinką i ruszył przed siebie, pozwalając Mackowi, żeby poszedł za nim. Już i tak złamał przepisy.

– Już jestem. Proszę mi powiedzieć, o co chodzi z tą biedronką.

– Próbujemy złapać tego faceta od prawie czterech lat. Tropiliśmy go do tej pory w dziewięciu stanach. Wciąż przemieszcza się na zachód. Dostał przydomek Kempingowy Zabójca, ale informacji o spince nie przekazaliśmy prasie ani nikomu innemu, więc proszę ją zatrzymać dla siebie. Sądzimy, że uprowadził i zabił co najmniej czworo dzieci, same dziewczynki poniżej dziesiątego roku życia. Za każdym razem dodaje biedronce jedną kropkę, więc teraz byłaby to piąta ofiara. Zawsze zostawia identyczną spinkę na miejscu porwania, wszystkie z tym samym numerem serii, jakby kupił ich całe pudełko. Niestety, nie udało nam się ustalić producenta. Nie znaleźliśmy również ciała ani jednej dziewczynki, ale mamy powody, by sądzić, że żadna nie przeżyła. Wszystkie uprowadzenia następowały na jakimś kempingu albo w jego okolicy, w parku stanowym albo rezerwacie. Zdaje się, że sprawca jest doświadczonym człowiekiem lasu. Do tej pory nie zostawił nam kompletnie nic, nie licząc spinek.

– A co z samochodem? Mamy dokładny opis zielonej furgonetki, którą odjechał.

– Och, pewnie ją znajdziecie. Jeśli to nasz facet, pikap został skradziony dzień albo dwa dni wcześniej, przemalowany

57

i załadowany sprzętem turystycznym. Będzie wyczyszczony ze wszystkich śladów.

Słuchając rozmowy Daltona z agentką specjalną Wilkowsky, Mack stracił resztki nadziei. Osunął się na ziemię i ukrył twarz w dłoniach. Czy był jakiś człowiek równie zmęczony jak on w tej chwili? Po raz pierwszy od zniknięcia Missy dopuścił do siebie najgorsze możliwości, a kiedy już zaczął je roztrząsać, nie mógł się zatrzymać. Straszne obrazy przesuwały się przed jego oczami niczym w bezdźwięcznej, koszmarnej paradzie. Nawet kiedy spróbował się od nich uwolnić, nadal go prześladowały. Upiorne migawki tortur i bólu, potworów z najmroczniejszych głębi, demonów o palcach z drutu kolczastego i brzytew, Missy na próżno wołającej swojego tatusia. A wśród tych okropieństw przewijały się fragmenty wspomnień: niemowlę z kubeczkiem do picia, dwulatka pijana po zjedzeniu zbyt dużej ilości ciasta czekoladowego i sześcioletnia dziewczynka śpiąca bezpiecznie w ramionach ojca podczas jazdy kolejką. Co powie na jej pogrzebie? Jak wytłumaczy się przed Nan? Jak mogło do tego dojść? Boże, jak to się mogło stać?

***

Kilka godzin później Mack pojechał z dwójką dzieci do Joseph, które stało się centrum coraz szerzej zakrojonych poszukiwań. Właściciele hotelu dali Phillipsom pokój za darmo i kiedy Mack wniósł do niego swoje rzeczy, w końcu dało o sobie znać wyczerpanie, więc z wdzięcznością przyjął ofertę Daltona, że zabierze Josha i Kate do pobliskiej taniej restauracji. Teraz Mack siedział na brzegu łóżka i kołysał się wolno w przód i z tył, owładnięty rozpaczą, nieubłaganą i bezlitosną. Z jego piersi wyrwał się rozdzierający szloch.

I w takim stanie znalazła go żona. Objęli się i razem płakali. Mack wylewał z siebie smutek, a Nan próbowała go chronić przed całkowitym załamaniem.

Tej nocy Mack spał niespokojnie, atakowany przez obrazy bezwzględne jak fale smagające skalisty brzeg. Poddał się, kiedy słońce zaczęło wysyłać sygnały o swoim rychłym przybyciu. On sam ledwo zauważał upływ czasu. W ciągu jednego dnia przeżył tyle, ile kiedyś przez cały rok, i teraz czuł się odrętwiały, zagubiony w nagle bezsensownym świecie, który już na zawsze miał pozostać szary.

Mimo protestów Nan w końcu uzgodnili, że będzie najlepiej, jeśli ona pojedzie do domu z Joshem i Kate. Mack uparł się, że zostanie w mieście, żeby w miarę możliwości pomóc policji i na wszelki wypadek być pod ręką. Po prostu nie mógł wyjechać ze świadomością, że Missy gdzieś tutaj jest i go potrzebuje. Wieść szybko się rozeszła i wkrótce zjawili się przyjaciele, żeby zwinąć obóz i odwieźć rzeczy Phillipsów do Portland. Zadzwonił szef Macka z ofertą pomocy i sam go namawiał, żeby został w Joseph tak długo, jak będzie trzeba. Poza tym wszyscy się za nich modlili.

Rano zaczęli przybywać pierwsi reporterzy. Mack nie chciał wyjść do nich i ich kamer, ale po usilnych namowach poświęcił im trochę czasu, odpowiadając na pytania na hotelowym parkingu. Wiedział, że nagłośnienie sprawy może pomóc w poszukiwaniach Missy.

W kwestii naruszenia przepisów przez Daltona zachował milczenie, a w zamian młody policjant na bieżąco informował go o śledztwie. Jesse i Sarah zajęli się z własnej inicjatywy rodziną i przyjaciółmi, którzy pośpieszyli z pomocą. Wzięli na siebie ogromny ciężar komunikowania się ze światem zewnętrznym, byli zawsze we właściwym miejscu i zręcznie łagodzili emocje.

Aż z Denver przyjechali rodzice Emila Ducette, żeby pomóc Vicki i dzieciom bezpiecznie dotrzeć do domu. Emil, z błogosławieństwem zwierzchników, postanowił zostać, żeby współdziałać ze strażą parku narodowego i informować Macka, jak idą poszukiwania. Nan, która od razu zaprzyjaźniła się z Sarah i Vicki, pomagała przy małym J.J.'u, żeby się czymś zająć, a potem zaczęła szykować własne dzieci do powrotu do Portland. Gdy się załamywała, nowe przyjaciółki zawsze były pod ręką, żeby razem z nią modlić się i płakać.

Kiedy stało się jasne, że ich pomoc nie jest już niezbędna, Madisonowie spakowali się i przyjechali, żeby się pożegnać przed wyruszeniem na północ. Kiedy Jesse po raz ostatni uściskał Macka, szepnął mu do ucha, że będzie się modlił za nich wszystkich i że niedługo znowu się spotkają. Sarah, zalana łzami, pocałowała Macka w czoło, a potem objęła Nan i razem z nią zaniosła się szlochem. Po chwili zaśpiewała coś cicho i choć Mack nie słyszał dokładnie słów, na tyle uspokoiły jego żonę, że była w stanie wypuścić przyjaciółkę z objęć. On sam nie mógł nawet patrzeć, jak Madisonowie w końcu odchodzą.

Gdy do odjazdu szykowali się Ducette'owie, Mack nie zapomniał podziękować Amber i Emmy za dodawanie otuchy jego dzieciom, zwłaszcza w sytuacji, kiedy on sam nie mógł poświęcić im czasu. Josh żegnał się z płaczem; już nie był dzielny, przynajmniej tego dnia. Natomiast Kate, twarda jak skała, dopilnowała, żeby wszyscy wymienili się adresami pocztowymi i mejlowymi. Świat Vicki rozpadł się pod wpływem ostatnich wydarzeń i trzeba ją było niemal odrywać od Nan, tak była ogarnięta smutkiem. Nanette tuliła ją, głaskała po włosach i szeptała do ucha modlitwy, aż w końcu Vicki uspokoiła się na tyle, żeby pójść do czekającego na nią samochodu.

W południe wszystkie rodziny wyruszyły w drogę. Mary-anne zawiozła Nan i dzieci do domu, gdzie już czekała rodzina, żeby się nimi zająć i ich pocieszać. Mack i Emil dołączyli do Daltona, który teraz był po prostu Tommym, i pojechali do Joseph jego wozem patrolowym. Po drodze kupili kanapki, ale prawie ich nie tknęli, tylko popędzili na komisariat. Tommy Dalton sam miał dwie córki, w tym pięciolatkę, tak że ta sprawa szczególne nim wstrząsnęła. Traktował swoich nowych przyjaciół wyjątkowo życzliwie, zwłaszcza Macka.

Dla niego nadeszły teraz najgorsze chwile: czekanie. Mack odnosił wrażenie, jakby tkwił w oku cyklonu, który się wokół niego rozpętał. Zewsząd napływały meldunki. Nawet Emil był zajęty komunikowaniem się ze znajomymi fachowcami.

Po południu zjawiło się FBI z trzech oddziałów tereno-wych. Od początku było jasne, że osobą dowodzącą jest agentka specjalna Wilkowsky. Mackowi od razu spodobała się ta drobna, szczupła kobieta, pełna energii i zapału. Oka-zała mu publicznie specjalne względy, tak że od tej chwili nikt nie kwestionował obecności ojca zaginionej dziew-czynki przy nawet najbardziej poufnych rozmowach czy naradach.

FBI urządziło ośrodek dowodzenia w hotelu i poprosiło Macka, żeby przybył na oficjalne przesłuchanie, co podob-no było rutyną w takich sytuacjach. Agentka Wilkowsky wstała od biurka, przy którym pracowała, i wyciągnęła rękę na powitanie. Kiedy Mack się zbliżył, żeby wymienić z nią uścisk dłoni, ujęła jego rękę i uśmiechnęła się niewesoło.

– Panie Phillips, przepraszam, że na razie nie mogłam spędzić z panem dużo czasu. Byliśmy bardzo zajęci na-wiązywaniem kontaktu z organami porządku publicznego i innymi agencjami zainteresowanymi tym, żeby odnaleźć Missy. Przykro mi, że spotykamy się w takich okolicznościach.

Mackenzie jej uwierzył.

– Mack – powiedział.

– Słucham?

– Mack. Proszę mi mówić Mack.

– Dobrze. A więc, Mack, mów mi Sam. To od Samanthy. Byłam chłopczycą i biłam dzieci, które tak mnie nazywały.

Mack uśmiechnął się i usiadł na krześle, a agentka wróciła do przeglądania pękatych teczek.

– Jesteś gotowy odpowiedzieć na kilka pytań? – zapytała Wilkowsky, nie podnosząc wzroku znad papierów.

– Postaram się – odparł Mack, wdzięczny, że może się na coś przydać.

– To dobrze! Nie każę ci znowu powtarzać wszystkich szczegółów, ale mam kilka ważnych kwestii do wyjaśnienia. – Tym razem spojrzała mu w oczy.

– Chętnie wam pomogę – zapewnił Mack. – Teraz czuję się całkiem bezużyteczny.

– Rozumiem, jak się czujesz, Mack, ale twoja obecność jest ważna. I uwierz mi, nie ma tutaj osoby, której nie obchodziłaby twoja Missy. Zrobimy wszystko, co w naszej mocy, żeby ją odnaleźć.

– Dziękuję – zdołał wykrztusić Mack i wbił wzrok w podłogę. Nawet najmniejszy przejaw życzliwości mógł skruszyć jego mur obronny i doprowadzić do wybuchu hamowanych emocji.

– No dobrze... Odbyłam szczerą, nieoficjalną pogawędkę z twoim przyjacielem Tommym i wiem już wszystko, tak że nie musisz chronić jego tyłka. Nic mu nie grozi z mojej strony.

Mack uniósł wzrok i uśmiechnął się słabo.

– Czy w ciągu kilku ostatnich dni zauważyłeś, żeby ktoś obcy kręcił się w pobliżu twojej rodziny? – spytała agentka.

Zaskoczony Mack odchylił się na oparcie krzesła.

– Masz na myśli to, że ktoś nas śledził?

– Nie. Zdaje się, że sprawca wybiera ofiary na chybił trafił, choć wszystkie były mniej więcej w wieku twojej córki i miały podobny kolor włosów. Sądzimy, że upatruje je sobie dzień albo dwa dni wcześniej, a potem obserwuje i czeka na odpowiedni moment. Widziałeś w okolicach jeziora kogoś, kto wyraźnie tam nie pasował. Albo w pobliżu łazienek?

Mack aż się wzdrygnął na myśl, że jego dzieci mogły być obiektem obserwacji. Poskromił wyobraźnię i próbował się skoncentrować, ale nic nie przychodziło mu do głowy.

– Przykro mi, ale nic takiego nie pamiętam...

– Zatrzymywaliście się gdzieś w drodze na kemping albo może zauważyłeś kogoś obcego w czasie waszych wycieczek?

– Po drodze zrobiliśmy postój przy wodospadzie Multnomah, a te okolice zwiedzaliśmy przez trzy dni, ale nie przypominam sobie, żebym widział jakiegoś podejrzanego osobnika. Kto by pomyślał...?

– Właśnie, Mack, więc się nie obwiniaj. Może później coś ci się przypomni. I, proszę, od razu nam o tym powiedz, choćbyś uważał, że to całkiem nieistotny drobiazg. – Spojrzała na papiery leżące na biurku. – A co z zieloną furgonetką? Zauważyłeś jakąś w okolicy?

Mack przeczesał pamięć i w końcu powiedział z żalem:

– Naprawdę nie pamiętam, żebym ją gdzieś widział.

Agentka specjalna maglowała Macka jeszcze przez piętnaście minut, ale nie wydobyła z jego pamięci żadnych nowych szczegółów. W końcu zamknęła notes i wstała, wyciągając rękę.

– Mack, jeszcze raz: przykro mi z powodu Missy. Jeśli nastąpi jakiś przełom, natychmiast cię powiadomię.

***

O piątej po południu wreszcie nadszedł pierwszy obiecujący. meldunek z blokady drogowej na Imnaha. Zgodnie z obietnicą agentka Wilkowsky od razu przekazała Mackowi najświeższe informacje. Dwie pary natknęły się na zieloną furgonetkę odpowiadającą opisowi pojazdu, którego wszyscy szukali. Turyści zwiedzali stare siedliska Nez Perce w jednym z odległych regionów Rezerwatu Narodowego i w drodze powrotnej, na południe od miejsca, gdzie NF 4260 i NF 250 się rozdzielają, zobaczyli wspomniany pikap. Ponieważ w dużej części jest to szosa jednopasmowa, musieli się cofnąć, żeby go przepuścić. Na tyle furgonetki zauważyli kilka butli z gazem i sporo sprzętu turystycznego. Dziwne było to, że kierowca mimo ciepłego dnia miał nisko naciągniętą czapkę i obszerny płaszcz, a kiedy ich mijał, przechylił się na stronę`pasażera, jakby czegoś szukał na podłodze. Turyści uznali go za jednego z tych świrów ze straży ochotniczej.

Gdy przekazano meldunek grupie śledczej, napięcie na komisariacie wzrosło. Tommy uprzedził Macka, że niestety, wszystko, czego do tej pory się dowiedzieli, wskazuje na sposób działania poszukiwanego przez nich zabójcy, przede wszystkim wybór odludnych rejonów, gdzie łatwo się ukryć. Było oczywiste, że ten człowiek wiedział, dokąd jedzie, bo miejsce, gdzie go dostrzeżono, znajdowało się z dala od utartych szlaków. Na nieszczęście dla niego ktoś inny również zapuścił się na to pustkowie.

Ponieważ szybko zbliżał się wieczór, rozpoczęto zażartą dyskusję na temat sensu dalszych poszukiwań. Zastanawiano się, czy nie poczekać z nimi do świtu. Niezależnie od punktu widzenia ci, którzy zabierali głos, byli głęboko przejęci całą sytuacją. Ludzie po prostu nie mogli znieść bólu zadawanego niewinnym, zwłaszcza dzieciom. Najgorsi przestępcy odsiadujący wyroki w ciężkich więzieniach często pierwsi wyładowywali wściekłość na tych, którzy krzywdzili dzieci. W świecie relatywizmu moralnego dręczenie słabszych nadal jest uważane za absolutne zło. I kropka!

Stojąc w głębi pokoju, Mack ze zniecierpliwieniem słuchał sporu, który uważał za stratę czasu. Był niemal gotów porwać Tommy'ego i razem z nim ruszyć na poszukiwania. Według niego liczyła się każda sekunda.

Choć Mackowi wydawało się, że narada trwa zbyt długo, szybko i jednomyślnie uzgodniono, że należy wszcząć pościg, gdy tylko zostaną poczynione stosowne przygotowania. Choć na terenie parku nie było wielu dróg – zresztą natychmiast rozstawiono blokady – istniała poważna obawa, że sprawny piechur zdoła przejść niezauważony na pustkowia Idaho albo dotrzeć na północ do stanu Waszyngton. Natychmiast powiadomiono o sytuacji władze miast Lewiston w Idaho i Clarkston w Waszyngtonie, a Mack zadzwonił do Nan, żeby przekazać jej najświeższe wieści. Potem wyszedł z Tommym.

W tym czasie została mu już tylko jedna modlitwa: „Drogi Boże, proszę, błagam, zaopiekuj się moją Missy. Ja już nie mam siły". Łzy zostawiały ślady na jego policzkach i kapały na koszulę.

***

O siódmej trzydzieści wieczorem konwój złożony z wozów policyjnych, SUV-ów należących do FBI, pikapów z psami w klatkach i kilku pojazdów służby leśnej ruszył autostradą Imnaha. Zamiast skręcić na wschód na Wallowa Mountain Road, która zaprowadziłaby ich prosto do Rezerwatu Narodowego, skierowali się na północ. Potem zjechali na Dolną Imnaha, a następnie na Dug Bar Road.

Mack był zadowolony, że podróżuje z ludźmi, którzy znają te rejony. Czasami wydawało się, że Dug Bar Road biegnie w wielu kierunkach jednocześnie, jakby temu, kto nadawał nazwy tutejszym drogom, zabrakło pomysłów albo po prostu był zmęczony czy pijany, więc żeby wreszcie spokojnie pójść do domu, ochrzcił wszystkie Dug Bar.

Wąskie szosy z licznymi ciasnymi zakrętami i serpentynami, ze stromą przepaścią po jednej stronie i skalną ścianą po drugiej, w nocy stawały się jeszcze bardziej zdradliwe. W rezultacie przemieszczali się w żółwim tempie. Minęli punkt, gdzie ostatni raz widziano zielony pikap, i milę później dotarli do skrzyżowania, gdzie NF 4260 biegła dalej na północny wschód, a NF 250 wiodła na południowy wschód. Zgodnie z planem konwój się rozdzielił. Mała grupka skierowała się na północ razem z agentką specjalną Wilkowsky, a reszta, w tym Mack, Emil i Tommy, skręcili na drogę numer 250. Po przejechaniu kilku mil większa grupa podzieliła się znowu: Tommy i ciężarówka z psami pojechali dalej do miejsca, gdzie według mapy droga powinna się skończyć, a reszta odbiła na NF 4240, która przecinała park i prowadziła w stronę Temperance Creek.

Tempo poszukiwań spadło jeszcze bardziej. Tropiciele, wspomagani przez silne reflektory, na piechotę szukali w okolicy śladów niedawnej aktywności, które potwierdziłyby, że to nie jest ślepy zaułek.

Niemal dwie godziny później, kiedy ledwo toczyli się do końca dwieściepięćdziesiątki, do Daltona zadzwoniła Wilkowsky, że jej zespół chyba na coś trafił. Około dziesięciu mil od skrzyżowania, na którym się rozdzielili, od 4260 odchodziła stara, bezimienna droga i biegła prosto na północ przez prawie dwie mile. Była ledwo widoczna i pełna dziur. Mogli jej w ogóle nie zauważyć albo świadomie ją ominąć, ale światło jednego z reflektorów padło na dekiel leżący niecałe pięćdziesiąt stóp od głównej trasy. Tropiciel podniósł go z ciekawości i pod warstwą kurzu dostrzegł plamy zielonej farby. Kołpak prawdopodobnie odpadł, kiedy pikap podskoczył na jednej z wielu głębokich kolein.

Grupa Tommy'ego natychmiast zawróciła. Mack nie chciał dopuścić do siebie nadziei, że być może Missy jeszcze żyje, zwłaszcza że wszystko wskazywało na coś przeciwnego. Dwadzieścia minut później Wilkowsky poinformowała ich, że znaleźli furgonetkę. Nigdy nie wypatrzono by jej z helikopterów policyjnych, bo była ukryta pod niedawno zbudowanym zadaszeniem z gałęzi i chrustu.

Dotarcie do pierwszego zespołu zajęło grupie Macka prawie trzy godziny. Psy poszły tropem, który, jak się okazało, prowadził do małej ukrytej dolinki znajdującej się milę dalej. Tam, nad brzegiem dziewiczego jeziorka mierzącego zaledwie pół mili średnicy i zasilanego przez wodospad odległy o sto jardów, stała mała zrujnowana chata. Sto lat wcześniej był to prawdopodobnie dom osadników. Dwa spore pokoje wystarczały, żeby pomieścić niedużą rodzinę. Od tamtego czasu najpewniej służył jako schronienie myśliwym albo kłusownikom.

Zanim Mack i jego przyjaciele dojechali na miejsce, niebo zaczynało szarzeć przed świtem. Z dala od chaty rozbito obóz, żeby nie zatrzeć śladów na miejscu zbrodni. Kiedy grupa agentki Wilkowsky znalazła to miejsce, rozesłano tropicieli z psami, żeby podjęły trop. Od czasu do czasu, gdy z lasu dobiegało szczekanie, wydawało się, że coś znaleźli, ale potem ślad się urywał. Teraz wszyscy wracali, żeby odpocząć i zaplanować dzień.

Agentka specjalna Samantha Wilkowsky siedziała przy stoliku do kart nad rozłożoną mapą i popijała wodę z dużej butelki. Gdy Mack się do niej zbliżył, posłała mu niewesoły uśmiech, a kiedy go nie odwzajemnił, podała mu drugą butelkę. Przyjął ją z wdzięcznością. Oczy agentki były smutne i współczujące, ale ton rzeczowy.

– Hej, Mack. – Zawahała się. – Może przyniesiesz sobie krzesło?

Nie miał ochoty siadać. Musiał coś robić, bo od nerwowego oczekiwania wywracał mu się żołądek. Wyczuwając złe wieści, stał i czekał.

– Coś znaleźliśmy, ale to nie jest dobra wiadomość.

Mack milczał przez dłuższą chwilę.

– Znaleźliście Missy? – wykrztusił w końcu. Na to pytanie wcale nie chciał usłyszeć odpowiedzi, ale musiał je zadać.

– Nie, nie znaleźliśmy jej. – Wilkowsky zrobiła pauzę. – Ale chciałabym, żebyś zidentyfikował coś, co znaleźliśmy w starej chacie. Musisz nam powiedzieć, czy to należało... – za późno ugryzła się w język – to znaczy, czy to należy do niej.

Mack powędrował wzrokiem ku ziemi. Poczuł się raptem o milion lat starszy i niemal żałował, że nie może zamienić się w duży, nic nieczujący kamień.

– Tak mi przykro, Mack – powiedziała Sam, wstając. – Posłuchaj, możemy zrobić to później, jeśli chcesz. Ja tylko pomyślałam...

Nie był w stanie na nią spojrzeć. Czuł, że tama zaraz pęknie.

– Zróbmy to teraz – wymamrotał cicho. – Chcę wiedzieć wszystko co trzeba wiedzieć.

Wilkowsky chyba dała znak innym, bo choć Mack niczego nie usłyszał, nagle poczuł, że Emil i Tommy biorą go pod ręce i prowadzą za agentką krótką ścieżką biegnącą do chaty. Trzej dorośli mężczyźni, z rękoma splecionymi w szczególnym geście solidarności, szli razem, każdy ku własnemu najgorszemu koszmarowi.

Jeden z agentów otworzył drzwi i wpuścił ich do środka. Wszystkie kąty głównego pomieszczenia oświetlały lampy zasilane przez generator. Wzdłuż ścian ciągnęły się półki, na resztę umeblowania składały się: stary stół, kilka krzeseł i równie stara kanapa, którą ktoś tutaj przyciągnął niemałym wysiłkiem. Mack natychmiast zobaczył to, co miał zidentyfikować. Osunął się w ramiona dwóch przyjaciół i wybuchnął niepohamowanym płaczem. Na podłodze przy kominku leżała czerwona sukienka Missy, podarta i zakrwawiona.

***

Kilka następnych dni i tygodni było dla Macka zamazanym, odrętwiającym ciągiem przesłuchań i wywiadów dla prasy, po których odbyło się nabożeństwo żałobne za Missy, z małą pustą trumienką i niekończącym się morzem zasmuconych twarzy, kiedy ludzie podchodzili do niego z kondolencjami, ale nikt nie wiedział, co powiedzieć.

W ciągu kolejnych tygodni Mack zaczął powoli i boleśnie wracać do codziennego życia.

Zabójcy dziewczynek przypisano piątą ofiarę, Melissę Anne Phillips. Podobnie jak w czterech wcześniejszych wypadkach, policja nie znalazła ciała, choć ekipy poszukiwawcze przeczesywały las wokół chaty przez wiele dni po jej odkryciu. Tym razem morderca również nie zostawił odcisków palców, DNA ani żadnego śladu, nie licząc spinki. Zupełnie jakby był duchem.

W pewnym momencie Mack próbował otrząsnąć się z bólu i smutku, przynajmniej ze względu na rodzinę. Jego najbliżsi stracili córkę i siostrę, ale byłoby jeszcze gorzej, gdyby zabrakło im również męża i ojca. Choć wszyscy zostali naznaczeni przez tragedię, najmocniej przeżywała ją Kate. Zamknęła się w skorupie jak żółw chroniący wrażliwy brzuch przed potencjalnymi zagrożeniami. Wystawiała z niej głowę tylko wtedy, gdy czuła się całkiem bezpieczna, co zdarzało się coraz rzadziej. Mack i Nan martwili się o córkę, ale nie potrafili znaleźć sposobu, żeby przebić się przez fortyfikacje, które zbudowała wokół swojego serca. Próby rozmowy zamieniały się w monologi, a twarz dziewczynki przez cały czas zachowywała kamienny wyraz. Było tak, jakby coś w niej umarło i teraz powoli infekowało ją od środka. Tylko czasami z jej ust wylewały się gorzkie słowa, ale najczęściej Kate zapadała w beznamiętne milczenie.

Josh radził sobie dużo lepiej, między innymi dzięki utrzymywanemu na odległość kontaktowi z Amber. W mejlach i rozmowach telefonicznych dawał upust swojemu bólowi, a dziewczyna pozwalała mu na spokojne przeżywanie smutku. Poza tym chłopiec przygotowywał się do ukończenia szkoły średniej, więc nauka skutecznie zajmowała jego uwagę.

Wielki Smutek w różnym stopniu zawładnął wszystkimi, których los zetknął z Missy. Mack i Nan wspólnie, z umiarkowanym powodzeniem, stawiali czoło nieszczęściu i pod pewnymi względami stali się sobie jeszcze bliżsi. Nan od samego początku postawiła sprawę jasno i powtarzała to wiele razy, że nie wini męża za to, co się stało. Co zrozumiałe, Mack wybaczał sobie o wiele dłużej.

Łatwo wciągnąć się w grę „co by było, gdyby", ale jest to krótka i śliska droga do rozpaczy. „Gdyby" nie postanowił zabrać dzieci na biwak, „gdyby" powiedział „nie", kiedy zapytały, czy mogą popływać kajakiem. „Gdyby" wyjechali dzień wcześniej. Gdyby, gdyby, gdyby. Wszystkie spekulacje musiały się skończyć niczym. Fakt, że Mack nie mógł pogrzebać ciała Missy, wzmagał jego poczucie klęski jako ojca. Myśl, że córka jest sama gdzieś w lesie, prześladowała go codziennie. Trzy i pół roku później oficjalnie uznano Melissę Phillips za zmarłą. Życie już nigdy nie miało być normalne, co nie znaczy, że wcześniej takie było. Bez Missy ziało pustką.

Tragedię jeszcze zwiększał rozbrat Macka z Bogiem, choć on sam nie przejmował się rosnącym poczuciem oddalenia. Próbował zachować stoicką, chłodną wiarę i chociaż znajdował w niej pewną pociechę, nie uwalniała go ona od koszmarów, w których jego stopy grzęzły w błocie, a bezgłośne krzyki nie były w stanie uratować najdroższej córeczki. Złe sny przychodziły coraz rzadziej, powoli wracały chwile radości i śmiechu, ale wtedy Mack miał poczucie winy z ich powodu.

Tak więc, kiedy dostał kartkę z prośbą o spotkanie w chacie, nie było to błahe wydarzenie. Czy Bóg pisze listy? I dlaczego wybrał akurat tamten dom nad jeziorem, kojarzący się Mackowi z największym bólem? Z pewnością

71

mógłby znaleźć lepsze miejsce. Mackowi przemknęła nawet przez głowę ponura myśl, że może to zabójca się z nim drażni albo zwabia go na odludzie, żeby zostawił rodzinę bez opieki. Może to tylko okrutny żart. Ale skąd w takim razie podpis „Tata"?

Choć Mack się starał, nie mógł wykluczyć ostateczności, że kartka jednak pochodzi od Boga, nawet jeśli korespondencja w wykonaniu Stwórcy nie zgadzała się z jego teologicznym wykształceniem. W seminarium uczono go, że Bóg całkowicie zaprzestał jawnego porozumiewania się z ludźmi i wolał, żeby słuchali Jego głosu w postaci Pisma Świętego, oczywiście właściwie interpretowanego. Jego wolę wyrażoną na papierze powinny odczytywać i objaśniać stosowne autorytety. Wyglądało na to, że bezpośrednia komunikacja z Bogiem była dana jedynie starożytnym i niecywilizowanym, podczas gdy wykształcony mieszkaniec Zachodu mógł liczyć jedynie na pośredni dostęp do Stwórcy, kontrolowany przez inteligencję. Nikt nie chciał Boga w pudełku, tylko w książce. Zwłaszcza w drogiej, oprawionej w skórę, ze złoconymi brzegami.

Im dłużej Mack myślał o tej sprawie, tym bardziej był zdezorientowany i rozdrażniony. Kto przysłał ten cholerny liścik? Bóg, zabójca czy jakiś żartowniś? I co on właściwie znaczył? Tak czy inaczej, Mack czuł się jak zabawka w cudzych rękach. Zresztą, po co w ogóle słuchać Boga? Wystarczy spojrzeć, dokąd go to zaprowadziło.

Ale mimo gniewu i przygnębienia Mack potrzebował paru odpowiedzi. Rozumiał, że jest w kropce, a niedzielne modlitwy i hymny niczego nie rozwiązywały, jeśli w ogóle kiedykolwiek pomagały. Zinstytucjonalizowana duchowość nic nie zmieniała w życiu ludzi, których znał, może oprócz

Nan. Ale ona była wyjątkowa. Bóg chyba naprawdę ją kochał. Nie była tak zagubiona jak on. On miał dość Boga i religii, miał dość tych wszystkich religijnych klubów towarzyskich, które wydawały się bez znaczenia i nie prowadziły do żadnej prawdziwej przemiany. Tak, Mack chciał więcej. I dostał więcej, niż prosił.

5

Zgadnij, kto przyjdzie na obiad

„Rutynowo odrzucamy świadectwo, które powołu-
je się na okoliczności łagodzące. To znaczy, jesteśmy
tak przekonani o słuszności swojego osądu, że unie-
ważniamy dowody, które nas w nim nie utwierdzają.
Prawda, do której w ten sposób dochodzimy, nie za-
sługuje na to miano".

Marilynne Robinson „The Death of Adam"

Zdarza się, że postanawiamy uwierzyć w coś, co normalnie
uznalibyśmy za całkowicie irracjonalne. To nie oznacza, że
naprawdę jest irracjonalne, tylko że z pewnością nie jest ra-
cjonalne. Może istnieje nadracjonalność: coś, co wykracza
poza normalne definicje faktu albo logikę opartą na danych
i ma sens tylko wtedy, jeśli zobaczy się większy obraz rzeczywistości. Może właśnie tam jest miejsce dla wiary.

Mack nie był pewien wielu kwestii, ale w dniach, które
nastąpiły po jego przygodzie na oblodzonym podjeździe,
nabrał przekonania, że są trzy możliwe wyjaśnienia listu.
Zaproszenie pochodziło od Boga, jakkolwiek absurdalnie
to brzmiało, było okrutnym żartem albo czymś groźniej-
szym – wiadomością od zabójcy Missy. W każdym razie

dziwna kartka zaprzątała jego myśli w dzień i nie dawała mu spokoju we śnie.

W tajemnicy zaczął szykować się do podróży w następny weekend. Z początku nie powiedział o swoich planach nikomu, nawet Nan. Nie miałby rozsądnych argumentów w rozmowie, która musiała nastąpić po jego oświadczeniu, i bał się, że mógłby zostać zamknięty na klucz we własnym pokoju. Przekonywał samego siebie, że każda dyskusja tylko przyniosłaby więcej bólu, nie podsuwając żadnego rozwiązania. „Zachowuję to w sekrecie dla dobra Nan", wmawiał sobie Mack, szukając usprawiedliwień. Zresztą, gdyby jednak powiedział o liście, wydałoby się, że coś ukrywał przed żoną. Czasami z uczciwości wynikają same kłopoty.

Przekonany o słuszności swojej decyzji, Mack zaczął rozważać sposoby na pozbycie się rodziny z domu bez wzbudzania podejrzeń. Istniała możliwość, że zabójca próbuje wywabić go z miasta, a zostawienia rodziny bez opieki w ogóle nie brał pod uwagę. Niestety, nie przychodził mu do głowy żaden pomysł. Nan była zbyt spostrzegawcza, żeby mógł zagrać w otwarte karty, a poza tym, gdyby to zrobił, sprowokowałby pytania, na które nie umiałby odpowiedzieć.

Na szczęście żona sama podsunęła mu rozwiązanie. Od dawna miała ochotę odwiedzić swoją siostrę, która mieszkała z rodziną na Wyspach San Juan leżących niedaleko wybrzeża Waszyngtonu. Jej szwagier był psychologiem dziecięcym, więc Nan uznała, że jego opinia na temat coraz silniejszych aspołecznych zachowań Kate może się okazać pomocna, zwłaszcza że ani ona, ani Mack nie potrafili dotrzeć do córki. Kiedy napomknęła o swoim pomyśle, Mack zareagował z entuzjazmem.

– Oczywiście, że jedźcie – powiedział bez namysłu, a kiedy Nan, która nie spodziewała się takiej reakcji, posłała mu lekko zdziwione spojrzenie, zaczął się plątać: – To znaczy... uważam, że to dobry pomysł. Oczywiście będę za wami tęsknił, ale jakoś przeżyję sam te parę dni, a zresztą i tak mam dużo roboty.

Nan wzruszyła ramionami, być może zadowolona, że tak łatwo jej poszło.

– Myślę, że wyrwanie się stąd na kilka dni dobrze zrobi nam wszystkim, a zwłaszcza Kate – stwierdziła, a Mack skwapliwie pokiwał głową.

Po szybkim telefonie do siostry Nan decyzja została powzięta i wkrótce w domu zapanował szał przygotowań. Josh i Kate byli zachwyceni wyprawą, bo dzięki niej ich szkolna przerwa wiosenna przedłużała się do całego tygodnia. W dodatku uwielbiali odwiedzać kuzynów, tak że pomysł tym bardziej przypadł im do gustu.

Tymczasem Mack ukradkiem zadzwonił do Williego i choć starał się, niezbyt skutecznie, nie zdradzić zbyt wielu szczegółów, spytał, czy może od niego pożyczyć jeepa z napędem na cztery koła. Ponieważ Nan zabierała rodzinnego vana, on potrzebował czegoś lepszego niż jego własny mały samochód, żeby pokonać dziurawe drogi rezerwatu, w dodatku o tej porze roku pewnie zasypane śniegiem. Dziwna prośba wywołała lawinę pytań, na które Mack starał się odpowiadać jak najbardziej wymijająco. Kiedy Willie zapytał go wprost, czy zamierza pojechać do chaty, Mack oświadczył, że na razie nie może o tym rozmawiać, ale obiecał, że wszystko wyjaśni mu, kiedy będą się zamieniać samochodami.

Późnym czwartkowym popołudniem uściskał Nan, Kate i Josha, a kiedy został sam, rozpoczął własne przygotowania do długiej jazdy na północny wschód Oregonu. Do miejsca z jego koszmarów. Uznał, że nie potrzebuje dużego bagażu, jeśli to Bóg przysłał zaproszenie, ale na wszelki wypadek napełnił lodówkę po brzegi, a potem do zapasów jedzenia dorzucił jeszcze śpiwór, trochę świec, zapałki i parę innych rzeczy niezbędnych do przetrwania w dziczy. Oczywiście istniała możliwość, że wyjdzie na kompletnego idiotę, który padł ofiarą brzydkiego kawału, ale wytłumaczył sobie, że wtedy po prostu wróci do domu. Pukanie do drzwi przerwało jego rozmyślania. Gdy zobaczył przez okno, że to Willie, poczuł ulgę, że Nan już wyjechała. Najwyraźniej rozmowa telefoniczna skłoniła przyjaciela do złożenia mu wcześniejszej wizyty.

— Jestem w kuchni! – krzyknął.

Chwilę później Willie osłupiał na widok bałaganu, który zrobił Mack. Oparł się o futrynę i skrzyżował ręce na piersi.

— Jeep jest zatankowany, ale nie dam ci kluczyków, dopóki mi nie powiesz, co się dzieje.

Mack nadal upychał rzeczy do kilku toreb. Wiedział, że okłamywanie przyjaciela nie ma sensu, a poza tym naprawdę był mu potrzebny jego samochód.

— Jadę do chaty.

— Tyle już się domyśliłem, ale nie mam pojęcia, po co chcesz tam wrócić, zwłaszcza o tej porze roku. Nie wiem, czy mój stary jeep dowiezie nas na miejsce tamtejszymi drogami. Na wszelki wypadek wrzuciłem łańcuchy do bagażnika.

Mack bez słowa poszedł do gabinetu, otworzył małe blaszane pudełko i wyjął z niego list. Wrócił do kuchni i podał go Williemu. Przyjaciel rozłożył kartkę i przeczytał ją.

— Jezu, co za pomyleniec napisał coś takiego? I kto to jest Tata?

– No wiesz, Tata... Nan tak lubi mówić o Bogu. – Mack wzruszył ramionami, wziął liścik od przyjaciela i wsunął go do kieszeni koszuli.

– Chwileczkę. Myślisz, że to naprawdę jest od Boga?

Mack odwrócił się do przyjaciela. Już prawie skończył pakowanie.

– Nie jestem pewien, co o tym myśleć. To znaczy, z początku sądziłem, że to głupi kawał. Tak się rozzłościłem, że dostałem mdłości. Może tracę rozum. Wiem, że to wariactwo, ale muszę się dowiedzieć, co jest grane. Muszę jechać, bo inaczej oszaleję na dobre.

– Wziąłeś pod uwagę, że to może być zabójca? Że chce cię tam zwabić?

– Oczywiście, że o tym pomyślałem. I powiem ci, że wcale nie byłbym rozczarowany, gdyby rzeczywiście tak się okazało. Mam z nim porachunki. – Mack sposępniał i umilkł. – Ale takie wyjaśnienie również nie ma sensu. Nie sądzę, żeby zabójca podpisał się „Tata". Musiałby naprawdę dobrze znać naszą rodzinę.

Willie wyglądał na skonsternowanego.

– A nikt, kto nas dobrze zna, nie przysłałby takiego listu – ciągnął Mack. – Myślę, że tylko Bóg mógł...

– Ale Bóg nie robi takich rzeczy. Przynajmniej ja nigdy nie słyszałem, żeby do kogoś napisał list. Nie dlatego, że nie mógł, tylko... no wiesz, co mam na myśli. A zresztą po co ściągałby cię do tamtej chaty? Nie przychodzi mi do głowy gorsze miejsce...

W kuchni zapadła niezręczna cisza. Mack oparł się o blat i wbił wzrok w podłogę. W końcu powiedział:

– Sam nie wiem, Willie. W głębi duszy chciałbym wierzyć, że Bogu aż tak na mnie zależy, żeby przysłać list. Jestem całkiem skołowany, choć minęło już tyle czasu. Nie mam pojęcia, co myśleć, a sytuacja wcale się nie poprawia. Czuję, że tracimy Kate, i to mnie dobija. Może śmierć Missy jest karą za to, co zrobiłem własnemu ojcu. Po prostu już niczego nie jestem pewien. – Spojrzał na przyjaciela, któremu jego dobro naprawdę leżało na sercu. – Wiem tylko, że muszę tam wrócić.

Tym razem milczenie przerwał Willie.

– Więc kiedy wyruszamy?

Mack był poruszony gotowością przyjaciela do uczestniczenia w jego szaleństwie.

– Dziękuję, stary, ale muszę zrobić to sam.

– Wiedziałem, że tak powiesz – rzucił Willie i wyszedł z kuchni. Wrócił chwilę później z pistoletem i pudełkiem naboi. Ostrożnie położył je na blacie. – Czułem, że nie uda mi się odwieść cię od tego pomysłu, więc przyszło mi do głowy, że może będziesz tego potrzebował. Chyba wiesz, jak się tym posługiwać.

Mack spojrzał na broń. Wiedział, że przyjaciel chce dobrze i stara się mu pomóc.

– Nie mogę, Willie. Minęło trzydzieści lat, odkąd ostatnio dotykałem pistoletu, i już nigdy nie zamierzam tknąć broni. Paru rzeczy się wtedy nauczyłem, między innymi tego, że użycie siły do rozwiązania problemu pakuje człowieka w jeszcze większe kłopoty.

– A jeśli to zabójca Missy? Jeśli tam na ciebie czeka? Co wtedy zrobisz?

Mack wzruszył ramionami.

– Naprawdę nie wiem, Willie. Chyba zaryzykuję.

– Ale będziesz bezbronny. Nie wiadomo, co facet zamierza. Po prostu to weź, Mack. – Willie przesunął pistolet i pudełko z nabojami w jego stronę. – Wcale nie musisz go użyć.

Mack spojrzał na broń i po zastanowieniu sięgnął po nią wolno. Ostrożnie schował do kieszeni pistolet i naboje.

– No, dobrze, tak na wszelki wypadek.

Wziął część ekwipunku i obładowany ruszył do samochodu. Willie chwycił duży worek marynarski, który został w przedpokoju, i aż stęknął, kiedy go podniósł.

– Jezu, Mack, po co ci tyle rzeczy, skoro myślisz, że Bóg tam będzie?

Mack uśmiechnął się ze smutkiem.

– Pomyślałem, że trzeba się zabezpieczyć. No, wiesz, bądź gotowy na wszystko, co się może wydarzyć... albo nie.

Kiedy wyszli na podjazd, gdzie stał jeep, Willie wyjął z kieszeni kluczyki i wręczył je Mackowi.

– Gdzie są wszyscy i co Nan sądzi o twojej wyprawie do chaty? – zapytał. – Nie przypuszczam, żeby była zadowolona.

– Nan i dzieciaki są w odwiedzinach u jej siostry na Wyspach, a ja... nic jej nie powiedziałem – wyznał Mack.

Willie był wyraźnie zaskoczony.

– Co?! Przecież nigdy nie miałeś przed nią sekretów. Nie mogę uwierzyć, że ją okłamałeś!

– Wcale nie okłamałem – zaprotestował Mack.

– Wybacz, że dzielę włos na czworo – odparował Willie. – Niech ci będzie, że nie skłamałeś, ale nie powiedziałeś jej całej prawdy. O, tak, ona oczywiście to zrozumie. – Wywrócił oczami.

Mack skwitował milczeniem jego wybuch i wrócił do gabinetu. Odszukał zapasowe klucze do swojego samochodu i do domu, a po chwili wahania zabrał również małe blaszane pudełko.

– Jak on wygląda twoim zdaniem? – spytał Willie ze śmiechem, kiedy Mack się do niego zbliżył.

– Kto?

– Oczywiście Bóg. Jak będzie wyglądał, jeśli w ogóle raczy się objawić? Chłopie, już widzę minę biednego turysty, którego spytasz, czy jest Bogiem, a potem zażądasz paru odpowiedzi. Wystraszysz go na śmierć.

Mack uśmiechnął się na tę myśl.

– Nie wiem. Może będzie jasnym światłem albo płonącym krzewem? Zawsze wyobrażałem go sobie jako potężnego starca z długą białą brodą, kogoś w rodzaju Gandalfa z *Władcy pierścieni* Tolkiena.

Wzruszył ramionami i podał przyjacielowi pęk kluczy. Uściskali się, po czym Willie wsiadł do samochodu Macka i opuścił szybę.

– Jeśli się zjawi, pozdrów go ode mnie – rzucił z uśmiechem. – Powiedz, że też mam do niego kilka pytań. I postaraj się go nie wkurzyć. – Obaj się roześmiali. – A tak poważnie, martwię się o ciebie, stary. Wolałbym, żeby ktoś z tobą pojechał. Ja, Nan albo ktoś inny. Mam nadzieję, że znajdziesz to, czego szukasz. Odmówię za ciebie parę modlitw.

– Dzięki, Willie. Ja też cię kocham.

Kiedy Willie cofał się podjazdem, Mack pomachał mu na pożegnanie. Wiedział, że przyjaciel dotrzyma słowa. Czuł, że przyda mu się każda modlitwa.

Zaczekał, aż samochód zniknie za rogiem, a potem wyjął list z kieszeni koszuli i jeszcze raz go przeczytał. Następnie schował kartkę do blaszanego pudełka i położył je na siedzeniu pasażera wśród innych rzeczy. Zamknął drzwi jeepa i ruszył z powrotem do domu. Czekała go bezsenna noc.

***

W piątek, długo przed świtem, Mack był już poza miastem na I-84. Nan zadzwoniła wieczorem od siostry i poinformowała go, że bezpiecznie dotarli na miejsce. Nie spodziewał się następnego telefonu co najmniej do niedzieli. Zakładał, że do tego czasu będzie już w drodze do domu, a może nawet z powrotem na miejscu. Na wszelki wypadek wstukał do komórki domowy numer, choć nie przypuszczał, żeby w rezerwacie miał zasięg.

Jechał tą samą drogą, którą razem z dziećmi przebyli trzy i pół roku wcześniej, tyle że tym razem robił mniej postojów, a obok Multnomah Falls przemknął bez podziwiania widoków. Od zniknięcia Missy odpychał od siebie wszelkie myśli o tym miejscu, a emocje zamykał bezpiecznie na kłódkę w piwnicy swojego serca.

Na długim odcinku biegnącym przez Gorge do jego świadomości zaczął się wkradać strach. Starał się nie myśleć o tym, co robi, i zmierzać do celu, ale podobnie jak trawa przeciskająca się przez beton, tłumione uczucia i obawy równie powoli wydostawały się na powierzchnię. Twarz Macka spochmurniała, ręce zaciskały się na kierownicy przy każdym zjeździe, kiedy walczył z pokusą, żeby zawrócić do domu. Wiedział, że jedzie prosto do źródła swojego bólu, w wir Wielkiego Smutku, który zabijał w nim chęć życia. Strzępy wspomnień atakowały go na przemian z falami piekielnej wściekłości, a towarzyszył im smak żółci i krwi w ustach.

W La Grande zatankował i ruszył dalej autostradą numer 82 do Joseph. Korciło go, żeby się zatrzymać i wpaść do Tommy'ego, ale w końcu się rozmyślił. Im mniej osób będzie wiedziało, że jest kompletnym wariatem, tym lepiej.

Na trasie panował niewielki ruch, a Imnaha i boczne drogi były czyste i suche jak na tę porę roku, o wiele cieplejszą, niż Mack się spodziewał. Odnosił jednak wrażenie, że jedzie coraz wolniej, zupełnie jakby chata go odpychała. Warunki zmieniły się na kilku ostatnich milach prowadzących do szlaku, który biegł nad leśne jezioro. Ponad wizgiem silnika Mack słyszał, jak opony jeepa chrzęszczą na coraz głębszym śniegu i lodzie. Parę razy źle skręcił i musiał się cofać, ale kiedy wreszcie zaparkował na końcu ledwo widocznej ścieżki, było dopiero wczesne popołudnie.

Siedział w samochodzie przez prawie pięć minut i karcił się za głupotę. Z każdą milą, którą pokonał od Joseph, wracały wspomnienia, tak żywe, że teraz chciał już tylko wracać. Ale wewnętrzny przymus był nieodparty. Kłócąc się sam ze sobą, zapiął płaszcz i sięgnął po rękawiczki.

Gdy spojrzał na ścieżkę, postanowił zostawić rzeczy w samochodzie i przejść około mili do jeziora. Przynajmniej nie będzie musiał targać wszystkiego pod górę, kiedy będzie odjeżdżać, co, jak się spodziewał, wkrótce nastąpi.

Było na tyle zimno, że jego oddech tworzył obłoczki pary. Można było odnieść wrażenie, że za chwilę spadnie śnieg. Po zaledwie pięciu krokach Mack poczuł, że ogarnia go panika i żołądek podchodzi mu do gardła. Zatrzymał się i zwymiotował tak gwałtownie, że aż opadł na kolana.

– Proszę, pomóż mi! – wyjęczał.

Stanął na drżących nogach i zrobił następny krok. Potem przystanął i zawrócił do samochodu. Otworzył drzwi od strony pasażera i sięgnął do środka. Namacał blaszane pudełko, otworzył wieczko i znalazł to, czego szukał: ulubione zdjęcie Missy, które zabrał z domu razem z listem. Odłożył szkatułkę na siedzenie i przez chwilę patrzył na schowek. W końcu wyjął z niego pistolet Williego i upewnił się, że jest załadowany i zabezpieczony. Wsadził go za pasek spodni. Odwrócił się i znowu spojrzał na ścieżkę. Po raz ostatni zerknął na zdjęcie Missy, a potem wsunął je do kieszeni koszuli razem z kartką. Jeśli znajdą go martwego, przynajmniej będą wiedzieli, o kim myślał.

Szlak był zdradliwy, kamienie oblodzone i śliskie. Każdy krok wymagał skupienia. W lesie panowała niesamowita cisza. Jedynymi odgłosami, które Mack słyszał, były chrzęst jego kroków na śniegu i ciężki oddech. Wydawało mu się, że jest obserwowany. Raz nawet obejrzał się szybko, żeby sprawdzić, czy nikt go nie śledzi. Choć bardzo pragnął zawrócić i pobiec do jeepa, jego nogi, najwyraźniej obdarzone własną wolą, prowadziły go coraz głębiej w ciemną gęstwinę.

Nagle coś się poruszyło tuż obok niego. Wystraszony zamarł, nasłuchując czujnie. Z dudniącym sercem i suchym gardłem powoli sięgnął pod płaszcz i wysunął pistolet zza paska. Odbezpieczył go, próbując przebić wzrokiem ciemne podszycie, żeby zobaczyć, co spowodowało hałas. Nic nie wypatrzył, nic nie usłyszał. Na wszelki wypadek stał bez ruchu jeszcze przez kilka minut, a następnie ruszył dalej ścieżką, najciszej jak potrafił.

Las jakby go osaczał, tak że Mack zaczął na serio się zastanawiać, czy nie poszedł złą drogą. Kątem oka znowu dostrzegł ruch i natychmiast przykucnął. Zerknął między niskimi gałęziami drzewa i zobaczył, że jakiś upiorny cień znika w krzakach. A może tylko mu się wydawało? Znowu odczekał chwilę, nie poruszając ani jednym mięśniem. Czy to był Bóg? Wątpliwe. Może zwierzę? Nie pamiętał, czy w tych okolicach są wilki; jeleń albo łoś narobiłyby więcej hałasu. I wtedy przyszła mu do głowy myśl, której do tej pory unikał: „A jeśli to on gdzieś tutaj się czai? Tylko po co?".

Wstał ostrożnie i wychynął z kryjówki, nadal ściskając w ręce broń. Zrobił krok, gdy nagle krzak za nim się zatrząsł. Mack odwrócił się błyskawicznie, gotowy walczyć o życie, ale zanim zdążył nacisnąć spust, zobaczył zad czmychającego borsuka. Powoli wypuścił powietrze z płuc. Nawet nie zdawał sobie sprawy, że wstrzymuje oddech. Opuścił pistolet i potrząsnął głową. Zachował się jak mały wystraszony chłopiec w wielkim, groźnym lesie. Zabezpieczył broń i wsunął ją za pasek. Dobrze, że nikomu nic się nie stało, pomyślał z westchnieniem ulgi.

Wziął kilka głębokich wdechów i po chwili się uspokoił. Odważnie ruszył ścieżką, z pewnością siebie, której wcale nie czuł. Miał nadzieję, że nie przejechał takiego szmatu drogi na próżno. Jeśli Bóg rzeczywiście chciał się z nim spotkać, Mack chętnie powie mu parę rzeczy od serca, oczywiście z szacunkiem.

Kilka zakrętów dalej wyszedł na polanę. Po jej drugiej stronie, w dole zbocza zobaczył chatę. Na jej widok żołądek ścisnął mu się w supeł. Na pierwszy rzut oka nic się tutaj nie zmieniło, nie licząc zimowego stroju drzew liściastych i białego całunu okrywającego ziemię. Sam dom wyglądał na martwy i pusty, ale kiedy Mack na niego patrzył, przez chwilę zamiast starego budynku widział złą twarz, wykrzywioną w demonicznym grymasie, zaczepną i wyzywającą. Zwalczył panikę, zdecydowanym krokiem pokonał ostatnie sto jardów i wszedł na ganek.

Nagle wróciło wspomnienie tamtej potwornej chwili, kiedy stał w tym samym miejscu, zdjęty strachem i rozpaczą. Zawahał się, nim pchnął drzwi.

– Halo?! – zawołał, niezbyt głośno. Odchrząknął i spróbował ponownie, tym razem donośniej. – Halo?! Jest tu kto?!

Okrzyk zabrzmiał głucho w pustym wnętrzu. Mack poczuł się pewniej. Śmiało przekroczył próg.

Kiedy jego oczy przywykły do mroku, zaczął odróżniać szczegóły w popołudniowym świetle sączącym się przez wybite szyby. Wszedł do głównego pomieszczenia i rozpoznał stare krzesła i stół. Nie mógł się powstrzymać i mimo woli pobiegł wzrokiem w stronę kominka. Mimo upływu kilku lat wyblakłe plamy krwi nadal były widoczne na deskach, gdzie znaleźli sukienkę Missy.

– Tak mi przykro, kochanie. – Łzy same popłynęły mu z oczu.

I w końcu w jego sercu wybuchnął cały nagromadzony gniew, przerwał tamy i pomknął jak rzeka przez skaliste kaniony. Mack zwrócił oczy ku niebu i w udręce zaczął wykrzykiwać pytania:

– Dlaczego?! Dlaczego na to pozwoliłeś? Po co mnie tu sprowadziłeś? Właśnie tutaj. Dlaczego chciałeś się ze mną spotkać akurat w tej chacie? Nie wystarczyło, że zabiłeś moje dziecko? Musisz się ze mną bawić jak kot z myszą?! – W ślepej furii porwał najbliższe krzesło i cisnął je w okno. Gdy rozpadło się na kawałki, Mack chwycił jedną drewnianą nogę i zaczął niszczyć wszystko wokół siebie, wyładowując gniew na tym okropnym miejscu. Z jego ust wylewały się jęki, okrzyki rozpaczy i wściekłości. – Nienawidzę cię! – Miotał się w szale, dopóki się nie zmęczył.

Gdy wreszcie ochłonął, zrozpaczony i pokonany osunął się na podłogę obok krwawych plam. Dotknął ich ostrożnie. To było wszystko, co zostało z Missy. Leżąc, wodził delikatnie palcami po odbarwionych śladach i cicho szeptał:

– Missy, tak mi przykro. Przepraszam, że nie potrafiłem cię ochronić. Przepraszam, że nie zdołałem cię odnaleźć.

Mimo wyczerpania znowu zawrzał w nim gniew. I tym razem Mack również wziął sobie na cel obojętnego Boga. Wyobraził sobie, że Stwórca patrzy na niego sponad dachu chaty.

– Nie mogłeś przynajmniej pozwolić, żebyśmy ją znaleźli i pogrzebali jak należy? Prosiłem o zbyt wiele?

W miarę jak emocje napływały i cofały się jak fala, wściekłość ustępowała miejsca bólowi, smutek mieszał się z zagubieniem.

– Gdzie jesteś? Myślałem, że chcesz się ze mną spotkać. Jestem tu, Boże. A ty? Nigdzie nie można cię znaleźć! Nie było cię nigdy, kiedy cię potrzebowałem. Ani wtedy, gdy byłem małym chłopcem, ani wtedy, gdy straciłem Missy. Teraz też jesteś nieobecny! Ładny z ciebie Tata!

Potem siedział w milczeniu, a pustka tego miejsca przenikała do jego duszy. Lawina pytań bez odpowiedzi i oskarżeń stoczyła się wolno w otchłań osamotnienia. Macka ogarnął Wielki Smutek, a on niemal z radością powitał znajome uczucie. Ten ból znał tak dobrze, jak starego przyjaciela.

Na plecach czuł pistolet wciśnięty za pasek, miły chłód na rozpalonej skórze. Wyciągnął go, nie do końca pewny, co zamierza zrobić. Ach, wreszcie przestać się szamotać, cierpieć, już nigdy nic nie czuć! Samobójstwo? W tym momencie takie wyjście wydawało mu się niemal atrakcyjne.

To byłoby łatwe, pomyślał. Żadnych więcej łez, żadnego bólu...

Patrząc na lufę pistoletu, ujrzał mroczą czeluść otwierającą się w podłodze, ciemność wysysającą resztki nadziei z jego serca. Tylko w ten sposób mógłby odpłacić Bogu, jeśli On w ogóle istniał.

Na zewnątrz chmury się rozstąpiły i do pokoju wpadł promień słońca, przeszywając mrok jego rozpaczy. Ale co z Nan? Co z Joshem i Kate? Tylerem i Jonem? Choć tęsknił za tym, żeby uwolnić się od bólu w sercu, wiedział, że nie może powiększać ich cierpienia.

Siedział w odrętwieniu i rozważał możliwości, ściskając pistolet. Czując zimny podmuch na twarzy, nagle zapragnął po prostu się położyć i zamarznąć na śmierć. Kompletnie wyczerpany oparł się o ścianę i potarł zmęczone oczy. Pozwolił opaść powiekom i wymamrotał:

– Kocham cię, Missy. Bardzo za tobą tęsknię.

Wkrótce zapadł w ciężki sen.

Zaledwie kilka minut później obudził się gwałtownie. Zaskoczony, że się zdrzemnął, wstał szybko i wsunął pistolet za pasek. Gniew wycofał się do najgłębszej części jego duszy. Mack ruszył do drzwi.

– To śmieszne! Co ze mnie za idiota! Jak mogłem się łudzić, że obchodzę Boga na tyle, żeby przysłał mi list!

Spojrzał w górę przez dziury w krokwiach.

– Mam dość, Boże – wyszeptał. – Już nie mogę. Mam dość szukania ciebie.

I wyszedł z chaty, z mocnym postanowieniem, że po raz ostatni wypatrywał Boga. Jeśli Bóg będzie chciał, sam go odnajdzie.

Sięgnął do kieszeni i wyjął list znaleziony w skrzynce pocztowej. Podarł go na drobne kawałki, przesiał je przez palce i wypuścił na zimny wiatr, który właśnie się zerwał. Ciężkim krokiem znużonego starca, i z jeszcze cięższym sercem, zszedł z ganku i ruszył z powrotem do samochodu.

***

Przeszedł niecałe pięćdziesiąt stóp, kiedy nagle poczuł za sobą ciepły podmuch. Lodowatą ciszę przerwał śpiew ptaków. Ze ścieżki raptem zniknęła gruba warstwa śniegu i lodu, jakby ktoś osuszył ją dmuchawą. Mack zatrzymał się jak wryty, kiedy zobaczył, że wszędzie wokół niego rozpuszcza się biała pokrywa, a jej miejsce zajmuje świeża, bujna roślinność. Na jego oczach trzy tygodnie wiosny upłynęły w ciągu trzech sekund. Potarł oczy i ze zdumieniem patrzył na to, co się dzieje na polanie. Lekki śnieg, który niedawno zaczął prószyć, zmienił się w małe kwiatki leniwie opadające na ziemię.

To, co widział, oczywiście nie było możliwe. Śnieżne zaspy zniknęły, letnie kwiaty ubarwiły trawę po obu stronach ścieżki i las, jak okiem sięgnąć. Wśród gałęzi śmigały rudziki i zięby. Przez ścieżkę przebiegały wiewiórki i pręgowce, niektóre siadały i obserwowały go przez chwilę, zanim zniknęły w podszyciu. Mack wypatrzył nawet między drzewami młodego kozła, ale kiedy próbował mu się przyjrzeć, zwierzę zniknęło w leśnej gęstwinie. Jakby tego było mało, powietrze wypełnił zapach kwiecia, już nie tylko ulotny aromat dzikich górskich kwiatów, ale też bogata woń róż, orchidei i innych egzotycznych roślin pochodzących z tropików.

Mack już nie myślał o domu. Ogarnęło go przerażenie, jakby otworzył puszkę Pandory i teraz był wciągany przez wir szaleństwa, w którym miał zniknąć na zawsze. Obejrzał się ostrożnie, próbując zachować resztki zdrowego rozsądku.

Oniemiał. Prawie nic nie było takie samo. Walącą się ruderę zastąpił solidny i piękny dom, stojący między nim a jeziorem, zbudowany z ręcznie obrabianych i starannie dopasowanych długich bali.

Zamiast nieprzebytego gąszczu dzikich róż, kolcosiłów i innych krzewów jego oczom ukazała się pocztówkowa sceneria. Dym leniwie snuł się z komina w popołudniowe niebo – znak, że w domu ktoś jest. Wokół frontowego ganku biegł chodnik okolony niskim białym płotkiem. Skądś dochodził śmiech, może ze środka, ale tego Mack nie był pewien.

Czyżby tak wyglądało całkowite załamanie psychiczne?

– Tracę rozum – wyszeptał Mack. – To nie może się dziać naprawdę.

Takie miejsca istniały tylko w najpiękniejszych snach, przez co wszystko było jeszcze bardziej podejrzane. Widoki były cudowne, a zapachy oszałamiające. Jego stopy, znowu obdarzone własną wolą, poprowadziły go chodnikiem z powrotem do ganku. Wszędzie rosły kwiaty, mieszanina ich zapachów i woni ziół przywoływała dawno pogrzebane wspomnienia. Mack słyszał, że zmysł powonienia jest najlepszym łącznikiem z przeszłością i najłatwiej pobudza pamięć. I rzeczywiście przemknęły mu teraz przez głowę dawno zapomniane obrazy z dzieciństwa.

Dotarłszy na ganek, znowu przystanął. Ze środka wyraźnie dobiegały głosy. Mack zwalczył nagły impuls, żeby uciec, jakby był dzieckiem, które rzuciło piłkę do ogródka sąsiadów. Jeśli w tym domu jest Bóg, to by się zdało na nic, prawda? Zacisnął powieki i potrząsnął głową, żeby odpędzić halucynację i wrócić do rzeczywistości. Ale kiedy otworzył oczy, wszystko wyglądało tak samo jak przed chwilą. Ostrożnie wyciągnął rękę i dotknął drewnianej poręczy. Stwierdził, że jest całkiem rzeczywista.

Teraz stanął wobec kolejnego dylematu. Co się robi, przychodząc do domu, albo w tym wypadku chaty, w której prawdopodobnie przebywa Stwórca? Czy Mack powinien zapukać? Bóg zapewne już wiedział, że Mack tu jest. Czy powinien po prostu wejść i się przedstawić? Takie zachowanie wydawało się absurdalne. I jak ma się do niego zwracać?

90

Ma go nazywać Ojcem, Wszechmogącym czy może Panem Bogiem? A może najlepiej paść na kolana i złożyć mu pokłon, choć wcale nie był w czołobitnym nastroju.

Odzyskał nieco równowagi wewnętrznej, ale za to znowu obudził się w nim gniew, zdawało się, że już stłumiony na dobre. Macka nagle przestało obchodzić, jak ma się zwracać do Boga. Postanowił zapukać głośno i zobaczyć, co się stanie, ale kiedy uniósł rękę, drzwi się otworzyły, a on ujrzał przed sobą potężną, uśmiechniętą Murzynkę.

Cofnął się odruchowo, ale okazał się zbyt wolny. Z szybkością przeczącą jej rozmiarom kobieta pokonała dystans między nimi, zamknęła go w ramionach, uniosła i zakręciła nim jak małym dzieckiem. Przez cały czas wykrzykiwała jego nazwisko – „Mackenzie Allen Phillips!" – z taką radością, jakby spotkała dawno niewidzianego i bardzo kochanego krewniaka. W końcu postawiła Macka na nogi i trzymając dłonie na jego ramionach, odsunęła go do tyłu, jakby chciała mu się dobrze przyjrzeć.

– Mack, spójrz tylko na siebie! – zawołała. – Jak ty wyrosłeś. Naprawdę nie mogłam się doczekać, żeby cię zobaczyć. To cudownie, że jesteś tu z nami. O rany, jak ja cię kocham! – I znowu go objęła.

Mack stał oniemiały. W ciągu kilku sekund kobieta złamała prawie wszystkie zasady dobrego wychowania, za którymi bezpiecznie się chował. Ale patrzyła na niego w taki sposób i z takim entuzjazmem wykrzykiwała jego imię, że jemu też udzieliła się jej radość, choć nie miał pojęcia, kim ona jest.

Nagle zakręciło mu się w głowie, gdy dotarł do niego bijący od niej zapach. Był to aromat gardenii i jaśminu, perfum jego matki, których buteleczkę przechowywał w małym blaszanym pudełku. Już wcześniej stał na krawędzi emocjonalnej otchłani, a teraz się zachwiał odurzony znajomą wonią i towarzyszącymi jej wspomnieniami. Poczuł szczypanie w kącikach oczu. Kobieta najwyraźniej zauważyła, co się z nim dzieje, bo powiedziała:

– Już dobrze, kochaniutki, możesz wszystko z siebie wyrzucić. Wiem, że jesteś zraniony, gniewny i zdezorientowany. Więc śmiało, daj upust łzom. One są jak uzdrawiające wody. Dla duszy jest dobrze, kiedy czasami popłyną.

Choć Mack nie mógł powstrzymać łez, nie był gotowy, żeby dać folgę uczuciom, jeszcze nie teraz, nie przy tej kobiecie. Zebrał wszystkie siły, żeby nie wpaść w czarną czeluść emocji. Tymczasem kobieta stała z wyciągniętymi rękami, jak matka. Mack czuł bijące od niej ciepło i miłość, od których topniało serce.

– Nie jesteś gotowy? – domyśliła się. – W porządku, zrobimy wszystko w swoim czasie i na twoich warunkach. Wejdź. Mogę wziąć twój płaszcz? I pistolet? Naprawdę go nie potrzebujesz. Nie chcemy, żeby komuś coś się stało, prawda?

Mack nie miał pojęcia, co zrobić ani co powiedzieć. Kim była ta kobieta? Stał jak wrośnięty, ale powoli, mechanicznie zdejmował płaszcz.

Gospodyni odebrała od niego okrycie, a on podał jej pistolet. Murzynka ujęła go w dwa palce, jakby był skażony. Kiedy się odwróciła, żeby wejść do chaty, zza niej nagle wysunęła się mała Azjatka.

– Daj mi to – powiedziała śpiewnie, ale najwyraźniej nie miała na myśli płaszcza ani pistoletu. Patrzyła na Macka z wesołymi iskierkami w oczach.

Mack zesztywniał, kiedy poczuł łaskotanie na policzku. Nie poruszając się, spojrzał w dół i zobaczył, że Azjatka trzyma w ręce kruchy kryształowy flakonik i coś delikatnie zdejmuje z jego twarzy małą szczoteczką, taką jak te, których Nan i Kate używały do makijażu.

Nim zdążył zadać pytanie, kobieta wyszeptała z uśmiechem:

– Mackenzie, każdy zbiera jakieś rzeczy, które są dla niego cenne, prawda? – Mackowi stanęło przed oczami blaszane pudełko. – Ja kolekcjonuję łzy.

I odsunęła się o krok. Mack przyłapał się na tym, że mimo woli mruży oczy, żeby lepiej jej się przyjrzeć. Dziwne, ale wydawało mu się, że migocze w blasku słońca, a włosy miała rozwiane, choć nie poczuł najmniejszego podmuchu wiatru. Łatwiej było dojrzeć ją kątem oka, niż patrząc wprost.

W tym momencie z chaty wyszła trzecia osoba, mężczyzna o wyglądzie mieszkańca Bliskiego Wschodu, w roboczym stroju, z rękawicami wetkniętymi za pas na narzędzia. Stanął w swobodnej pozie, oparty o futrynę drzwi, z rękami skrzyżowanymi na piersi. Jego dżinsy pokrywał pył drzewny, a podwinięte do łokcia rękawy koszuli w kratę odsłaniały muskularne przedramiona. Rysy miał dość przyjemne, choć nie był szczególnie przystojny. Z pewnością nie należał do ludzi wyróżniających się w tłumie, ale jego twarz rozjaśniały oczy i uśmiech.

Mack stwierdził, że trudno mu oderwać od niego wzrok. Zrobił krok do tyłu, lekko oszołomiony.

– Jest was więcej? – zapytał nieco ochrypłym głosem.

Cała trójka spojrzała po sobie i roześmiała się. Mack też nie zdołał powstrzymać uśmiechu.

– Nie, Mackenzie – odparła wesoło Murzynka. – Jesteśmy tylko my i wierz mi, że to aż nadto.

Mack znowu spróbował przyjrzeć się Azjatce. O ile potrafił stwierdzić, była drobna i wyglądała na Chinkę z północy, Nepalkę albo Mongołkę. Musiał wytężać wzrok, żeby w ogóle ją dojrzeć. Sądząc po ubraniu, doszedł do wniosku, że jest ogrodniczką. Miała rękawice zatknięte za pas, nie ciężkie i skórzane jak jej towarzysz, tylko z lekkiej tkaniny i gumy, takie, jakich sam używał do prac wokół domu. Była ubrana w proste dżinsy z ozdobnymi wzorami u dołu nogawek – na kolanach ubrudzone ziemią – i kolorową jasną bluzkę w żółte, czerwone i niebieskie plamy. Mack wyciągnął te wnioski raczej na podstawie ulotnych wrażeń niż obserwacji, bo kobieta wciąż migotała w jego polu widzenia. Czasami wydawało mu się, że mógłby przejrzeć ją na wskroś.

Tymczasem nieznajomy wystąpił do przodu, dotknął ramienia Macka i ucałował go w oba policzki, a potem objął mocno. Mack od razu go polubił. Mężczyzna wyglądał na trzydzieści kilka lat i był od niego trochę niższy. Gdy się odsunął, do gościa podeszła Azjatka i ujęła jego twarz w obie dłonie. Mackowi wydawało się, że go pocałuje, ale ona tylko zajrzała mu głęboko w oczy. Potem się uśmiechnęła, a kiedy owionął go jej zapach, poczuł się tak, jakby ktoś zdjął z jego ramion wielki ciężki plecak, w którym taszczył wszystkie swoje rzeczy.

Raptem poczuł się lżejszy od powietrza, prawie nie dotykał ziemi. Kobieta uściskała go, nie obejmując ani nawet nie dotykając. Dopiero kiedy się odsunęła, czyli prawdopodobnie chwilę później, Mack uświadomił sobie, że stoi na własnych nogach, na deskach ganku.

– Och, nie przejmuj się nią – powiedziała ze śmiechem Murzynka. – Ona na wszystkich tak działa.

– Mnie się to podoba – stwierdził Mack.

Wszyscy troje wybuchnęli śmiechem, a on dołączył do nich, choć sam właściwie nie wiedział, dlaczego jest mu tak wesoło, ani o to nie dbał.

Kiedy wreszcie przestali chichotać, Murzynka objęła Macka, przyciągnęła do siebie i powiedziała:

– No dobrze, my cię znamy, ale chyba powinniśmy się tobie przedstawić. – Rozłożyła ręce w teatralnym geście. – Ja jestem gospodynią i kucharką. Możesz mówić mi Elousia.

– Elousia? – powtórzył ze zdziwieniem Mack.

– W porządku, nie musisz mnie tak nazywać. Po prostu lubię to imię, bo ma ono dla mnie szczególne znaczenie. No więc... – zaplotła ręce na piersi i podparła brodę dłonią, jakby się zastanawiała – możesz mówić do mnie tak, jak Nan.

– Co?! Nie masz chyba na myśli... – Mack był zaskoczony i coraz bardziej zdezorientowany. – Chodzi ci o imię Tata?

– Tak – odparła kobieta z uśmiechem.

Na próżno czekała na reakcję Macka, jemu bowiem nic nie przychodziło do głowy.

– A ja się staram, żeby wszystko tutaj działało jak należy – odezwał się mężczyzna. – Lubię pracować rękami, choć, o czym mogą zaświadczyć te dwie damy, czerpię również przyjemność z gotowania i prac w ogrodzie, podobnie jak one.

– Wyglądasz na mieszkańca Bliskiego Wschodu – stwierdził Mack. – Może Araba?

– Właściwie można mnie uznać za kuzyna tej wielkiej rodziny. Jestem Hebrajczykiem, a dokładnie mówiąc, wywodzę się z rodu Judy.

– Więc... – Mack nagle się zachwiał. – Więc jesteś...

– Jezusem? Tak. Możesz mnie nazywać, jak chcesz. To moje najbardziej znane imię, ale matka mówiła do mnie Jeszua, reagowałem również na imię Jozue albo nawet Jesse.

Mack stał oszołomiony i oniemiały. To, co widział i co słyszał, wydawało się po prostu niemożliwe. Ale przecież tutaj był... Czy rzeczywiście? Nagle zrobiło mu się słabo. Zalały go emocje, podczas gdy umysł rozpaczliwie próbował zrozumieć informacje, które do niego docierały. Już miał osunąć się na kolana, kiedy jego uwagę odwróciła Azjatka, kłaniając się lekko i mówiąc z uśmiechem:

– Ja jestem Sarayu i opiekuję się ogrodami. Między innymi.

Mack nie miał pojęcia, co robić. W jego głowie kłębiły się myśli. Czy jedna z tych osób była Bogiem? A jeśli to tylko halucynacje albo anioły, a Bóg zjawi się później? Sytuacja mogłaby być krępująca. Zaraz, przecież jest ich troje, więc może to coś w rodzaju Trójcy? Ale dwie kobiety i mężczyzna, w dodatku żadne z nich nie jest białe? Z drugiej strony, dlaczego z góry zakładał, że Bóg musi być biały? W końcu zrezygnował z dalszych rozważań i skupił się na najważniejszej kwestii.

– Które z was jest Bogiem?

– Ja – odpowiedzieli wszyscy troje.

Mack spojrzał na nich kolejno i choć nadal nic nie rozumiał, uwierzył im.

6

Część π

„Niezależnie od tego, czym jest Boża moc, główny aspekt Boga to nie absolutny Pan, Wszechmocny. To Bóg, który stawia się na ludzkim poziomie i ogranicza samego siebie".

Jacques Ellul,
„Anarchy and Christianity"

— No, Mackenzie, nie stój tak i nie gap się z rozdziawionymi ustami, jakbyś zobaczył Bóg wie co — powiedziała Murzynka i ruszyła do domu. — Chodź i pogadaj ze mną, a ja będę szykować kolację. Albo, jeśli nie chcesz, rób coś innego. Za chatą, przy szopie na łódź — machnęła ręką, nie oglądając się ani nie zwalniając — znajdziesz wędkę. Możesz nałapać jeziorowych pstrągów. — Zatrzymała się w drzwiach, odwróciła i spojrzała na Macka. — Tylko pamiętaj, że będziesz musiał je sam oczyścić.

Uśmiechnęła się i zniknęła w chacie, z płaszczem Macka i jego pistoletem trzymanym w dwóch palcach na odległość wyciągniętego ramienia.

Mack rzeczywiście stał z rozdziawionymi ustami i wyrazem bezgranicznego zdumienia na twarzy. Nawet nie zauważył, kiedy podszedł do niego Jezus i położył mu dłoń na ramieniu. Sarayu gdzieś zniknęła.

– Czyż nie jest wspaniała?! – wykrzyknął Jezus, uśmiechając się szeroko.

Mack spojrzał na niego, kręcąc głową.

– Czy ja wariuję? Mam uwierzyć, że Bóg jest wielką czarną kobietą z osobliwym poczuciem humoru?

Jezus się roześmiał.

– Ona jest przezabawna! Zawsze potrafi czymś zaskoczyć. Uwielbia niespodzianki i choć może ci się wydawać inaczej, ma wyczucie chwili.

– Naprawdę? – mruknął Mack, nadal z niedowierzaniem kręcąc głową. – I co ja mam teraz robić?

– Nic nie musisz. Możesz robić, co chcesz. – Jezus umilkł na chwilę, a potem dodał: – Ja pracuję w warsztacie. Sarayu jest w ogrodzie. Wybierz się na ryby, popływaj kajakiem albo idź i porozmawiaj z Tatą.

– Hm, czuję się zobowiązany porozmawiać z nim... eee, z nią.

– Nie rób tego dlatego, że czujesz się zobowiązany – rzekł Jezus z powagą. – W ten sposób nie zdobędziesz żadnych punktów. Idź dlatego, że chcesz.

Mack zastanawiał się przez chwilę i doszedł do wniosku, że ma ochotę pójść do chaty. Podziękował Jezusowi, a ten uśmiechnął się i ruszył do swojego warsztatu. Mack zbliżył się do drzwi. Znowu był sam. Rozejrzał się szybko i otworzył je ostrożnie. Wsadził głowę do środka, zawahał się, a w końcu zebrał na odwagę i zawołał, dość niepewnym głosem:

– Boże?! – Czuł się głupio.

– Jestem w kuchni, Mackenzie. Idź za moim głosem.

Mack wszedł i powiódł wzrokiem po wnętrzu chaty. Czy to mogło być to samo miejsce? Zadrżał, słysząc szept

98

czających się mrocznych myśli, ale szybko je od siebie odepchnął. Z duszą na ramieniu zajrzał do głównego pomieszczenia i od razu pobiegł spojrzeniem do kominka, ale na drewnianej podłodze nie było śladu plam. Pokój urządzono ze smakiem i ozdobiono pracami, które wyglądały, jakby zostały zrobione albo narysowane przez dzieci. Mack zastanawiał się, czy mają one dla tej kobiety wartość sentymentalną, jak dla każdego rodzica kochającego swoje potomstwo. Może w taki sam sposób ceniła wszystko, co dawano jej z serca.

Mack podążył krótkim korytarzykiem za jej cichym nuceniem i trafił do kuchni połączonej z jadalnią, umeblowaną małym stołem na cztery miejsca i krzesłami o wiklinowych oparciach. W chacie było przestronniej, niż się spodziewał. Kobieta stała zwrócona plecami do niego, otoczona tumanami mąki, i kołysała się w rytm muzyki, którą słyszała tylko ona. Piosenka najwyraźniej dobiegła końca, bo Murzynka po raz ostatni potrząsnęła ramionami i biodrami, a potem odwróciła się do niego, zdejmując słuchawki.

Mack nagle zapragnął zadać jej tysiąc pytań albo powiedzieć tysiąc rzeczy, niektórych smutnych i strasznych. Był pewien, że jego twarz zdradza emocje, nad którymi bezskutecznie starał się zapanować. Resztką sił wepchnął je do zniszczonego schowka w sercu i zamknął na klucz. Jeśli kobieta wiedziała o jego wewnętrznej walce, niczego nie dała po sobie poznać. Nadal była otwarta, pełna życia i życzliwa.

— Mogę zapytać, czego słuchasz? — odezwał się Mack.

— Naprawdę chcesz wiedzieć?

— Jasne.

— „West Coast Juice", grupy o nazwie Diatribe, albumu, który jeszcze nie wyszedł, ale nosi tytuł „Heart Trips".

Właściwie te dzieciaki jeszcze się nie urodziły – dodała, puszczając oko.

– No tak – bąknął Mack z wyraźnie słyszalnym niedowierzaniem w głosie. – „West Coast Juice"? To nie brzmi zbyt religijnie.

– I nie jest, wierz mi. To bardziej euroazjatycki funk i blues z przesłaniem i świetnym beatem. – Murzynka klasnęła w ręce i ruszyła bokiem w jego stronę, jakby wykonywała figurę taneczną.

Mack się cofnął.

– Więc Bóg słucha funku? – Nigdy nie słyszał, żeby ktoś mówił o tej muzyce w naprawdę fachowy sposób. – Myślałem, że wolisz raczej George'a Beverly Shea albo Mormon Tabernacle Choir... no wiesz, coś bardziej kościelnego.

– Nie musisz mieć się przede mną na baczności, Mackenzie. Słucham wszystkiego. I nie tylko samej muzyki, ale i bijących w niej serc. Pamiętasz wykłady w seminarium? Te dzieciaki nie mówią nic, czego bym już wcześniej nie słyszała. Są po prostu pełne wigoru i radości życia. Jest też w nich dużo gniewu, muszę przyznać, i nie bez powodu. Popisują się i buntują, ale to po prostu moje dzieci. Bardzo lubię tych chłopców. Tak, mam na nich oko.

Mack starał się za nią nadążyć, zrozumieć, co się dzieje, ale dawne nauki pobierane w seminarium ani trochę mu w tym nie pomagały. Nagle zabrakło mu słów, a z miliona pytań nie zostało w głowie ani jedno. Zatem powiedział coś oczywistego:

– Musisz wiedzieć, że nazywanie cię Tatą jest dla mnie lekką przesadą.

– Doprawdy? – Spojrzała na niego z udawanym zaskoczeniem. – Oczywiście, że wiem. Ja zawsze wiem... – Zachichotała. – Ale powiedz mi, dlaczego jest to dla ciebie trudne? Czy dlatego, że taki sposób zwracania się do mnie uważasz za zbyt poufały, czy może dlatego, że pokazuję się jako kobieta, matka...

– Coś w tym jest – przerwał jej Mack z nerwowym śmiechem.

– A może chodzi o błędy twojego ojca?

Mack mimo woli gwałtownie zaczerpnął tchu. Nie był przyzwyczajony do tak szybkiego i bezceremonialnego wyciągania na jaw najgłębszych sekretów. W jednej chwili wezbrały w nim gniew i poczucie krzywdy. Aż go korciło, żeby w odpowiedzi rzucić jakąś sarkastyczną uwagę. Miał wrażenie, jakby wisiał nad bezdenną przepaścią, i bał się, że jeśli pozwoli sobie na szczerość, straci kontrolę nad wszystkim. Szukał oparcia dla stóp, ale z marnym powodzeniem.

– Może dlatego, że nie znałem w życiu takiego człowieka, którego mógłbym nazwać „tatą" – wycedził przez zęby.

Kobieta odstawiła miskę, w której coś mieszała drewnianą łyżką, i spojrzała na niego czułym wzrokiem. Nie musiała nic mówić. Mack wiedział, że ona rozumie, co się w nim dzieje, i kocha go bardziej niż ktokolwiek inny na świecie.

– Jeśli pozwolisz, będę dla ciebie tatą, którego nigdy nie miałeś.

Propozycja była kusząca, jednak z drugiej strony budziła w nim niechęć. Zawsze chciał mieć ojca, któremu mógłby ufać, a nie był pewien, czy znajdzie go tutaj, zwłaszcza że Tata nie potrafił nawet obronić jego Missy. W kuchni zapadło długie milczenie. Mack nie bardzo wiedział, co odpowiedzieć, a kobieta go nie popędzała.

– Skoro nie potrafiłaś zaopiekować się Missy, jak mogę ci ufać, że zadbasz o mnie?

Stało się! Zadał pytanie, które nie dawało mu spokoju od dnia, kiedy nastał Wielki Smutek. Mack poczuł, że jego twarz czerwienieje z gniewu, kiedy patrzył na to dziwne wcielenie Boga. Uświadomił sobie, że dłonie ma zaciśnięte w pięści.

– Mack, tak mi przykro. – Po policzkach kobiety popłynęły łzy. – Wiem, jaka między nami powstała przez to przepaść. Jeszcze tego nie rozumiesz, ale wyjątkowo lubię Missy. I ciebie też.

Mackowi podobał się sposób, w jaki wypowiedziała imię Missy, ale jednocześnie nie mógł znieść, że spłynęło akurat z jej ust niczym najsłodsze wino. Mimo całej wściekłości, która w nim wrzała, czuł, że Tata mówiła szczerze. Chciał jej wierzyć. Powoli jego gniew zaczął stygnąć.

– Właśnie dlatego tutaj jesteś, Mack. Chcę uleczyć twoją ranę. I zasypać przepaść między nami.

Mack wlepił wzrok w podłogę, żeby odzyskać panowanie nad sobą. Minęła cała minuta, zanim zdołał wyszeptać, nie unosząc wzroku:

– Chciałbym tego, ale nie wiem jak...

– Skarbie, nie ma łatwego sposobu, żeby złagodzić twój ból. Wierz mi, że gdybym go znała, użyłabym go teraz. Nie mam magicznej różdżki, żeby machnąć nią nad tobą i wszystko naprawić. Życie wymaga trochę czasu i relacji z innymi.

Mack był zadowolony, że cofają się od krawędzi przepaści. Żałował swojego brzydkiego oskarżenia. Przeraziło go, że niemal pozwolił, by furia całkiem nim zawładnęła.

– Myślę, że ta rozmowa byłaby łatwiejsza, gdybyś nie nosiła sukni – powiedział i spróbował się uśmiechnąć.

– Gdyby miało być łatwiej, nie nosiłabym jej – odparła z chichotem Murzynka. – Nie chcę utrudniać sytuacji żadnemu z nas. Ale to dobry początek. Często stwierdzam, że gdy najpierw rozstrzygnie się najważniejsze sprawy, później lepiej się pracuje nad kwestiami uczuć... Oczywiście, kiedy człowiek jest gotowy. – Wzięła do ręki drewnianą łyżkę ociekającą ciastem. – Mackenzie, nie jestem ani kobietą, ani mężczyzną, choć obie płcie wywodzą się z mojej natury. Jeśli postanawiam ci się objawić, nieważne w jakiej postaci, robię to dlatego, że cię kocham. Ukazałam ci się jako kobieta i poprosiłam, żebyś nazywał mnie Tatą, bo chciałam uwolnić cię na chwilę od twojego religijnego wykształcenia i uwarunkowań. – Pochyliła się, jakby zamierzała wyjawić mu sekret. – Gdybym stanęła przed tobą jako potężny starzec z długą białą brodą jak u Gandalfa, to tylko wzmocniłoby religijne stereotypy, a w ten weekend nie chodzi o utwierdzenie ciebie w wierze.

Mack omal się nie roześmiał. Chciał powiedzieć: „Tak uważasz? Ledwo jestem w stanie uwierzyć, że nie zwariowałem!". Zamiast tego skupił się na jej słowach i odzyskał panowanie nad sobą. Wierzył, że Bóg jest Duchem – ani mężczyzną, ani kobietą – ale teraz z zakłopotaniem musiał przyznać się przed samym sobą, że do tej pory Stwórca był w jego wyobrażeniach biały i raczej męski.

Tymczasem Tata odłożyła przyprawy do pojemnika stojącego na parapecie okna, odwróciła się i zmierzyła Macka uważnym spojrzeniem.

– Czy nie zawsze miałeś kłopot z postrzeganiem mnie jako ojca? Po tym, co przeszedłeś, wcale nie chciałbyś teraz mieć go znowu, prawda?

Mack przyznał jej w duchu rację. Uświadomił sobie, że w słowach Taty jest dobroć i współczucie. Zwracając się do niego w ten sposób, nie próbowała na siłę przełamywać jego oporu wobec jej miłości. To było dziwne, bolesne i może nawet... wspaniałe.

– Z drugiej strony, dlaczego tak zależy ci na tym, żeby być ojcem? – zapytał, skupiony na tym, żeby pozostać racjonalnym. – Zdaje się, że w takiej postaci najczęściej się objawiasz.

– Cóż, jest wiele powodów – odparła Murzynka, kręcąc się po kuchni. – Niektóre z nich są bardzo głębokie. Na razie zajmijmy się jednym. Otóż, kiedy zostało zerwane Przymierze, wiedzieliśmy, że ludziom będzie bardziej brakować postaci ojca niż matki. Nie zrozum mnie źle, jedno i drugie jest potrzebne, ale nacisk na ojcostwo jest konieczny ze względu na jego ogromny deficyt.

Mack czuł, że to wszystko zaczyna przerastać jego zdolność rozumienia. Miał mętlik w głowie. Rozmyślając, wyjrzał przez okno na dziki ogród.

– Wiedziałaś, że przyjadę, tak? – zapytał cicho.

– Oczywiście, że tak. – Znowu była czymś zajęta. Stała plecami do niego.

– Więc nie mogłem się nie zjawić? Nie miałem wyboru w tej kwestii?

Tata odwróciła się do niego z rękami oblepionymi ciastem.

– Dobre pytanie. Jak bardzo chcesz się zagłębić w tę kwestię? – Nie czekała na odpowiedź, bo wiedziała, że Mack jej nie zna. – Wierzysz, że w każdej chwili możesz stąd odjechać?

– Chyba tak. A mogę?

– Oczywiście, że tak! Nie zależy mi na więźniach. Możesz choćby teraz wyjść przez te drzwi i wrócić do swojego pustego domu. Albo pojechać do The Grind i powłóczyć się z Willem. Wiem, że jesteś zbyt zaciekawiony, żeby odejść, ale to nie odbiera ci swobody wyboru. – Tata wróciła do swojego zadania, rzucając przez ramię: – A jeśli chcesz głębszej analizy, moglibyśmy porozmawiać o naturze samej wolności. Czy wolność oznacza, że możesz robić, co tylko zechcesz? Albo moglibyśmy pogadać o tym, co cię w życiu ogranicza i nie pozwala na całkowitą niezależność. O dziedzictwie genetycznym, o twoim specyficznym DNA, o szczególnym metabolizmie, procesach kwantowych zachodzących na poziome subatomowym, gdzie jestem jedynym obserwatorem. Albo o chorobie duszy, która utrudnia ci życie i cię pęta, o wpływie środowiska, o nawykach, które wyżłobiły ścieżki w twoim mózgu, tworząc określone połączenia synaptyczne. I jest jeszcze reklama, propaganda, paradygmaty. Czy w tym nagromadzeniu złożonych czynników naprawdę istnieje wolność?

Mack milczał, kompletnie zagubiony.

– Tylko ja mogę cię uwolnić, Mackenzie. Wolności nie da się wymusić.

– Nie rozumiem. Nawet tego, co właśnie powiedziałaś.

Tata odwróciła się do niego i uśmiechnęła.

– Wiem. Nie powiedziałam tego, żebyś od razu zrozumiał. Przyjdzie na to czas. Teraz jeszcze nie pojmujesz, że wolność to stopniowy proces. – Wyciągnęła ręce, całe w mące, łagodnym gestem ujęła dłonie Macka i spojrzała mu w oczy. – Mackenzie, prawda cię wyzwoli, a ta prawda ma imię. Teraz pracuje w warsztacie, cała obsypana trocinami. On jest wszystkim, a wolność to proces, który zachodzi w relacji z nim. I wtedy znajdują ujście uczucia, które się w tobie kłębią.

– Skąd możesz wiedzieć, co czuję? – zapytał Mack, odwzajemniając spojrzenie.

Kobieta nie odpowiedziała, tylko popatrzyła na ich ręce. Mack poszedł za jej wzrokiem i po raz pierwszy zauważył blizny na nadgarstkach, takie jak te, które zapewne miał

Jezus, ślady po głębokich ranach. Pozwoliła mu dotknąć ich, a kiedy Mack w końcu podniósł wzrok, zobaczył, że po jej twarzy spływają łzy, żłobiąc wąskie ścieżki na policzkach oprószonych mąką.

– Nie myśl, że to, co postanowił zrobić mój syn, nie kosztowało nas drogo – rzekła Tata cicho i łagodnie. – Miłość zawsze zostawia wyraźny ślad. Byliśmy tam razem.

– Na krzyżu? – zdziwił się Mack. – Zaczekaj, myślałem, że go zostawiłaś... no wiesz... „Boże mój, Boże mój, czemuś mnie opuścił?". – To był fragment Pisma, który często prześladował go w czasie Wielkiego Smutku.

– Źle rozumiałeś kryjącą się w tych słowach tajemnicę. Niezależnie od tego, co Jezus czuł w tamtym momencie, nigdy go nie opuściłam.

– Jak możesz tak mówić? Porzuciłaś go, tak jak mnie!

– Mackenzie, nigdy go nie porzuciłam. I ciebie też nie.

– To nie ma dla mnie sensu – burknął Mack.

– Wiem, że nie ma, przynajmniej na razie. Ale zastanów się, czy dostrzegając tylko swój ból, nie tracisz mnie wtedy z oczu?

Mack nie odpowiedział, a ona wróciła do gotowania, jakby chciała dać mu czas i przestrzeń do namysłu. Szykowała kilka dań jednocześnie, dodając różne składniki i przyprawy. Na koniec wsunęła placek do pieca, nucąc melodyjkę, która łatwo wpadała w ucho.

– Nie zapomnij, że ta historia nie zakończyła się poczuciem opuszczenia. Jezus przetrwał ją, oddając się całkowicie w moje ręce. Och, co to była za chwila!

Nieco zdezorientowany Mack oparł się o blat. Miał mieszane uczucia. W głębi duszy chciał wierzyć we wszystko, co mówiła Tata. To byłoby miłe! Ale rozum podpowiadał co innego.

– To nie może być prawda!

Tata nakręciła kuchenny minutnik i postawiła go na stole przed nimi.

– Nie jestem taka, jak myślisz, Mackenzie. – Jej ton nie był gniewny ani obronny.

Mack spojrzał na nią, potem na zegar i westchnął.

– Czuję się kompletnie zagubiony.

– Więc spróbujmy odnaleźć cię w tym bałaganie.

Akurat w tym momencie na parapecie usiadła sójka błękitna i zaczęła po nim chodzić w tę i z powrotem. Tata sięgnęła do puszki stojącej na półce, otworzyła okno i podsunęła ptakowi garść ziaren, które zapewne trzymała specjalnie w tym celu. Sójka zbliżyła się bez wahania i zaczęła dziobać je z ręki. Wydawało się, że robi to z pokorą i wdzięcznością.

– Spójrz na naszego małego przyjaciela – powiedziała Tata. – Większość ptaków została stworzona do latania. Chodzenie po ziemi jest dla nich ograniczeniem możliwości latania, a nie na odwrót. – Dała Mackowi chwilę czasu na przemyślenie jej słów. – Ty natomiast zostałeś stworzony do tego, żeby być kochanym, a więc to nie miłość ciebie ogranicza, tylko jej brak.

Mack pokiwał głową, nie tyle wyrażając zgodę, ile na znak, że przynajmniej teraz nadąża. Rozumowanie wydawało się całkiem proste.

– Żyć bez miłości to tak, jakby związać ptakowi skrzydła i pozbawić go możliwości fruwania. Nie chciałabym, żebyś tego doświadczył.

W tym rzecz, że Mack nie czuł się w tym momencie szczególnie kochany.

– Ból też potrafi spętać skrzydła i uniemożliwić latanie. – Tata odczekała chwilę, żeby Mack przetrawił jej słowa. –

I jeśli będą spętane przez długi czas, zapomnisz, że zostałeś stworzony do latania.

Mack milczał, ale, o dziwo, nie czuł się niezręcznie. Obserwował sójkę, a ona patrzyła na niego. Ciekawe, czy ptaki potrafią się uśmiechać, pomyślał. Przynajmniej ten wyglądał, jakby potrafił, choćby tylko współczująco.

– Nie jestem taka jak ty, Mack.

To nie była upokarzająca uwaga, tylko proste stwierdzenie faktu. Ale Mack odebrał je tak, jakby został oblany kublem zimnej wody.

– Jestem Bogiem. Jestem, kim jestem. I moje skrzydła, w przeciwieństwie do twoich, nie zostały związane.

– To cudownie, ale co ja mam teraz zrobić?! – wybuchnął Mack, bardziej zirytowany, niżby sobie życzył.

Tata zaczęła głaskać sójkę, przysunęła do niej twarz i zagruchała.

– Całuska? – Potarła nosem o jej dziób.

– Ten ptak prawdopodobnie rozumie więcej, niż ja – dorzucił Mack.

– Wiem, kochanie. Właśnie dlatego tutaj jesteśmy. Jak sądzisz, dlaczego powiedziałam: „Nie jestem taka jak ty"?

– Naprawdę nie mam pojęcia. Może to znaczy, że ty jesteś Bogiem, a ja nie. – Nie mógł pozbyć się sarkazmu ze swojego głosu, ale ona całkowicie zignorowała jego ton.

– Tak, ale niezupełnie. Przynajmniej nie w ten sposób, jaki masz na myśli. Problem polega na tym, że ludzie starają się zrozumieć, kim jestem, biorąc najlepszą wersję samych siebie, podnosząc ją do n-tej potęgi, dodając całą dobroć, jaką potrafią sobie wyobrazić, czyli często niewiele, a uzyskany wynik tych operacji nazywają Bogiem. I choć ich wysiłki mogą się wydawać szlachetne, w rzeczywistości są daremne, a ich rezultat całkowicie chybiony. Nie jestem lepszą wersją ciebie, tylko czymś więcej, czego twój umysł nawet nie ogarnia.

– Przykro mi, ale dla mnie to są tylko słowa, w dodatku pozbawione sensu. – Mack wzruszył ramionami.

– Wprawdzie nie możesz mnie pojąć, ale wiesz co? Mimo wszystko chcę, żebyś mnie poznał.

– Mówisz o Jezusie, tak? A może to próba wytłumaczenia, czym jest Trójca Święta?

Tata się zaśmiała.

– Coś w tym rodzaju, ale to nie szkółka niedzielna, tylko nauka latania, Mackenzie. Z pewnością się domyślasz, że są pewne korzyści z bycia Bogiem. Nie znam ograniczeń. Wiem, co to pełnia. Żyję w stanie permanentnego zadowolenia. To tylko jedna z zalet boskości.

Mack się uśmiechnął. Ta dama dobrze się bawiła we własnym towarzystwie i nie było w niej ani krzty arogancji, która wszystko by zepsuła.

– Stworzyliśmy was, żebyście uczestniczyli w tym szczęściu. Jednak Adam zdecydował się żyć po swojemu, co zresztą przewidzieliśmy, i powstał bałagan. Ale zamiast zetrzeć z powierzchni Ziemi całe Stworzenie, zakasaliśmy rękawy, żeby posprzątać. Właśnie to zrobiliśmy poprzez ofiarę Jezusa.

Mack starał się śledzić tok jej myśli.

– Kiedy my troje przybraliśmy postać Syna Bożego, staliśmy się w pełni ludźmi. Pogodziliśmy się ze wszystkimi ograniczeniami, które ta decyzja za sobą pociągała. Choć zawsze byliśmy obecni w stworzonym przez nas wszechświecie, teraz staliśmy się ciałem i krwią. To tak, jakby ten ptak, którego naturą jest latanie, postanowił trzymać się ziemi i tylko chodzić. Nie przestaje być ptakiem, ale zmienia się całe jego życie.

Zamilkła, by się upewnić, że Mack rozumie, a on, choć jego umysł powoli odmawiał posłuszeństwa, mruknął tylko:

– No i...?

– Choć Jezus z natury jest Bogiem, jest również w pełni człowiekiem i żyje jak człowiek. Nigdy nie utracił wrodzonej zdolności latania, ale z własnej woli pozostaje na Ziemi. To dlatego jego imię brzmi Immanuel, Bóg z nami albo raczej, żeby być dokładnym, Bóg z wami.

– A co z cudami? Uzdrowieniami? Wskrzeszaniem zmarłych? Czy to nie dowodzi, że Jezus był bardziej Bogiem niż człowiekiem?

– Nie, to dowodzi, że Jezus jest naprawdę człowiekiem.

– Jak to?

– Mackenzie, ja potrafię latać, a ludzie nie. Jezus jest w pełni człowiekiem i choć również jest w pełni Bogiem, nigdy nie odwoływał się do swojej boskiej natury, żeby dokonać cudu. On jedynie przeżył swoje życie w relacji ze mną, w taki sposób, jakiego oczekuję od każdej ludzkiej istoty. On po prostu był pierwszym, który zrobił to w najwyższym stopniu, pierwszym, który całkowicie powierzył mi swoje życie, pierwszym, który uwierzył w moją miłość i dobroć, nie zważając na konsekwencje.

– A kiedy uleczył ślepca?

– Zrobił to jako zależna, ograniczona istota ludzka, wierząca, że moja moc zadziała w nim i poprzez niego. Jezus, jako człowiek, nie miał sam w sobie mocy, żeby kogoś uzdrowić.

Te słowa wstrząsnęły podstawami religijnego wychowania Macka.

– Dopiero kiedy oparł się na swojej relacji ze mną i naszej wspólnocie, mógł w danych okolicznościach wyrazić moje pragnienie i wolę. Więc kiedy patrzysz na Jezusa i wydaje ci się, że on lata, on... istotnie lata, ale tak naprawdę widzisz mnie. Moje życie w nim. On żyje i zachowuje się jak prawdziwy człowiek, we mnie, czyli tak, jak powinna żyć każda istota ludzka. Ptaka nie definiuje to, że chodzi po ziemi, tylko to, że umie latać. Zapamiętaj, że ludzi nie określają ich ograniczenia, tylko cele, które dla nich przewidziałem. Nie są istotne pozory, tylko wszystko to, co oznacza być stworzonym na mój obraz i podobieństwo.

Mack stwierdził, że jego umysł jest przeciążony. Przyciągnął sobie krzesło i usiadł, co dało mu trochę czasu na zebranie myśli.

– Czy to oznacza, że podlegałaś ograniczeniom, kiedy Jezus przebywał na Ziemi? To znaczy, czy żyłaś tylko w nim?

– Ależ nie! Podlegałam ograniczeniom tylko w Jezusie, ale nigdy swojej postaci.

– Właśnie w kwestii tej całej Trójcy zupełnie się gubię.

Tata wybuchnęła głośnym śmiechem i zaraziła nim Macka. Postawiła sójkę na stole, otworzyła piekarnik i przyjrzała się plackowi. Potem, zadowolona ze swojego dzieła, przyciągnęła sobie krzesło. Tymczasem Mack patrzył na ptaszka, któremu najwyraźniej odpowiadało ich towarzystwo. Zaśmiał się, rozbawiony absurdalnością całej sytuacji.

– Po pierwsze, to, że nie potrafisz pojąć cudu mojej natury, jest raczej pozytywne. Kto chciałby wielbić Boga, którego bez trudu można zrozumieć, co? A gdzie tajemnica?

– Ale jaki w tym sens, że was jest troje i wszyscy jesteście jednym Bogiem. Ująłem to właściwie?

– Mniej więcej. – Tata się uśmiechnęła. – Mackenzie, to właśnie samo sedno! – Wyglądało na to, że dobrze się bawi. – Nie jesteśmy trzema bogami ani jednym bogiem w trzech postaciach, na przykład jak człowiek, który jednocześnie

111

pełni role męża, ojca i pracownika. Jestem jedynym Bogiem i trzema osobami, a każda z nich jest samodzielną i jedyną w swoim rodzaju istotą.

– Hę? – wyrwało się Mackowi.

– Mniejsza o to. Oto, co jest ważne: gdybym była po prostu Jedynym Bogiem i tylko Jedną Osobą, zabrakłoby w Stworzeniu czegoś cudownego, wręcz podstawowego i istotnego. A ja byłabym zupełnie inna, niż jestem.

– Zostalibyśmy bez...? – Mack nawet nie wiedział, jak dokończyć pytanie.

– Miłości i wzajemnych relacji. One są możliwe tylko dlatego, że już istnieją we mnie, w Bogu. Miłość nie jest ograniczeniem, miłość to latanie. Ja jestem miłością.

Jakby w odpowiedzi na jej oświadczenie zabrzęczał minutnik, ptak poderwał się i wyfrunął przez okno. Obserwowanie go w locie sprawiło Mackowi niezwykłą przyjemność. Odwrócił się do Taty i tylko popatrzył na nią w zachwycie. Była taka piękna i zdumiewająca. I choć Mack czuł się trochę zagubiony, a Wielki Smutek nadal mu towarzyszył, stwierdził, że jej bliskość daje mu poczucie bezpieczeństwa.

– Rozumiesz, że gdybym nie miała obiektu uczuć albo, ściślej mówiąc, kogoś do kochania, gdybym nie miała w sobie takiej więzi, w ogóle nie byłabym zdolna do miłości? Miałbyś boga, który nie potrafi kochać. Albo jeszcze gorzej, miałbyś boga, który potrafi kochać tylko wtedy, gdy postanowi narzucić ograniczenia swojej naturze. Taki bóg mógłby zapewne działać bez miłości, i to byłoby nieszczęście. Ale to z pewnością nie jestem ja.

Po tej przemowie Tata wstała i podeszła do piecyka. Wyjęła z niego świeżo upieczony placek i postawiła go na stole.

112

– Bóg, który istnieje, nie potrafi działać bez miłości! – dodała, obracając się jak przy prezentacji. – I ja nim jestem.

Mack wiedział, że to, co słyszy, choć trudne do zrozumienia, jest czymś zdumiewającym i niewiarygodnym. Słowa Taty otaczały go, obejmowały, docierały do niego nie tylko poprzez zmysł słuchu. Co nie znaczy, że w nie wierzył. Chciałby, żeby to była prawda, ale doświadczenie życiowe mówiło mu co innego.

– Ten weekend jest poświęcony miłości i związkom. Wiem, że chcesz porozmawiać ze mną o wielu rzeczach, ale na razie idź się umyć. Tamci dwoje już idą na kolację. – Zatrzymała się i odwróciła. – Mackenzie, wiem, że twoje serce jest pełne bólu, gniewu i zamętu. Zajmiemy się tym razem, ty i ja. Ale musisz wiedzieć, że dzieje się tutaj więcej, niż możesz sobie wyobrazić albo zrozumieć, nawet gdybym wszystko ci powiedziała. Jeśli jesteś w stanie, odwołaj się do wiary, choćby niewielkiej, którą we mnie pokładasz, dobrze?

Mack opuścił głowę i spojrzał na podłogę. Ona wie, pomyślał. Niewielka wiara. Prawie żadna. Kiwnął głową na znak zgody, podniósł wzrok i znowu zauważył blizny na jej nadgarstkach.

– Tato? – wykrztusił w końcu z trudem; przynajmniej się starał.

– Tak, kochanie?

Mack szukał słów, żeby powiedzieć to, co mu leży na sercu.

– Tak mi przykro, że ty... że Jezus musiał umrzeć.

Tata obeszła stół i mocno uściskała Macka.

– Wiem i dziękuję. Ale powinieneś wiedzieć, że my wcale nie żałujemy. Było warto. Mam rację, synu?

Zadała to pytanie Jezusowi, który właśnie wszedł do kuchni.

– Oczywiście! I zrobiłbym to nawet tylko dla ciebie. – Jezus spojrzał na Macka i dodał z szerokim uśmiechem: – Ale tak nie było!

Mack przeprosił i poszedł do łazienki. Umył ręce i ochlapał twarz zimną wodą, żeby jakoś się pozbierać.

7

Bóg na pomoście

„Módlmy się, żeby ludzka rasa nigdy nie uciekła z Ziemi, by gdzie indziej rozprzestrzeniać swoją niegodziwość".

C.S. Lewis

Mack wycierał twarz ręcznikiem i patrzył w łazienkowe lustro. Szukał oznak szaleństwa we własnych oczach. Czy to wszystko działo się naprawdę? Oczywiście, że nie. Przecież to było niemożliwe. Ale z drugiej strony... Wyciągnął rękę i dotknął lśniącej powierzchni. Może to tylko halucynacje spowodowane przez smutek i rozpacz. Albo widzenie senne, podczas gdy on spał w zrujnowanej chacie i zamarzał na śmierć? A może... Nagle jego rozmyślania przerwał głośny łoskot. Dochodził z kuchni. Mack znieruchomiał. Przez chwilę w domu panowała martwa cisza, a potem rozległ się gromki śmiech. Zaintrygowany Mack wyszedł z łazienki.

Osłupiał na widok sceny, którą ujrzał w kuchni. Okazało się, że Jezus upuścił na podłogę wielką misę z ciastem albo sosem. Jej zawartość rozbryznęła się po całym pomieszczeniu. Dół sukni Taty pokrywała kleista maź. Cała trójka tak się zaśmiewała, że nie mogła złapać tchu. Sarayu powiedziała

115

coś o niezdarnych ludziach i wszyscy troje znowu parsknęli śmiechem. W końcu Jezus wyszedł z kuchni, odsuwając Macka na bok, i chwilę później wrócił z miednicą pełną wody i ręcznikami. Sarayu zdążyła już wytrzeć ciasto z podłogi i szafek, więc Jezus podszedł do Taty i, uklęknąwszy przed nią, zaczął czyścić jej suknię. Potem delikatnie uniósł jej stopę i włożył ją do miednicy. Umył ją, masując, a potem wytarł do sucha. To samo zrobił z drugą.

– O, jak dobrze! – wykrzyknęła Tata, nie przerywając szykowania kolacji.

Podczas gdy Mack obserwował całą scenę oparty o drzwi, w jego głowie kłębiły się myśli. Więc to był Bóg w relacji z innymi? Piękny i poruszający widok. Nie miało znaczenia, czyja to wina – bałagan, rozbita miska, jedno danie mniej do podziału. Tym, co tutaj naprawdę się liczyło, była miłość, którą tych troje obdarzało siebie nawzajem, i związane z nią poczucie pełni. Mack potrząsnął głową. Jakże inaczej on traktował tych, których kochał!

Kolacja, choć prosta, okazała się prawdziwą ucztą. Pieczony drób w pomarańczowo-mangowym sosie. Świeże warzywa przyprawione Bóg wie czym, pieprzne, wonne, pikantne, soczyste. Ryż, jakiego Mack nigdy wcześniej nie próbował, mógłby sam wystarczyć za cały posiłek. Jedyny niezręczny moment nastąpił na początku, kiedy Mack z nawyku skłonił głowę do modlitwy, zanim sobie przypomniał, gdzie jest. Podniósł wzrok i zobaczył, że wszyscy troje uśmiechają się do niego, więc przemówił, siląc się na lekki ton:

– Hm, dziękuję Ci, Panie... wam wszystkim... mógłbym dostać trochę tego ryżu?

– Jasne. Miał być do niego niesamowity japoński sos, ale pewien niezgrabiasz – Tata wskazała skinieniem głowy na Jezusa – uparł się, że go wymiesza.

– Daj spokój, miałem śliskie ręce. – Jezus udawał, że się broni. – Cóż więcej mogę powiedzieć?

Tata mrugnęła do Macka, podając mu ryż.

– Trudno tutaj o dobrą pomoc domową.

Wszyscy się roześmiali.

Konwersacja przy stole była prawie normalna. Macka wypytano kolejno o wszystkie dzieci, z wyjątkiem Missy, a on opowiadał o ich porażkach i sukcesach. Kiedy wspomniał, że martwi się o Kate, cała trójka tylko pokiwała głowami, z wyrazem zatroskania na twarzach, ale nie udzieliła mu żadnej rady. Gdy opowiadał o reszcie rodziny i przyjaciołach, Sarayu najbardziej interesowała się Nan. W końcu Mack wypalił coś, co nie dawało mu spokoju przez całą rozmowę.

– Mówię wam o swoich dzieciach i znajomych, o Nan, ale przecież wy wszystko o nich wiecie, prawda? A zachowujecie się, jakbyście słyszeli o tym pierwszy raz.

Sarayu sięgnęła przez stół i ujęła jego dłoń.

– Mackenzie, pamiętasz naszą wcześniejszą rozmowę o ograniczeniach?

– Naszą rozmowę? – Mack zerknął na Tatę, a ona tylko porozumiewawczo kiwnęła głową.

– Dzieląc się z jednym z nas, dzielisz się z nami wszystkimi – rzekła Sarayu z uśmiechem. – Pamiętaj, że są decyzje i zachowania, które ułatwiają relacje z innymi. Sam tak postępujesz, Mackenzie. Nie grasz w różne gry ani nie malujesz razem z dzieckiem, żeby pokazać swoją wyższość. Raczej postanawiasz się ograniczyć i w ten sposób wyrażasz szacunek dla drugiej osoby i łączącej was więzi. Nawet przegrywasz rywalizację, żeby okazać miłość. Nie chodzi o wygrywanie i przegrywanie, lecz o miłość i szacunek.

– Tak jak teraz, kiedy opowiadam wam o swoich dzieciach?

– Narzuciliśmy sobie ograniczenia z szacunku dla ciebie. Niejako nie dopuszczamy do świadomości naszej wiedzy o twojej rodzinie. Jest tak, jakbyśmy, słuchając ciebie, po raz pierwszy się o nich dowiadywali. I czerpiemy wielką przyjemność z tego, że patrzymy na nich twoimi oczami.

– Podoba mi się to – stwierdził Mack, odchylając się na oparcie krzesła.

Sarayu uścisnęła jego dłoń.

– Mnie też! W relacjach z innymi nigdy nie chodzi o władzę, a jedyny sposób, żeby nie narzucać komuś swojej woli, to ograniczyć się i służyć. Ludzie często tak postępują wobec kalekich, chorych, biednych, obłąkanych, bardzo starych i bardzo młodych, a nawet wobec tych, którzy mają nad nimi władzę.

– Dobrze powiedziane, Sarayu – rzekła Tata z twarzą rozpromienioną dumą. – Później sprzątnę naczynia, bo chciałabym najpierw poświęcić chwilę na modlitwę.

Mack z trudem pohamował chichot na myśl o Bogu odmawiającym pacierz. Jego umysł zalały niezbyt miłe wspomnienia rodzinnych modlitw z czasów dzieciństwa. Najczęściej przypominały nudne lekcje: udzielanie właściwych odpowiedzi albo raczej tych samych starych odpowiedzi na te same pytania dotyczące biblijnych opowieści, a potem walka ze snem w czasie nieznośnie długich modłów ojca. A kiedy ojciec pił, religijne wieczory przeradzały się w prawdziwe pole minowe, na którym każda zła odpowiedź albo niewłaściwe spojrzenie mogły spowodować wybuch. Mack poniekąd się spodziewał, że Jezus zaraz wyjmie skądś wielką starą Biblię króla Jakuba.

Zamiast tego Jezus sięgnął przez stół i ujął dłonie Taty. Ucałował je, spojrzał ojcu głęboko w oczy i przemówił:

– Tato, obserwowałem cię dzisiaj z uwielbieniem. Byłeś gotowy przejąć ból Macka, a potem dałeś mu czas, żeby podzielił się nim wtedy, gdy sam tak postanowi. Okazałeś szacunek jemu i mnie również. Słuchałem, jak mu szepczesz słowa miłości i otuchy. Jakaż to była radość dla serca! Cieszę się, że jestem twoim synem.

Mack patrzył na nich urzeczony. Czuł się trochę jak intruz, ale jego obecność najwyraźniej nikomu nie przeszkadzała. Zresztą i tak nie miał pojęcia, dokąd mógłby pójść. Widok tak otwarcie wyrażanej miłości działał na niego jak balsam. Choć Mack nie do końca rozumiał, co czuje, ogarnął go błogi spokój. Czego właściwie był świadkiem? Czegoś prostego, ciepłego, intymnego, szczerego. Świętego. Świętość zawsze kojarzyła mu się z czymś zimnym i sterylnym, ale tutaj wszystko wyglądało zupełnie inaczej. Bał się, że najmniejszy ruch z jego strony może rozwiać czar chwili, więc po prostu zamknął oczy i splótł ręce przed sobą. Całkowicie skupiony, usłyszał, że Jezus odsuwa krzesło. Po chwili ciszy rozległ się jego czuły głos:

– Sarayu, ty zmywaj, a ja będę wycierał.

Mack otworzył oczy i zobaczył, że Sarayu i Jezus uśmiechają się do siebie, zbierają naczynia i niosą je do kuchni. Przez kilka minut siedział sam przy stole i nie wiedział, co zrobić. Tata gdzieś poszła, tamci dwoje zajęli się zmywaniem... Cóż, decyzja była łatwa. Mack wziął ze stołu brudne sztućce i szklanki i poszedł z nimi do kuchni. Gdy tylko włożył je do zlewu, Jezus rzucił mu ścierkę i obaj zaczęli wycierać talerze.

Sarayu nuciła tę samą sugestywną melodię, którą wcześniej śpiewała Tata. Pieśń budziła w Macku silne emocje. Brzmiała jak irlandzka, tak że niemal słyszał zawodzenie dud. Oczarowała go, choć starał się nie dopuścić, żeby

119

uczucia do końca nim zawładnęły. Gdyby mógł po prostu jej słuchać, z radością zmywałby naczynia do końca życia.

Gdy dziesięć minut później skończyli sprzątać po kolacji, Jezus pocałował Sarayu w policzek, a kiedy wyszła z kuchni, odwrócił się i uśmiechnął do Macka.

– Chodźmy na pomost popatrzeć na gwiazdy.

– A co z resztą? – zapytał Mack.

– Ja jestem – odparł Jezus. – Zawsze jestem.

Mack pokiwał głową. Obecność boskiej istoty, choć trudna do pojęcia, przenikała do jego umysłu i serca, a on na to pozwalał.

– Chodź – powiedział Jezus, przerywając jego rozmyślania. – Wiem, że lubisz obserwować gwiazdy. Idziemy? – Mówił jak dziecko, czekające z podnieceniem na niespodziankę.

– Tak, chyba tak – bąknął Mack. Uświadomił sobie, że ostatni raz patrzył w niebo razem z dziećmi na biwaku, który tak źle się skończył. Może czas zaryzykować.

Wyszedł za Jezusem kuchennymi drzwiami. W nadciągającym zmierzchu widział kamienisty brzeg jeziora, nie tak zarośnięty, jak zapamiętał, tylko starannie utrzymany i pocztówkowo piękny. Pobliski strumyk szemrał melodyjnie. Pomost sięgał jakieś pięćdziesiąt stóp w głąb jeziora. Na wodzie kołysały się przywiązane do niego trzy kajaki. Szybko zapadała noc, w lesie było już całkiem ciemno, odezwały się świerszcze i żaby. Jezus wziął go pod ramię i poprowadził ścieżką, a Mack spoglądał w górę na bezksiężycowe niebo i podziwiał cud zapalających się gwiazd.

Przeszli trzy czwarte pomostu i wyciągnęli się na deskach. Na tej wysokości nad poziomem morza niebo wydawało się bliższe i rozleglejsze. Mack już dawno nie widział tylu gwiazd, w dodatku świecących tak jasno. Jezus zaproponował, żeby na parę minut zamknęli oczy, dopóki nie znikną resztki dziennego światła. Mack go posłuchał, a kiedy po jakimś czasie otworzył oczy, dostał zawrotu głowy, oszołomiony widokiem. Miał wrażenie, jakby unosił się w kosmosie, a ze wszystkich stron pędziły ku niemu świetliste punkciki. Uniósł ręce, wyobrażając sobie, że mógłby po jednym zebrać diamenty z aksamitnego czarnego nieba.

– O rany! – szepnął.

– Niewiarygodne! – zawtórował mu Jezus. – Nigdy nie mam dość tego widoku.

– Mimo że go stworzyłeś?

– Stworzyłem go jako Słowo, zanim stało się ciałem, a teraz patrzę na niego jako człowiek. I muszę powiedzieć, że jest imponujący!

– Bez wątpienia. – Mack nie był pewien, jak opisać to, co czuje, ale kiedy tak leżeli w ciszy, obserwując niebieski spektakl, wiedział w głębi serca, że ma do czynienia ze świętością. Obaj spoglądali w górę w niemym zachwycie, a gdy od czasu do czasu spadające gwiazdy zostawiały świetlisty ślad na nocnym niebie, wykrzykiwali:

– Widziałeś? Niesamowite!

Po długim milczeniu Mack powiedział:

– Przy tobie czuję się swobodniej. Wydajesz się inny niż tamtych dwoje.

– Jak to „inny"? – rozległ się tuż obok niego cichy głos.

– Cóż. – Mack przez chwilę się zastanawiał. – Bardziej prawdziwy albo zwyczajny. Sam nie wiem. – Szukał odpowiednich słów, podczas gdy Jezus czekał cierpliwie. – Mam wrażenie, jakbym znał cię od zawsze. Tata zupełnie nie przypomina Boga z moich wyobrażeń, a Sarayu... wydaje się taka odległa.

Jezus zaśmiał się w ciemności.

– Jestem człowiekiem, więc mamy ze sobą dużo wspólnego.

– Ale nadal nie rozumiem...

– Przeze mnie jest najłatwiej komunikować się z Tatą albo z Sarayu. Widzieć mnie to widzieć ich. Miłość, którą we mnie wyczuwasz, nie różni się od tej, którą oni cię obdarzają. I wierz mi, że Tata i Sarayu są równie prawdziwi jak ja, choć inni, jak sam zauważyłeś.

– Skoro już mowa o Sarayu, ona jest Duchem Świętym?

– Tak. Siłą Twórczą, Działaniem, Tchnieniem Życia. I czymś więcej. Jest moją Duszą.

– A co oznacza jej imię?

– To wyraz pochodzący z jednego z naszych ludzkich języków. Oznacza wiatr, zwykły wiatr. Sarayu bardzo je lubi.

– Hm – mruknął Mack. – Nie ma w niej nic zwykłego.

– To prawda.

– A imię Taty, które wcześniej wymieniłeś, Elo... El...

– Elousia. – W głosie Jezusa brzmiał głęboki szacunek. – Cudowne imię. El to Pan Stwórca, natomiast „ousia" to „byt" albo „prawdziwe istnienie", czyli razem Bóg Stwórca, który jest prawdziwy i stanowi podstawę wszystkiego, co istnieje. W dodatku to słowo ma piękne brzmienie.

Na pomoście zapadła cisza, Mack się zastanawiał nad tym, co powiedział Jezus. W końcu przerwał milczenie.

– Więc gdzie teraz jesteśmy? – Czuł się tak, jakby zadawał to pytanie w imieniu całej ludzkości.

– Tam gdzie zawsze chciałeś być. W samym centrum naszej miłości i naszego celu.

Znowu chwila ciszy, a potem ciche słowa:

– Chyba potrafię z tym żyć.

Jezus się zaśmiał.

– Miło mi to słyszeć.

I obaj wybuchnęli śmiechem. Przez jakiś czas żaden się nie odzywał. Ciszę mącił jedynie plusk wody o pomost. W końcu Mack przerwał milczenie.

– Jezu?

– Tak, Mackenzie?

– Jedna rzecz mnie w tobie dziwi.

– Naprawdę? Jaka?

– Chyba spodziewałem się, że będziesz bardziej... hm, pociągający.

Jezus zachichotał.

– Pociągający? Masz na myśli „przystojny"?

– Cóż, starałem się uniknąć tego słowa, ale tak, przyznaję, sądziłem, że będziesz ideałem mężczyzny, no wiesz, atletycznym i niezwykle urodziwym.

– Chodzi o mój nos, prawda?

Mack nie wiedział, co odpowiedzieć.

Jezus się zaśmiał.

– Jak wiesz, jestem Żydem. Mój dziadek ze strony matki miał wielki nos. Po prawdzie, większość mężczyzn z jej rodziny takie miała.

– Po prostu myślałem, że będziesz przystojniejszy.

– Ale według jakich kryteriów? Zresztą, kiedy już mnie poznasz, nie będzie to miało dla ciebie znaczenia.

Słowa, choć wypowiedziane dobrotliwym tonem, ukłuły Macka. Ale właściwie dlaczego? Mack dopiero po chwili uświadomił sobie, że tak naprawdę wcale nie zna Jezusa. Widział w nim ikonę, ideał, symbol duchowości, a nie prawdziwą osobę.

– Dlaczego? – zapytał w końcu. – Powiedziałeś, że gdybym naprawdę cię znał, nie miałoby dla mnie znaczenia, jak wyglądasz...

– To naprawdę całkiem proste. Byt zawsze jest ważniejszy od wyglądu, od tego, co się tylko wydaje. Gdy zaczynasz poznawać osobę o brzydkiej czy ładnej twarzy, zależnie od twoich upodobań, powierzchowność traci na znaczeniu. To dlatego Elousia jest takim pięknym imieniem. Bóg, będący podstawą całego stworzenia, żyje we wszystkim, co istnieje, sprawia, że znikają pozory, pod którymi kryje się rzeczywistość i prawda.

Zapadła cisza. Mack starał się zrozumieć słowa Jezusa, ale szybko się poddał.

– Stwierdziłeś, że nie znam ciebie naprawdę. Byłoby dużo łatwiej, gdybyśmy zawsze mogli tak rozmawiać.

– Rzeczywiście, Mack, to jest wyjątkowa sytuacja. Byłeś naprawdę nieszczęśliwy, więc postanowiliśmy pomóc ci wyzwolić się od bólu. Nie myśl jednak, że nasze relacje są mniej prawdziwe tylko dlatego, że jestem niewidzialny. Owszem, inne, ale nie mniej realne.

– Jak to?

– Moim celem od początku było żyć w tobie i to, żebyś ty żył we mnie.

– Zaczekaj chwilę. Jak to możliwe? Jeśli nadal jesteś w pełni człowiekiem, jak możesz żyć we mnie?

– Zdumiewające, prawda? To cud Taty i moc Sarayu, mojego Ducha, Ducha Bożego, który przywraca jedność utraconą dawno temu. A ja? Postanowiłem żyć jako człowiek. Jestem w pełni Bogiem, ale i do głębi ludzką istotą.

Mack leżał w ciemności, słuchając uważnie.

– Mówisz o prawdziwym zamieszkiwaniu, a nie o jakimś symbolicznym czy teologicznym?

– Oczywiście – odparł Jezus silnym i pewnym głosem. – O to właśnie chodzi. W ludziach powstałych z materii w akcie Stworzenia znowu może zagościć duchowe życie, moje życie. Ale potrzebny jest do tego prawdziwy, dynamiczny i aktywny związek.

– To niewiarygodne! – krzyknął cicho Mack. – Nie miałem pojęcia. Muszę o tym pomyśleć. Ale nasuwa mi się wiele pytań.

– I musimy jeszcze przyjrzeć się twojemu życiu – stwierdził ze śmiechem Jezus. – Ale na razie wystarczy. Zanurzmy się w gwiaździstej nocy.

W ciszy, która zapadła na pomoście, Mack leżał przytłoczony ogromem przestrzeni i rozproszonego światła, chłonął blask gwiazd wszystkimi zmysłami, owładnięty myślą, że to wszystko istnieje dla niego, dla ludzkiej rasy... dla nas. Po bardzo długim czasie Jezus przerwał milczenie.

– Nigdy mi się nie znudzi obserwowanie nieba, tego cudu i rozrzutności Stworzenia, jak nazwał to jeden z naszych braci. Tak eleganckiego, pełnego tęsknoty i piękna.

– Wiesz... – odezwał się Mack, znowu oszołomiony absurdalnością sytuacji: tym, gdzie jest i z kim rozmawia – czasami mówisz tak... to znaczy, leżę tutaj obok Boga Wszechmogącego, a on przemawia tak, tak...

– Po ludzku? – podsunął Jezus. – Ale jestem brzydki.

I zaczął chichotać, z początku cicho, a potem po kilku parsknięciach zaśmiał się pełną piersią. Mack zaraził się jego wesołością. Od bardzo dawna nie śmiał się z głębi serca. Gdy Jezus go objął, nadal rozbawiony, Mack stwierdził, że już nie pamięta, kiedy ostatnio czuł się tak dobrze.

Gdy wreszcie się uspokoili, nad jeziorem znowu zapanowała nocna cisza; nawet żaby postanowiły pójść spać. Mack uświadomił sobie, że ma wyrzuty sumienia z powodu tego śmiechu. Powoli zaczął go ogarniać Wielki Smutek.

– Jezu? – szepnął zdławionym głosem. – Czuję się taki zagubiony.

Jezus uścisnął jego dłoń i przytrzymał ją.

– Wiem, Mack. Ale to nieprawda. Przykro mi, że tak się czujesz, ale uwierz mi, że nie jesteś sam. Ja jestem z tobą.

– Oby tak było – powiedział Mack. Pod wpływem słów nowego przyjaciela jego napięcie nieco zelżało.

– Chodź – rzekł Jezus, wstając z pomostu i podając mu rękę. – Jutro czeka cię wielki dzień. Kładźmy się do łóżek.

Objął Macka i razem pomaszerowali do chaty. Mack nagle poczuł się wyczerpany. To był długi dzień, a rano może obudzi się w swoim własnym domu po nocy pełnej barwnych snów. Jednak w głębi duszy miał nadzieję, że się myli.

8

Śniadanie mistrzów

„Rozwój oznacza zmianę, a zmiana łączy się z ryzykiem, wkroczeniem ze znanego w nieznane".

Autor nieznany

Kiedy Mack dotarł do swojego pokoju, odkrył, że ubrania, które zostawił w samochodzie, leżą ułożone na komodzie albo wiszą w otwartej szafie. Ku swojemu zdumieniu na nocnym stoliku znalazł również Biblię Gideona. Otworzył szeroko okno, żeby wpuścić nocne powietrze, czego Nan w domu nie tolerowała ze strachu przed pająkami i innymi paskudnymi stworzeniami. Opatulony ciężką kołdrą jak dziecko zdołał przeczytać jedynie kilka wersów, zanim księga wypadła mu z ręki. Światło samo zgasło, ktoś pocałował go w policzek, a on wkrótce oderwał się od ziemi, pogrążony we śnie.

Ci, którzy nigdy nie latali w ten sposób, mogą uważać tych, którzy wierzą, że fruwali w chmurach, za głupich, ale w duchu prawdopodobnie trochę im zazdroszczą. Mack od lat, odkąd nastał Wielki Smutek, nie miał takiego snu, jednak tej nocy wzbił się wysoko w rozgwieżdżone niebo, gdzie powietrze było czyste i chłodne, lecz całkiem przyjemne.

Szybował nad jeziorami i rzekami, a potem nad oceanem, usianym licznymi wysepkami otoczonymi rafami.

Może to zabrzmi dziwnie, ale w tych snach nauczył się odrywać od ziemi bez pomocy skrzydeł czy lotni, tylko samą siłą woli. Pierwsze próby ograniczały się do kilku cali lotu, głównie z powodu strachu czy też, dokładniej mówiąc, z obawy przed katastrofą. Wydłużając przebytą odległość do jednej stopy, a potem do dwóch i więcej, wznosząc się coraz wyżej, nabrał pewności siebie. Pomogło mu również odkrycie, że upadek wcale nie jest bolesny, tylko przypomina odbijanie się w zwolnionym tempie od ziemi jak od batutu. Z czasem nauczył się wzlatywać w chmury, pokonywać duże dystanse i łagodnie lądować.

Kiedy sunął nad poszarpanymi górami i alabastrowobiałymi brzegami mórz, rozkoszując się utraconym cudem latania we śnie, nagle coś chwyciło go za kostkę i ściągnęło z nieba. Kilka sekund później jakaś brutalna siła cisnęła go twarzą na błotnistą drogę z głębokimi koleinami. Ziemią wstrząsnął grzmot, deszcz w jednej chwili przemoczył go do suchej nitki. Potem błyskawica oświetliła twarz jego córki, która bezgłośnie zawołała „tatusiu!" i pobiegła w ciemność. Jej czerwona sukienka jeszcze kilka razy mignęła w blasku piorunów i zniknęła. Mack walczył ze wszystkich sił, żeby uwolnić się z błota, ale tylko bardziej się w nim pogrążył. I kiedy już miał zostać wciągnięty pod powierzchnię, obudził się z krzykiem.

Z łomoczącym sercem i głową pełną koszmarnych obrazów, dopiero po chwili zorientował się, że to był tylko sen. Ale nawet kiedy senne widziadła pierzchły, emocje pozostały. Sen przywołał Wielki Smutek i zanim Mack wstał z łóżka, znowu był pogrążony w rozpaczy, która zatruła tak wiele dni jego życia.

Z posępnym grymasem na twarzy rozejrzał się po pokoju w szarości świtu, który wsączał się przez zasłony. Nic tutaj nie wyglądało znajomo; nie znajdował się w swojej sypialni. Co to za miejsce? Myśl, Mack, myśl! I wtedy sobie przypomniał. Nadal przebywał w chacie, z trzema interesującymi osobami, z których każda uważała się za Boga.

– To nie może dziać się naprawdę – mruknął Mack, siadając na brzegu łóżka, z głową opartą na rękach. Gdy wrócił myślami do poprzedniego dnia, ogarnął go strach, że traci zmysły. Jako że nigdy nie należał do wylewnych osób, Tata – kimkolwiek była ta wielka Murzynka – przyprawiała go o nerwowość, a co do Sarayu, to nie miał pojęcia, co o niej sądzić. Bardzo polubił Jezusa, ale on wydawał się najmniej boski z całej trójki.

Raz za razem wzdychał ciężko. A jeśli Bóg naprawdę tutaj był, dlaczego nie uchronił go od koszmarów?

Doszedłszy do wniosku, że takie rozważania w niczym mu nie pomogą, poszedł do łazienki, a tam, ku swojemu zdumieniu, stwierdził, że ktoś przygotował wszystko co potrzebne do prysznica. Długo stał pod ciepłą wodą, potem ogolił się starannie i wrócił do sypialni. Ubrał się bez pośpiechu.

Na stole przy drzwiach czekał już na niego parujący dzbanek. Skuszony intensywnym aromatem Mack nalał sobie kawy, rozsunął zasłony i wyjrzał przez okno sypialni na jezioro, które w nocy widział jedynie jako ciemną plamę.

Było gładkie jak szkło i tylko w miejscach, gdzie od czasu do czasu spod wody wyskakiwały pstrągi w pogoni za śniadaniem, jego granatową powierzchnię znaczyły promieniste kręgi zmarszczek, ale i one szybko znikały. Mack ocenił, że drugi brzeg znajduje się w odległości około pół mili.

Wszystko pokrywała rosa, w diamentowych łzach wczesnego poranka z iskrzeniem odbijało się słońce.

Trzy kajaki przywiązane w równych odstępach do pomostu zapraszały do przejażdżki, ale Mack odgonił tę myśl. Pływanie łódką już nie sprawiało mu radości; wiązało się z nim zbyt wiele złych wspomnień.

Na widok molo przypomniała mu się poprzednia noc. Czy naprawdę leżał na nim z tym, który stworzył wszechświat? Mack potrząsnął głową oszołomiony. Co się tu działo? Kim ci troje naprawdę byli i czego od niego chcieli? Tak czy inaczej, on na pewno tego nie miał.

Zapach jajek i bekonu zmieszany z jeszcze jakąś inną wonią napłynął do pokoju, przerywając jego rozmyślania. Mack uznał, że pora się ruszyć. Kiedy wszedł do salonu, usłyszał płynący z kuchni wysoki głos czarnej kobiety, która całkiem dobrze śpiewała znajomą piosenkę Bruce'a Cockburna: „O, miłości, która rozpalasz słońce, spraw, żebym płonął". Chwilę później w drzwiach pojawiła się Tata z talerzami pełnymi naleśników, frytek i zieleniny, niesionymi w obu rękach. Była ubrana w powiewną, długą afrykańską szatę i wielobarwną chustkę owiązaną wokół głowy. Wyglądała promiennie, niemal bił od niej blask.

– Uwielbiam te dziecięce piosenki! – wykrzyknęła. – I bardzo lubię Bruce'a.

Mack, który już siadał do stołu, pokiwał głową. Jego apetyt rósł z każdą sekundą.

– I wiem, że ty też go lubisz – ciągnęła Tata.

Mack się uśmiechnął. To prawda. Cockburn był ulubieńcem jego rodziny od lat, najpierw jego, potem jego i Nan, a w końcu wszystkich dzieci po kolei w takim czy innym stopniu.

– No więc, skarbie, co ci się śniło ostatniej nocy? – zapytała Tata, rozstawiając talerze. – Sny bywają ważne, wiesz. Czasami działają jak otwarcie okna i wpuszczenie świeżego powietrza.

Mack wiedział, że jest to zaproszenie, żeby się podzielił z nią swoimi strasznymi przeżyciami, ale jeszcze nie czuł się gotowy.

– Spałem dobrze, dziękuję – powiedział i szybko zmienił temat. – On jest twoim faworytem? To znaczy, Bruce?

Tata znieruchomiała i zmierzyła go wzrokiem.

– Mackenzie, ja nie mam faworytów. Ja tylko szczególnie go lubię.

– Zdaje się, że w ten sposób lubisz wielu ludzi – stwierdził z podejrzliwą miną Mack. – Czy jest ktoś, za kim nie przepadasz?

Tata skierowała spojrzenie w górę, jakby w myślach przeglądała listę wszystkich istot, które kiedykolwiek zostały stworzone.

– Nie znalazłam nikogo – powiedziała w końcu. – Zdaje się, że już tak ze mną jest.

– A czy ty w ogóle na kogoś się złościsz? – spytał Mack.

– Pewnie! Który rodzic tego nie robi? Jest dużo powodów, żeby się gniewać na moje dzieci, które narobiły takiego bałaganu i teraz w nim żyją. Nie podobają mi się ich wybory, ale mój gniew jest jednocześnie wyrazem miłości. Kocham tych, na których jestem zła, tak samo jak tych, na których nie jestem.

– Ale... Wydaje mi się, że jeśli zamierzasz udawać Boga Wszechmogącego, musisz być dużo bardziej gniewna.

– A teraz jestem?

– Nie bardzo. W Biblii Bóg wciąż się sroży i sieje śmierć na prawo i lewo. Ty jakoś mi nie pasujesz do tego opisu.

— Rozumiem, że masz zamęt w głowie, Mack. Ale jeśli ktoś tutaj udaje, to wyłącznie ty. Ja jestem, kim jestem. Nie staram się dostosować do żadnego opisu.

— Prosisz mnie, bym uwierzył, że jesteś Bogiem, a ja po prostu nie rozumiem... — Mack nie miał pojęcia, jak dokończyć zdanie, więc się poddał.

— Nie proszę cię, żebyś uwierzył w cokolwiek, ale powiem ci, że ten dzień będzie dla ciebie łatwiejszy, jeśli po prostu zaakceptujesz to, co jest, zamiast starać się wszystko dopasować do swoich wcześniejszych wyobrażeń.

— Ale jeśli jesteś Bogiem, czy to nie ty wylewałaś czaszę gniewu na ziemię i wrzucałaś ludzi do ognistego jeziora? — Mack czuł, że jego gniew wydostaje się na powierzchnię i wyraża w oskarżycielskich pytaniach. Był nieco rozczarowany swoim brakiem samokontroli, lecz mimo to zapytał: — Naprawdę nie lubisz karać tych, którzy sprawiają ci zawód?

Gdy Tata oderwała się od swoich zajęć i spojrzała na niego, Mack dostrzegł głęboki smutek w jej oczach.

— Nie jestem taka, jak myślisz, Mack. Nie muszę karać ludzi za grzechy. Grzech sam w sobie jest karą, pożera cię od środka. Nie chcę go piętnować, tylko plenić.

— Nie rozumiem...

— Masz rację, nie rozumiesz — powiedziała Tata z niewesołym uśmiechem. — Ale jeszcze nie skończyliśmy.

W tym momencie przez kuchenne drzwi weszli ze śmiechem Jezus i Sarayu, pogrążeni w rozmowie. Jezus był ubrany podobnie jak dzień wcześniej: w dżinsy i zapinaną na guziki jasnoniebieską koszulę, która podkreślała ciemny kolor jego oczu. Z kolei szata Sarayu była uszyta z tak delikatnej tkaniny, że powiewała przy najlżejszym podmuchu wiatru albo nawet przy wypowiedzianym słowie. Tęczowe wzory mieniły się przy każdym geście. Mack zastanawiał się, czy ona potrafi choć chwilę wytrwać w bezruchu. Raczej w to wątpił.

Tata pochyliła się i spojrzała Mackowi w oczy.

– Poruszyłeś kilka ważnych kwestii, więc się nimi zajmiemy, obiecuję. Ale najpierw cieszmy się wspólnym porankiem.

Mack skinął głową z lekkim zakłopotaniem i popatrzył na góry jedzenia piętrzące się na talerzach. Był naprawdę głodny.

– Dziękuję za śniadanie – powiedział, kiedy Jezus i Sarayu zajmowali miejsca przy stole.

– Co?! – wykrzyknęła Tata z udawaną konsternacją. – Nie zamierzasz opuścić głowy i zamknąć oczu? – Poszła do kuchni, cmokając i mamrocząc pod nosem: – Do czego zmierza ten świat? – Wróciła chwilę później z jeszcze jedną parującą miską, w której coś smakowicie pachniało.

Gdy zaczęli podawać sobie talerze z różnymi potrawami, Tata włączyła się do dyskusji Jezusa i Sarayu. Rozmowa dotyczyła pojednania pewnej zwaśnionej rodziny, ale Mack nie tyle słuchał całej trójki, ile obserwował urzeczony, jak się do siebie odnoszą. Jeszcze nigdy nie widział, żeby ludzie traktowali się z takim szacunkiem, zainteresowaniem i czułością.

– Co o tym sądzisz, Mack? – zapytał Jezus w pewnym momencie.

– Nie mam pojęcia, o czym rozmawiacie – odparł Mack z ustami pełnymi smakowitych warzyw. – Ale podoba mi się, jak to robicie.

– Hej! – wykrzyknęła Tata, która właśnie wróciła z kuchni z kolejnym daniem. – Uważaj z tymi jarzynami, młody człowieku, bo dostaniesz rozstroju żołądka.

– Dobrze, będę ostrożny – obiecał Mack i sięgnął po kolejną miskę. Następnie zwrócił się do Jezusa i dodał: – Uwielbiam patrzeć, jak traktujecie się nawzajem. Z pewnością nie tego człowiek spodziewa się po Bogu.

– Co masz na myśli?

– Wiem, że jesteście jednością i w ogóle, ale odnosicie się do siebie wyjątkowo uprzejmie. Czy któreś z was jest szefem?

Wszyscy troje spojrzeli po sobie, jakby nigdy nie zastanawiali się nad tą kwestią.

– Zawsze myślałem, że Bóg Ojciec to ktoś w rodzaju szefa – wyjaśnił pośpiesznie Mack – a Jezus wypełnia jego rozkazy, no wiecie, jest mu posłuszny. Nie bardzo wiem, jaką rolę pełni Duch Święty. On... eee, to znaczy ona... – Mack szukał odpowiednich słów, starając się nie patrzeć na Sarayu. – Mniejsza o to... W każdym razie wydawał mi się raczej... eee...

– Wolnym Duchem? – podsunęła Tata.

– Właśnie, wolnym Duchem, ale podporządkowanym Ojcu. Czy to ma sens?

Jezus spojrzał na Tatę, z trudem próbując zachować wyraz powagi na twarzy.

– Czy to ma sens dla ciebie, abba? – zapytał. – Szczerze mówiąc, nie mam pojęcia, o czym mówi ten człowiek.

Tata ściągnęła brwi w grymasie skupienia.

– Próbowałam się w tym połapać, ale niestety, Mackenzie zabił mi ćwieka – stwierdziła w końcu.

– Na pewno wiecie, o czym mówię. – Mack był trochę sfrustrowany. – Chodzi mi o to, kto u was rządzi. Nie macie łańcucha dowodzenia?

– Łańcucha dowodzenia? – zdziwił się Jezus. – To brzmi koszmarnie!

134

– A co najmniej groźnie – wtrąciła Tata i oboje zaczęli się śmiać. Potem odwróciła się do Macka i zaśpiewała: – „Choć łańcuchy będą ze złota, pozostaną łańcuchami".

– Nie przejmuj się nimi – odezwała się Sarayu i poklepała go po dłoni. – Oni po prostu sobie żartują. Właściwie jest to temat, który nas interesuje.

Mack pokiwał głową, z ulgą, a zarazem z lekkim zawstydzeniem, że znowu stracił panowanie nad sobą.

– Mackenzie, wśród nas nie ma najwyższego autorytetu, tylko jedność. Łączą nas wzajemne relacje, a nie hierarchia służbowa czy też „wielki łańcuch bytu", jak mawiali twoi przodkowie. Nie potrzebujemy władzy nad sobą ani innymi, bo zawsze dążymy do tego co najlepsze. Hierarchia wśród nas nie miałaby sensu. Właściwie to wasz problem, a nie nasz.

– Jak to?

– Ludzie są tak zagubieni, że nie są w stanie zrozumieć, że można żyć i pracować wspólnie, nie mając nad sobą przywódcy.

– Ale wszystkie ludzkie instytucje, które przychodzą mi do głowy, od polityki po biznes, nie wspominając o małżeństwie, opierają się na tej zasadzie – zauważył Mack. – Tak funkcjonuje społeczeństwo.

– Jaka szkoda! – powiedziała Tata, zbierając puste naczynia ze stołu.

– To jeden z powodów, dla których prawdziwe relacje są dla was takie trudne – rzekł Jezus. – Gdy istnieje hierarchia, potrzebne są zasady dotyczące jej działania, potem szczegółowe prawa i instytucje, które pilnują wprowadzania ich w życie, aż kończy się na łańcuchu dowodzenia, który niszczy więzi między ludźmi, zamiast je wzmacniać. Nie znacie ani nie doświadczacie cudu związków niezależnych od władzy.

135

– Cóż, chyba się do tego całkiem nieźle dostosowaliśmy – stwierdził z sarkazmem Mack, odchylając się na oparcie krzesła.

– Nie myl adaptacji z zamiarem ani uwiedzenia z rzeczywistością – odezwała się Sarayu.

– Mogę prosić o warzywa? Zatem twierdzisz, że uwiodła nas władza?

– W pewnym sensie tak! – odpowiedziała Tata, podając Mackowi talerz, ale nie wypuszczając go z ręki. – Ostrzegałam cię, żebyś się miarkował, synu.

– Wybierając niezależność zamiast relacji, ludzie stają się dla siebie zagrożeniem, obiektem manipulacji, przeszkodą albo etapem w drodze do szczęścia – ciągnęła Sarayu. – Władza w waszym pojęciu to jedynie pretekst, żeby skłonić innych do robienia tego, co dla was wygodne.

– Czy przypadkiem nie powstrzymuje ludzi przed walkami bez końca albo krzywdzeniem siebie nawzajem?

– Czasami. Ale w samolubnym świecie jest również wykorzystywana w taki sposób, że powoduje wielkie krzywdy.

– Nie używacie jej, żeby powstrzymać zło?

– Szanujemy wasze wybory, więc działamy w ramach waszego systemu, choć jednocześnie staramy się was od niego uwolnić – powiedziała Tata, która właśnie wróciła z kuchni z kolejnymi daniami. – Stworzenie wybrało inną drogę, niż pragnęliśmy. W waszym świecie wartość jednostki jest mniej istotna od trwałości całego organizmu: politycznego, ekonomicznego, społecznego albo religijnego. Najpierw jedną osobę, potem kilka, aż w końcu tysiące i miliony poświęca się łatwo dla dobra i dalszego istnienia tego systemu. W takiej formie czy innej jest to główna przyczyna każdej walki o przywództwo, każdego uprzedzenia, każdej wojny i każdego nadużycia. Dążenie do władzy i niezależności stało się tak wszechobecne, że uważa się je za normalne.

– A nie jest normalne?

– To ludzki paradygmat, tak rozpowszechniony, że staje się niewidoczny i niekwestionowany. Jest tym, czym woda dla ryby. Matrycą, diabolicznym schematem, w którym jesteście beznadziejnie uwięzieni, choć jednocześnie nieświadomi jego istnienia.

– Jako ukoronowanie Stworzenia zostaliście stworzeni na nasz obraz – wtrącił Jezus. – Niczym nieskrępowani i wolni, żeby po prostu istnieć w relacji ze mną i ze sobą nawzajem. Gdybyście nauczyli się naprawdę dostrzegać bliźnich i uważać ich troski za równie ważne jak swoje, nie byłoby potrzeby hierarchii.

Mack odchylił się na oparcie krzesła, oszołomiony implikacjami tego, co właśnie usłyszał.

– Więc twierdzicie, że kiedy ludzie dążą do władzy...

– Poddają się matrycy, a nie nam – dokończył Jezus.

– A teraz zatoczyliśmy pełny krąg – odezwała się Sarayu – i wróciliśmy do jednego z moich pierwszych stwierdzeń: wy, ludzie, jesteście kompletnie zagubieni i dlatego nie potraficie zrozumieć, że więzi między wami mogą istnieć bez hierarchii. Uważacie więc, że z Bogiem jest podobnie, a to nieprawda.

– Ale jak moglibyśmy to zmienić? Inni ludzie po prostu by nas wykorzystali.

– Prawdopodobnie tak. Ale my nie prosimy ciebie, żebyś zawierzył innym, Mack. Prosimy cię, żebyś zawierzył nam. My ciebie nie wykorzystamy.

– Chcemy podzielić się z tobą miłością, radością, wolnością i światłem, które mamy w sobie. – Tata przemawiała takim tonem, że Mack słuchał jej bardzo uważnie. –

Stworzyliśmy was, ludzi, żebyście komunikowali się z nami bezpośrednio, żebyście dołączyli do naszego kręgu miłości. Choć trudno ci to zrozumieć, wszelkie wydarzenia służą właśnie temu celowi, ale bez naruszania wolności wyboru.

– Jak możesz tak mówić, kiedy na świecie istnieje tyle bólu, wojen i nieszczęść? – Mack ściszył głos do szeptu. – I jaka jest wartość w tym, że mała dziewczynka została zamordowana przez jakiegoś dewianta? – To pytanie od lat leżało mu na sercu i wypalało w nim dziurę. – Może nie powodujecie tych wszystkich rzeczy, ale z pewnością ich nie powstrzymujecie.

– Mackenzie, są miliony powodów, żeby pozwalać na ból, cierpienie i krzywdy, zamiast im zapobiegać – powiedziała Tata łagodnie, ani trochę nieurażona jego oskarżeniem. – Ale większość nich można zrozumieć tylko w ramach czyjejś osobistej historii. Nie jestem złem. To wy z łatwością wnosicie strach, ból, władzę i wymagania w swoje wzajemne stosunki. Ale wasze wybory nie są ważniejsze od moich celów, a ja wykorzystuję każdy dla ostatecznego dobra.

– Widzisz, ludzie skupiają się na rzeczach, które wydają się im dobre, ale w ten sposób nigdy nie znajdą spełnienia ani wolności – wtrąciła Sarayu. – Są uzależnieni od władzy albo iluzji bezpieczeństwa, jaką daje władza. Kiedy zdarza się nieszczęście, ci sami ludzie zwracają się przeciwko siłom, którym zaufali. Rozczarowani, albo łagodnieją w stosunku do mnie, albo stają się jeszcze śmielsi w swojej niezależności. Gdybyś tylko mógł zobaczyć, jak to wszystko się skończy i co osiągniemy bez ograniczania ludzkiej woli, wtedy byś zrozumiał. I pewnego dnia zrozumiesz.

– Ale ta cena! – wybuchnął Mack. – Spójrzcie na cenę, na cały ten ból, cierpienie, na wszystkie straszne i złe rzeczy. Zobaczcie, ile to was kosztuje. Czy warto?

138

– Tak! – usłyszał jednomyślną, radosną odpowiedź całej trójki.

– Jak możecie tak mówić? – oburzył się Mack. – Z waszych słów wynika, że cel uświęca środki, że można posunąć się do wszystkiego, by osiągnąć coś, czego się pragnie, nawet gdyby to miało kosztować życie milionów ludzi.

– Mackenzie. – Głos Taty brzmiał szczególnie łagodnie i czule. – Ty naprawdę jeszcze nie rozumiesz. Starasz się doszukać sensu w świecie, w którym żyjesz, w oparciu o bardzo niekompletny obraz rzeczywistości. To tak, jakbyś oglądał paradę przez dziurkę od klucza, widział tylko cierpienie, egocentryzm i żądzę władzy, i sądził, że jesteś sam i nic nie znaczysz. To nieprawda. Uznajesz ból i śmierć za największe zło, a Boga za skończonego zdrajcę albo, w najlepszym razie, za niegodnego zaufania. Określasz warunki, osądzasz moje działania i uznajesz mnie za winnego. Twoim głównym błędem, Mackenzie, jest to, że nie uważasz mnie za dobrego. Gdybyś był przekonany, że jestem dobry i że wszystko – środki, cele i koleje życia ludzi – wynika z mojej dobroci, wtedy być może, choć nie zawsze, rozumiałbyś, dlaczego coś robię, ufałbyś mi. Ale nie ufasz.

– Nie ufam? – To właściwie nie było pytanie, tylko stwierdzenie faktu.

Pozostali również, zdaje się, o tym wiedzieli. Przy stole panowała cisza.

– Mackenzie – odezwała się Sarayu – nie można wymusić zaufania, tak samo jak pokory. Ono albo jest, albo go nie ma. To owoc relacji, w której jesteś kochany. Ponieważ ty nie wiesz, że ja cię kocham, nie możesz mi ufać.

W jadalni znowu zapadło milczenie. W końcu Mack spojrzał na Tatę i powiedział:

– Nie wiem, jak to zmienić.

– Sam nie możesz. Ale razem będziemy obserwować, co się stanie. Na razie chcę, żebyś po prostu był ze mną i przekonał się, że w naszej relacji nie chodzi o pozory ani o konieczność zadowolenia mnie. Nie jestem groźnym, skoncentrowanym na sobie, wymagającym małym bóstwem, które upiera się przy swoim. Jestem dobry i pragnę tylko tego, co dla ciebie najlepsze. Nie odkryjesz tego poprzez poczucie winy, potępienie czy przymus, tylko poprzez miłość. A ja ciebie kocham.

Sarayu wstała od stołu i spojrzała na Macka.

– Mackenzie, jeśli masz ochotę, możesz przyjść i pomóc mi w ogrodzie. Muszę zrobić parę rzeczy przed jutrzejszą uroczystością. Tam moglibyśmy kontynuować naszą rozmowę, dobrze?

– Jasne – odparł Mack, zrywając się z krzesła. – Na koniec dodam jeszcze, że po prostu nie jestem w stanie wyobrazić sobie żadnego ostatecznego celu, który by to wszystko usprawiedliwiał.

– Mackenzie. – Tata wstała, obeszła stół i uściskała go mocno. – My nie usprawiedliwiamy. My zbawiamy.

9

Dawno temu w dalekim ogrodzie

„Nawet gdybyśmy znaleźli inny Eden, nie bylibyśmy w stanie cieszyć się nim prawdziwie ani zostać w nim na wieki".

Henry Van Dyke

Mack wyszedł kuchennymi drzwiami i ruszył za Sarayu ścieżką biegnącą obok rzędu jodeł. Podążanie za taką istotą przypominało śledzenie promienia słońca. Światło jakby przez nią przenikało i rozpraszało się, tak że dawało złudzenie jej obecności w wielu miejscach jednocześnie. Jej natura była eteryczna, pełna dynamicznego ruchu, cieni i barw. Nic dziwnego, że zwracając się do niej, ludzie czują się nieswojo, pomyślał Mack. Trudno nazwać ją przewidywalną.

Skupił się na tym, by dotrzymać jej kroku. Kiedy wyszli spomiędzy drzew, po raz pierwszy zobaczył wspaniały sad, który jakimś cudem zmieścił się na działce o powierzchni niewiele większej niż akr. Mack spodziewał się wypielęgnowanego i uporządkowanego angielskiego ogrodu, ale ten okazał się zupełnie inny!

W chaosie kolorów Mack na próżno usiłował doszukać się jakiegoś porządku. Kępy olśniewających kwiatów rosły bez żadnego planu wśród przypadkowo rozmieszczonych grządek z warzywami i ziołami, których Mack nie rozpoznawał. Całość była oszałamiająca, zadziwiająca i niewiarygodnie piękna.

– Z góry to jest fraktal – rzuciła Sarayu przez ramię.

– Co? – zapytał z roztargnieniem Mack, który nadal próbował ogarnąć to pandemonium widoków, barw i odcieni. Gdy już zdołał dopatrzyć się jakiegoś wzorca, wystarczył jeden krok i wszystko zmieniało się nie do poznania.

– Coś, co wygląda na proste i uporządkowane, tak naprawdę składa się z powtarzających się wzorów, powiększonych dowolną ilość razy. Fraktal jest prawie nieskończenie złożony. Uwielbiam fraktale, więc umieszczam je wszędzie.

– Mnie to wygląda na kompletny bałagan – mruknął Mack.

Sarayu zatrzymała się i odwróciła do niego z rozpromienioną twarzą.

– Mack, dziękuję! Co za cudowny komplement! – Rozejrzała się po ogrodzie. – To jest właśnie to: bałagan. – Spojrzała na niego z szerokim uśmiechem. – Ale tak czy inaczej, fraktal.

Podeszła do jakiejś rośliny, zerwała kilka listków i podała je Mackowi.

– Proszę – powiedziała głosem, który brzmiał jak muzyka. – Tata nie żartowała przy stole. Lepiej pożuj ten listek. Działa przeciw naturalnemu odruchowi u kogoś, kto się przjadł, jeśli wiesz, co mam na myśli.

Mack zaśmiał się i wziął od niej zioło.

– Ale te warzywa były pyszne! – powiedział.

Żołądek zaczął mu się trochę skręcać, a otaczająca go bujna zieleń i jaskrawe kolory przyprawiały o zawrót głowy.

Smak zielska nie był taki zły: nuta mięty i innych przypraw, które zapewne znał, ale nie potrafił ich zidentyfikować. Wkrótce poczuł się lepiej i wyraźnie odprężył, choć wcześniej nie zdawał sobie sprawy, że jest niespokojny.

W milczeniu starał się nadążyć za Sarayu, która krzątała się w ogrodzie, ale jego uwagę wciąż rozpraszała feeria barw: wiśniowych i fioletowych czerwieni, mandarynkowego i żółtozielonego, przełamanych platyną i fuksją oraz niezliczonymi odcieniami zieleni i brązów. Wszystko to było cudowne, nadzwyczajne i odurzające.

Sarayu, choć skupiona na pracy, zgodnie ze swoim imieniem śmigała po całym ogrodzie jak wesoły, rozdokazywany wietrzyk, a Mack nie mógł się zorientować, w którą stronę ona zaraz pofrunie. Miał trudności z dotrzymaniem jej kroku. Zupełnie, jakby próbował nadążyć za Nan w centrum handlowym.

Sarayu ścinała różne kwiaty i zioła i dawała je Mackowi do niesienia. Wkrótce pachnące naręcze zrobiło się dość spore, a mieszanina aromatów, niepodobna do niczego, co Mack kiedykolwiek wąchał, była tak silna, że niemal czuł jej smak na języku.

Położyli bukiet w małej ogrodowej szopie, której Mack wcześniej nie zauważył, bo była ukryta w gąszczu zdziczałych krzewów i pnączy, między innymi winorośli, i czegoś, co wyglądało jak chwasty.

– Jedno zadanie wykonane – oznajmiła Sarayu. – Zostało nam jeszcze drugie.

Wręczywszy Mackowi łopatę, grabie, sierp i rękawice, ruszyła mocno zarośniętą ścieżką, prowadzącą w drugi koniec ogrodu. Po drodze zwalniała, żeby dotknąć tej czy tamtej rośliny, i przez cały czas nuciła melodię, która tak zauroczyła Macka poprzedniego wieczoru. Podążał za nią posłusznie, niosąc narzędzia. Starał się nie tracić jej z oczu i jednocześnie podziwiać otoczenie.

Zajęty rozglądaniem się, omal na nią nie wpadł, kiedy nagle się zatrzymała. Nie wiadomo kiedy zdążyła się przebrać – teraz miała na sobie strój roboczy: dżinsy w szalone wzory, koszulę i rękawice. Znajdowali się w miejscu, które można by nazwać sadem. Była to duża działka, z trzech stron otoczona przez drzewa brzoskwini i wiśni, z rosnącą pośrodku wielką kępą krzewów o fioletowych i żółtych kwiatach, na widok których Mackowi zaparło dech.

– Mackenzie, chciałabym, żebyś mi pomógł oczyścić ten teren. – Sarayu wskazała na kolorową gęstwinę. – Jutro zamierzam posadzić tutaj coś szczególnego, dlatego musimy przygotować miejsce. – Wyciągnęła rękę po sierp.

– Chyba nie mówisz poważnie? Przecież to jest wspaniałe, w dodatku na takim odludziu.

Sarayu nie przejęła się jego słowami i bez dalszych wyjaśnień zaczęła niszczyć artystyczną kompozycję kwiatową. Bez wysiłku ścinała rozrośnięte krzewy. Mack wzruszył ramionami, włożył rękawice i zaczął sprzątać po niej bałagan, grabiąc gałęzie na jeden stos. Próbował dotrzymać jej tempa, choć dla niego była to prawdziwa orka. Dwadzieścia minut później po ozdobnych roślinach zostały same korzenie, a działka wyglądała jak otwarta rana. Mack miał podrapane przedramiona, brakowało mu tchu, ociekał potem i bardzo się cieszył, że już skończyli. Sarayu przyjrzała się swojemu dziełu.

– Czyż to nie emocjonujące? – zapytała.

– Zdarzało mi się lepiej bawić – odparł z przekąsem Mack.

– Och, Mackenzie, gdybyś wiedział. Nie sama praca, ale jej cel sprawia, że to jest coś wyjątkowego. – Uśmiechnęła się i dodała: – Jak wszystko, co robię.

Mack oparł się o grabie i rozejrzał po ogrodzie, a potem spojrzał na czerwone pręgi na rękach.

– Sarayu, wiem, że jesteś Stwórcą, ale czy to ty wymyśliłaś trujące rośliny, żądlące owady i komary?

– Mackenzie, stworzona istota może wziąć tylko to, co już istnieje, i na tej podstawie zrobić coś innego.

– Więc mówisz, że stworzyłaś...

– ...wszystko, co istnieje, łącznie z tym, co uważasz za kiepski pomysł – dokończyła Sarayu. – Ale wtedy to było dobre, bo właśnie taka jestem. – Gdy wykonała lekki ukłon, zdawało się, że faluje na wietrze.

– Ale dlaczego tyle „dobrego" zmieniło się w „złe" – drążył Mack, nadal niezadowolony z jej odpowiedzi.

Tym razem Sarayu zastanawiała się przez chwilę.

– Wy, ludzie, tacy mali we własnych oczach, naprawdę jesteście ślepi i nie dostrzegacie swojego miejsca we wszechświecie. Wybraliście trudną ścieżkę niezależności i nawet nie rozumiecie, że ciągniecie ze sobą całe Stworzenie. – Potrząsnęła głową, a konary pobliskich drzew z westchnieniem przeczesał wiatr. – To smutne, ale tak nie będzie wiecznie.

W ciszy, która zapadła po jej słowach, Mack zaczął znowu rozglądać się po ogrodzie.

– Są tutaj trujące rośliny? – zapytał.

– O, tak! – wykrzyknęła Sarayu. – Jest kilka moich ulubionych. Niektóre są niebezpieczne nawet przy dotknięciu, na przykład ta.

Sięgnęła do najbliższego krzewu i ucięła gałązkę, która wyglądała jak uschnięty patyk z zaledwie kilkoma małymi listkami. Podała ją Mackowi, a on uniósł ręce, nie chcąc jej dotknąć. Sarayu się roześmiała.

– Jestem tutaj, Mack. Czasami można czegoś dotknąć bezpiecznie, a czasami trzeba zachować ostrożność. Na tym polega cud i przygoda eksploracji, poszukiwań, które nazywacie nauką, odkrywania tego, co przed wami ukryliśmy.

– Po co ukryliście? – zapytał Mack.

– A dlaczego dzieci lubią się bawić w chowanego? Zapytaj osobę, która ma pasję odkrywania, tworzenia, badania. Decyzja, żeby ukryć przed wami tyle cudów, to akt miłości, dar na całe życie.

Mack ostrożnie wyciągnął rękę i wziął w palce groźny pęd.

– Gdybyś mi nie powiedziała, że mogę jej bezpiecznie dotknąć, trucizna by zadziałała?

– Oczywiście! Ale jest inaczej, jeśli sama ci ją podaję. Dla każdej istoty autonomia to szaleństwo. Wolność wymaga zaufania i posłuszeństwa w miłości. Więc jeśli nie słuchasz mojego głosu, mądrze byłoby poświęcić czas na zrozumienie natury tej rośliny.

– Więc po co w ogóle stwarzać trujące rośliny? – spytał Mack, oddając gałązkę.

– Pytając w ten sposób, zakładasz, że trucizna jest czymś złym, że takie twory w ogóle nie mają sensu. Ale wiele z nich, jak na przykład ten krzew, posiada silne właściwości lecznicze albo w połączeniu z innymi może służyć do jakichś ważnych celów. Ludzie mają skłonność do uznawania czegoś za dobre albo złe, choć brakuje im wiedzy, żeby wygłaszać takie arbitralne sądy.

Krótki odpoczynek przewidziany dla Macka najwyraźniej dobiegł końca, bo Sarayu wcisnęła mu do ręki motykę, a sama wzięła grabie.

– Żeby przygotować grunt, musimy wykopać korzenie wszystkich tych wspaniałych krzewów, które tutaj rosły. To ciężka, ale potrzebna praca, żeby nasiona, które posiejemy, mogły rozwijać się bez przeszkód.

– Dobrze.

Mack stęknął, klękając na świeżo oczyszczonej działce.

Sarayu jakoś udawało się sięgać głęboko pod ziemię, znajdować końce korzeni i wyciągać je bez wysiłku. Krótsze zostawiała Mackowi, a on podkopywał je motyką i wyrywał. Potem otrzepywali je z ziemi i rzucali na stosy zagrabionych gałęzi.

– Później je spalę – powiedziała Sarayu.

– Wspomniałaś o ludziach, którzy bez stosownej wiedzy ogłaszają, że coś jest dobre albo złe – zagaił Mack, nie przerywając pracy.

– Tak. Chodziło mi w szczególności o drzewo poznania dobra i zła.

– Drzewo poznania dobra i zła? – powtórzył Mack.

– Właśnie! Już zaczynasz rozumieć, dlaczego zjedzenie zakazanego owocu z tego drzewa było takie niszczące dla waszej rasy?

– Nigdy się nad tym nie zastanawiałem – odparł Mack, zaintrygowany kierunkiem, który przybierała ich pogawędka. – Więc rzeczywiście istniał rajski ogród? To znaczy Eden i cała reszta?

– Oczywiście. Mówiłam ci, że mam słabość do ogrodów.

– Niektórych ludzi ta wieść zaniepokoi. Wielu uważa, że to tylko mit.

– Cóż, w tym, co ludzie uważają za mity i legendy, często kryje się ziarno prawdy.

– Mam paru przyjaciół, którym się to nie spodoba – powiedział Mack, mocując się ze szczególnie upartym korzeniem.

– Nieważne. Jeśli chodzi o mnie, bardzo ich lubię.

– Jestem naprawdę zaskoczony – rzucił Mack z lekkim sarkazmem, ale zaraz się uśmiechnął. – No dobrze. – Wbił motykę w ziemię. – Opowiedz mi o drzewie poznania dobra i zła.

– O tym właśnie mówiliśmy przy śniadaniu – rzekła Sarayu. – Zacznijmy od pytania. Kiedy coś ci się przydarza, w jaki sposób oceniasz, czy to jest dobre, czy złe?

Mack nie od razu odpowiedział.

– Cóż, nie zastanawiałem się nad tym. Chyba powiedziałbym, że coś jest dobre, kiedy mi się podoba, sprawia, że czuję się dobrze, albo daje mi poczucie bezpieczeństwa. I na odwrót, nazywam coś złym, jeśli sprawia mi ból albo dużo mnie kosztuje.

– Więc chodzi raczej o subiektywną ocenę?

– Chyba tak.

– I na ile jesteś pewien swojej zdolności odróżniania, co jest dla ciebie naprawdę dobre, a co złe?

– Szczerze mówiąc, ogarnia mnie uzasadniony gniew, gdy ktoś zagraża „dobru", na które, moim zdaniem, zasługuję. Ale nie jestem pewien, czy mam jakieś logiczne podstawy do decydowania, co jest naprawdę dobre, a co złe. Mogę jedynie brać pod uwagę, jakie to ma dla mnie skutki. – Umilkł na chwilę, żeby złapać oddech. – Jak widać, zawsze do tej pory kierowałem się egocentryzmem i wyrachowaniem, co nie świadczy o mnie najlepiej. Rzeczy, które początkowo uważałem za dobre, okazywały się destrukcyjne, a inne, które uważałem za złe, okazały się...

– Więc to ty decydujesz, co jest dobre, a co złe – przerwała mu Sarayu. – Stajesz się sędzią. I żeby jeszcze bardziej skomplikować sprawy, twoje oceny zmieniają się z czasem i zależnie od okoliczności. Co gorsza, takich jak ty są miliony. Więc kiedy twoje dobro i zło ścierają się z dobrem i złem sąsiada, dochodzi do zatargów, a nawet wojen. – W miarę jak mówiła, jej tęczowe kolory pociemniały, przybierając różne odcienie czerni i szarości. – A jeśli nie istnieje absolutne dobro, tracisz podstawę do osądu. To tylko język, więc nic nie stoi na przeszkodzie, żeby zamienić słowo „dobry" na słowo „zły".

– Rozumiem, że to może być problem – zgodził się Mack.

– Problem? – Sarayu zerwała się z ziemi. Była poruszona, ale Mack wiedział, że nie z jego powodu. – Oczywiście! Decyzja, żeby zjeść owoc z tamtego drzewa, zniszczyła świat, oddzielając to co duchowe od tego co fizyczne. Oni umarli, a w ich ostatnim oddechu było tchnienie samego Boga. Powiedziałabym, że to jest problem!

Nieco wzburzona Sarayu znowu uklękła na ziemi. Po chwili dodała głosem już spokojnym, ale odległym:

– To był dzień wielkiego smutku.

Oboje skupili się na pracy i żadne z nich nie odzywało się przez prawie dziesięć minut. Wykopując korzenie i rzucając je na stos, Mack zastanawiał się nad tym, co powiedziała Sarayu. W końcu przerwał milczenie.

– Teraz rozumiem, że większość czasu i energii poświęcałem na starania, żeby zdobyć to, co uważałem za dobre dla siebie: finansowe zabezpieczenie, zdrowie, emeryturę, cokolwiek. I dużo energii i troski zmarnowałem na strach przed tym, co uważałem za złe. – Mack westchnął głęboko.

– W tych słowach jest głęboka prawda – przyznała Sarayu łagodnym tonem. – Zapamiętaj je, bo właśnie taka postawa pozwala ci odgrywać Boga w twoim własnym świecie. To dlatego wolisz mnie nie dostrzegać. I nie potrzebujesz mnie wcale, żeby stworzyć swoją listę dobrego i złego. Ale potrzebujesz mnie, jeśli chcesz pohamować tę szaloną żądzę niezależności.

– Więc co mam zrobić? – zapytał Mack.

– Musisz zrezygnować ze swojego prawa do decydowania, co jest dobre, a co złe. To gorzka pigułka do przełknięcia: postanowienie, żeby żyć tylko we mnie. Żeby tego dokonać, musisz poznać mnie na tyle, żeby mi zaufać i nauczyć się polegać na mojej dobroci. – Sarayu odwróciła się do niego, a przynajmniej on odniósł takie wrażenie. – Mackenzie, „zło" to słowo, którym opisujemy nieobecność Boga, podobnie jak używamy słowa „ciemność" na określenie braku światła albo słowa „śmierć" na określenie braku życia. Zarówno zło, jak i ciemność można zrozumieć tylko w opozycji do światła i dobra; one samodzielnie nie istnieją. Ja jestem Światłem i Dobrem. Jestem Miłością i nie ma we mnie ciemności. Tak więc, odsuwając się ode mnie, pogrążasz się w mroku. Ogłoszenie niezależności spowoduje zło, bo będąc z dala ode mnie, możesz polegać tylko na sobie. To jest śmierć, bo odszedłeś ode mnie, czyli od Życia.

– O rany! – wykrzyknął Mack, siadając na ziemi. – To naprawdę pomaga. Ale widzę, że rezygnacja z prawa do niezależności nie będzie łatwa, bo może oznaczać, że...

Sarayu znowu dokończyła za niego:

– ...że czasami na dobre wychodzi zachorowanie na raka albo utrata dochodów... czy nawet życia.

– Powiedz to osobie chorej na raka albo ojcu, który stracił córkę – rzucił Mack trochę ostrzejszym tonem, niż zamierzał.

– Och, Mackenzie. Sądzisz, że o nich nie myślimy? Każdy człowiek jest bohaterem innej historii, z których wiele nie zostało opowiedzianych.

Mack wbił mocno motykę w ziemię. Czuł, że traci kontrolę nad sobą.

– Ale czy Missy nie miała prawa do tego, żeby ją obronić?

– Nie, Mack. Dziecko jest chronione, bo jest kochane, a nie dlatego że ma prawo do ochrony.

Słowa Sarayu sprawiły, że cały świat wywrócił się do góry nogami, a Mack próbował znaleźć jakieś oparcie dla nóg. Z pewnością istniały prawa, na które mógłby się powołać.

– A co z...

– Prawa są tam, dokąd idą ci, którzy przeżyli, tak żeby nie musieli sami tworzyć więzi – ucięła Sarayu.

– Ale gdybym zrezygnował...

– Wtedy zacząłbyś poznawać cud i przygodę życia we mnie – przerwała mu znowu.

W Macku rosła frustracja.

– Ale czy ja nie mam prawa... – zaczął.

– Spokojnie dokończyć zdania? Nie, nie masz. Nie w rzeczywistości. Ale dopóki uważasz, że je masz, z pewnością się rozgniewasz, kiedy ktoś ci przerwie, nawet jeśli to będzie Bóg.

Mack poczuł się jak ogłuszony. Wstał z ziemi, nie wiedząc, czy się złościć, czy śmiać. Sarayu uśmiechnęła się do niego.

– Mackenzie, Jezus nie domagał się niczego, dobrowolnie został sługą i żyje w relacji z Tatą. Zrezygnował ze wszystkiego i na swoim przykładzie pokazuje, jak być wolnym na tyle, żeby zrezygnować ze swoich praw.

W tym momencie na ścieżce pojawiła się Tata z dwiema papierowymi torbami. Zbliżyła się do nich z uśmiechem.

– Domyślam się, że prowadzicie ważną rozmowę? – Mrugnęła do Macka.

– Bardzo ważną! – wykrzyknęła Sarayu. – Wiesz co? Mackenzie nazwał nasz ogród jednym wielkim bałaganem. To dobre, nie sądzisz?

Obie uśmiechnęły się szeroko do Macka, a on nie był pewien, czy nie zabawiają się jego kosztem. Choć już nie czuł gniewu, nadal piekły go policzki, ale one, zdaje się, tego nie dostrzegły.

Sarayu wyciągnęła ręce do Taty i pocałowała ją w policzek.

– Jak zawsze w samą porę. Zdążyliśmy ze wszystkim, co zaplanowałam. Mackenzie, świetnie się spisałeś! Dziękuję za ciężką pracę.

– Bez przesady, to był naprawdę drobiazg – zaoponował Mack. – Tylko spójrz na ten bałagan. – Powiódł wzrokiem wokół siebie. – Ale ogród jest naprawdę piękny i pełen ciebie, Sarayu. Choć jest jeszcze mnóstwo do zrobienia, czuję się tutaj dziwnie dobrze, zupełnie jak w domu.

Obie spojrzały na siebie z uśmiechem, a potem Sarayu podeszła do Macka. Bardzo blisko.

– I powinieneś tak się czuć, Mackenzie, bo ten ogród to twoja dusza. Bałagan też jest twój! Ty i ja razem pracowaliśmy w twoim sercu. A ono jest piękne i dzikie, choć się zmienia. Tobie wydaje się, że panuje tu nieład, natomiast ja widzę tworzący się, doskonały wzór... żywy fraktal.

Siła jej słów omal nie skruszyła całej rezerwy Macka. Spojrzał na ogród – jego ogród – i zobaczył, że mimo nieporządku rzeczywiście jest wspaniały. A poza tym były tutaj Tata i Sarayu, która kochała to miejsce. Poczuł, że znowu wzbierają w nim pilnie strzeżone uczucia, i przestraszył się, że nie zdoła nad nimi zapanować.

– Mackenzie, Jezus chciałby zabrać cię na spacer. Na wypadek, gdybyście zgłodnieli, zapakowałam dla was obiad, który pozwoli wam przetrwać do podwieczorku.

Kiedy Mack sięgnął po torby piknikowe, poczuł, że Sarayu przesuwa się obok niego i całuje go w policzek, ale jej nie zobaczył. Jest jak wiatr, pomyślał. Wydawało mu się, że widzi ślad, który za sobą zostawiała: rośliny kolejno gnące się ku ziemi, jakby składały jej hołd. Kiedy odwrócił się do Taty, jej również nie było, więc ruszył do warsztatu, żeby poszukać Jezusa. Podobno mieli umówione spotkanie.

10

Brodzenie po wodzie

„Nowy świat – rozległy horyzont
Otwórz oczy i zobacz, że to naprawdę
Nowy świat – za groźnymi
Falami błękitu".

David Wilcox

Jezus skończył polerować kant niedużej skrzyni ustawionej na stole roboczym. Przesunął palcami po wygładzonym brzegu, z zadowoleniem pokiwał głową i odłożył papier ścierny. Gdy wyszedł z warsztatu, otrzepując dżinsy i koszulę z trocin, zobaczył, że nadchodzi jego gość.

– Hej, Mack! Właśnie wykańczałem na jutro jedno z moich dzieł. Chciałbyś pójść na spacer?

Mack pomyślał o ich ostatnim spotkaniu pod gwiazdami.

– Jeśli ty idziesz, chętnie się przyłączę – odparł. – Dlaczego wszyscy wciąż mówicie o jutrzejszym dniu?

– To będzie dla ciebie wielki dzień. Jeden z powodów, dla których tutaj jesteś. Chodźmy, po drugiej stronie jeziora jest pewne szczególne miejsce. Chcę ci je pokazać.

Widok jest nie do opisania. Można stamtąd nawet dojrzeć najwyższe szczyty.

– Brzmi zachęcająco! – rzucił z entuzjazmem Mack.

– Zdaje się, że masz dla nas obiad, a więc jesteśmy gotowi do wymarszu.

Zamiast iść brzegiem, gdzie, jak podejrzewał Mack, mógł biec szlak, Jezus skierował się prosto na pomost. Dzień był pogodny i piękny. Słońce przygrzewało, ale nie za mocno, świeża bryza delikatnie, z czułością pieściła ich twarze.

Mack doszedł do wniosku, że pewnie wezmą jeden z kajaków przywiązanych do drewnianych pali, więc był zaskoczony, kiedy Jezus minął ostatnią łódź i nie zatrzymując się, pewnym krokiem pomaszerował dalej. Dotarłszy do końca molo, odwrócił się i uśmiechnął szeroko.

– Ty pierwszy – powiedział z teatralnym ukłonem.

– Chyba żartujesz? – wyrwało się Mackowi. – Myślałem, że będziemy spacerować, a nie pływać.

– I miałeś rację, ale uznałem, że przeprawienie się przez jezioro zajmie mniej czasu niż obejście go brzegiem.

– Nie jestem aż takim dobrym pływakiem, a poza tym woda wygląda mi na cholernie zimną. – Gdy Mack sobie uświadomił, co powiedział, zarumienił się i wymamrotał: – Eee... to znaczy, piekielnie zimna. – Poczerwieniał jeszcze bardziej i zerknął na swojego towarzysza, ale Jezusa najwyraźniej bawiło jego zakłopotanie.

– Obaj wiemy, że jesteś bardzo dobrym pływakiem. Kiedyś nawet byłeś ratownikiem, o ile dobrze pamiętam. A woda rzeczywiście jest zimna. I głęboka. Ale ja nie mówię o pływaniu. Chcę razem z tobą przejść na drugą stronę.

Mack w końcu dopuścił do świadomości to, że Jezus mówi o chodzeniu po wodzie.

– No, chodź – zachęcił go Jezus, widząc wahanie na jego twarzy. – Skoro Piotr to potrafił...

Mack się roześmiał, bardziej ze zdenerwowania niż z rozbawienia. Żeby się upewnić, spytał jeszcze raz:

– Chcesz, żebym przeszedł po wodzie na drugą stronę, tak?

– Jesteś bystry, Mack. Nic ci nie umknie, to pewne. No, rusz się, będzie dobra zabawa! – ponaglił go ze śmiechem Jezus.

Mack podszedł do krawędzi pomostu i spojrzał w dół. Miejsce, gdzie stał, od powierzchni jeziora dzieliła zaledwie stopa, jednak odległość wydawała się ogromna; równie dobrze mogłoby to być sto stóp. Wolałby dać nurka, jak to robił tysiące razy, ale jak zejść z pomostu na wodę? Skoczyć jak na beton czy zrobić krok, jakby wysiadało się z łodzi? Mack popatrzył na roześmianego Jezusa.

– Piotr miał ten sam problem. Jak wysiąść z łodzi? Wyobraź sobie, że schodzisz ze stopnia o wysokości jednej stopy. To nic wielkiego.

– Zamoczę sobie nogi? – spytał Mack.

– Oczywiście, przecież woda jest mokra.

Mack znowu spojrzał na jezioro, a potem na Jezusa.

– Dlaczego to dla mnie takie trudne?

– Powiedz mi, czego się boisz, Mack.

– Zastanówmy się. No cóż, boję się wyjść na idiotę. Boję się, że stroisz sobie ze mnie żarty i że pójdę na dno jak kamień. Wyobrażam sobie, że...

– Właśnie – przerwał mu Jezus. – Wyobrażasz sobie. Co za niezwykła zdolność ta wyobraźnia! Już sama jej potęga czyni was podobnymi do nas. Ale bez mądrości potrafi być okrutnym tyranem. Myślisz, że przeznaczeniem ludzi jest żyć w teraźniejszości, przeszłości czy przyszłości?

– Cóż – bąknął Mack. – Chyba narzuca się odpowiedź, że jesteśmy przystosowani do życia w teraźniejszości. Źle powiedziałem?

Jezus się zaśmiał.

– Spokojnie, Mack, to nie jest egzamin, tylko rozmowa. A przy okazji, masz rację. Ale powiedz mi, gdzie w swojej wyobraźni spędzasz większość czasu: w teraźniejszości, przeszłości czy przyszłości?

Mack zastanawiał się przez chwilę.

– Prawdę mówiąc, spędzam bardzo niewiele czasu w teraźniejszości. Zdecydowanie najwięcej w przeszłości, a przez resztę czasu próbuję wyobrazić sobie przyszłość.

– Czyli podobnie jak większość ludzi. Kiedy mieszkam w tobie, robię to w teraźniejszości, żyję w teraźniejszości. Nie w przeszłości, chociaż można wiele się nauczyć i zapamiętać, patrząc wstecz, ale najlepsza jest krótka wizyta, a nie dłuższy pobyt. I na pewno nie mieszkam w przyszłości, którą sobie wyobrażasz. Zdajesz sobie sprawę, że za twoimi wizjami przyszłości prawie zawsze kryje się jakiś lęk, natomiast rzadko, jeśli w ogóle, widzisz obok siebie mnie?

Mack znowu się zamyślił. To była prawda. Dużo czasu marnował na zamartwianie się o przyszłość, która w jego wyobrażeniach jawiła się dość ponuro i przygnębiająco, czasami wręcz strasznie. Jezus miał również rację, mówiąc, że w jego wizjach zawsze brakuje Boga.

– Dlaczego to robię? – zapytał.

– Chodzi o rozpaczliwe i z góry skazane na niepowodzenie próby zdobycia wpływu na własne życie. Nie uzyskasz władzy nad przyszłością, bo ona nie jest rzeczywista i nigdy nie będzie. Możesz próbować odgrywać Boga, wyobrażać sobie, że spotyka cię zło, którego się obawiasz, a potem układać plany, jak go uniknąć.

– Mniej więcej to samo mówiła Sarayu – zauważył Mack. – Dlaczego jest tyle strachu w moim życiu?

– Bo nie wierzysz. Nie wiesz, że cię kochamy. Osoba, której życiem rządzi strach, nie uwolni się od niego dzięki mojej miłości. Nie mówię o uzasadnionych obawach przed realnymi niebezpieczeństwami, ale o irracjonalnych, wydumanych lękach, a zwłaszcza o ich projekcji w przyszłość. W twoim życiu one są ciągle obecne i bardzo nasilone, bo nie wierzysz, że jestem dobry i że cię kocham. Śpiewasz o tym i mówisz, ale nie czujesz tej miłości ani nawet o niej nie wiesz.

Mack znowu spojrzał na wodę i westchnął.

– Mam taką długą drogę do pokonania.

– Wydaje mi się, że nie więcej niż stopę – powiedział Jezus i roześmiał się, kładąc dłoń na jego ramieniu.

Tylko takiej zachęty potrzebował Mack, żeby zejść z pomostu. Na wszelki wypadek uniósł torby z obiadem i utkwił wzrok w drugim brzegu, żeby nie patrzeć na lekko marszczącą się powierzchnię i uznać ją za twardy grunt.

Lądowanie okazało się łagodniejsze, niż sądził. Buty od razu mu przemokły, ale woda nie sięgnęła nawet do kostek. Jezioro nadal falowało wokół niego, tak że omal nie stracił równowagi. Wrażenie było dziwne. Gdy patrzył w dół, wydawało mu się, że stoi na czymś solidnym, choć niewidzialnym. Obejrzał się i zobaczył, że Jezus jest tuż obok niego i uśmiecha się, trzymając w ręce buty i skarpetki.

– Zawsze je zdejmujemy – rzekł ze śmiechem.

Mack potrząsnął głową i też się roześmiał. Usiadł na brzegu pomostu.

– Myślę, że i ja to zrobię.

Dla pewności podwinął jeszcze nogawki spodni.

Ruszyli w stronę drugiego brzegu odległego o jakieś pół mili. Woda była chłodna i odświeżająca; przejmowała Macka lekkim dreszczem. Spacer po wodzie w towarzystwie Jezusa wydawał się całkowicie naturalnym sposobem na pokonanie jeziora. Mack uśmiechał się od ucha do ucha na samą myśl o tym, co robi. Od czasu do czasu spoglądał w dół i wypatrywał pstrągów.

– To niemożliwe i całkowicie niedorzeczne! – wykrzyknął w końcu.

– Oczywiście – zgodził się Jezus z szerokim uśmiechem.

Mniej więcej od połowy drogi Mack słyszał coraz głośniejszy szum wody, ale nie mógł dostrzec jego źródła. Dwadzieścia jardów od brzegu zatrzymał się i wtedy po lewej stronie, za wysokim skalnym grzbietem, wreszcie je zobaczył: piękny wodospad przelewający się przez krawędź urwiska i spadający z wysokości co najmniej stu stóp do sadzawki powstałej na dnie wąwozu. Tam zmieniał się w duży strumień i wpadał do jeziora w miejscu, którego stąd nie było widać. Między nimi a wodospadem rozciągała się duża górska łąka, gęsto usiana polnymi kwiatami. Mack przez chwilę stał bez ruchu i chłonął zdumiewający widok. Przez jego umysł przemknął obraz Missy, ale natychmiast zniknął.

Na ich przybycie czekała kamienista plaża, a jej tło stanowił bujny las sięgający podnóża góry zwieńczonej białą czapą świeżego śniegu. Z lewej, po drugiej stronie szemrzącego strumienia, na końcu małej polany, zaczynał się szlak wiodący prosto w leśny półmrok. Ostrożnie stąpając po drobnych kamykach, Mack ruszył w stronę zwalonego pnia. Usiadł, postawił na nim buty i rozłożył skarpety, żeby wyschły w południowym słońcu.

Dopiero wtedy spojrzał na drugi brzeg jeziora. Krajobraz był oszałamiający. Mack dostrzegł chatę i dym leniwie snujący się z ceglanego komina, którego czerwień kontrastowała z zielenią sadu i lasu. Ale nad tym wszystkim dominowało potężne pasmo górskie, wznoszące się na horyzoncie niczym strażnik pełniący wartę nad piękną krainą. Mack w milczeniu i zachwycie chłonął tę wizualną symfonię.

– Świetna robota! – powiedział w końcu do Jezusa, który siedział obok niego.

– Dziękuję, Mack, choć tak niewiele jeszcze widziałeś. Na razie większość tego, co istnieje we wszechświecie, mogę zobaczyć i podziwiać tylko ja, jak wyjątkowe płótna na zapleczu pracowni malarza, ale pewnego dnia... Możesz wyobrazić sobie tę scenerię, gdyby na Ziemi nie toczyły się wojny, gdyby ona tak usilnie nie starała się przetrwać?

– Co masz na myśli?

– Nasza Ziemia jest jak dziecko, które dorastało bez rodziców, nie miało nikogo, kto by nim pokierował. – W głosie Jezusa brzmiał smutek. – Niektórzy próbowali jej pomóc, ale większość po prostu ją wykorzystywała. Ludzie, którzy dostali zadanie, żeby z miłością sterować światem, plądrują go, mając na względzie tylko swoje potrzeby. I nie poświęcają należytej uwagi swoim dzieciom, a one dziedziczą ich bezduszność. Tak więc maltretują ją i eksploatują bez litości, a kiedy drży albo tchnie gorącym oddechem, oburzają się i wygrażają Bogu pięściami.

– Jesteś ekologiem? – zapytał Mack na pół oskarżycielskim tonem.

– „Ta niebiesko-zielona kula w czarnym kosmosie, nadal piękna, choć zniszczona i wykorzystana, cudowna".

– Znam tę piosenkę. Musi ci bardzo zależeć na Stworzeniu – zauważył z uśmiechem Mack.

– Cóż, ta niebiesko-zielona kula w czarnej przestrzeni należy do mnie – rzekł Jezus z emfazą.

Wkrótce otworzyli torby z lunchem i z apetytem zjedli kanapki i smakołyki, które przygotowała dla nich Tata. Jedna szczególnie zasmakowała Mackowi, ale nie potrafił stwierdzić, czy jest w niej mięso, czy warzywo. Pomyślał, że lepiej nie pytać.

– Więc dlaczego tego nie naprawisz? – zapytał, gryząc kanapkę. – Mam na myśli Ziemię.

– Bo daliśmy ją wam.

– Nie możecie jej odebrać?

– Oczywiście, że moglibyśmy, ale wtedy historia skończyłaby się, zanimby się dopełniła.

Mack posłał Jezusowi puste spojrzenie.

– Zauważyłeś, że choć nazywacie mnie Panem i Królem, nigdy w ten sposób wobec was nie postępowałem. Nigdy nie przejmowałem kontroli nad waszymi wyborami ani nie zmuszałem was, żebyście coś zrobili, nawet kiedy to, co zamierzaliście, było destrukcyjne albo bolesne dla was i dla innych?

Mack spojrzał na jezioro.

– Wolałbym, żebyście czasami przejmowali kontrolę. To oszczędziłoby mnie i innym ludziom wiele bólu – powiedział.

– Narzucanie swojej woli jest właśnie tym, czego miłość nie robi – odparł Jezus. – Szczere relacje są naznaczone uległością, nawet kiedy wasze wybory nie są dobre ani zdrowe. Oto jest piękno, które dostrzegasz w moich stosunkach z Tatą i Sarayu. My naprawdę podporządkowujemy się sobie nawzajem, zawsze tak było i zawsze będzie. Tata jest mi

161

równie oddana jak ja jej czy Sarayu, a ona mnie. W uległości nie chodzi o władzę ani posłuszeństwo, tylko o miłość i szacunek. Tobie jesteśmy oddani w taki sam sposób.

Mack był zaskoczony.

– Jak to możliwe? Dlaczego Bóg wszechświata miałby być uległy wobec mnie?

– Bo chcemy, żebyście dołączyli do naszego kręgu. Nie potrzebuję niewolników posłusznych mojej woli. Potrzebuję braci i sióstr, którzy będą dzielić ze mną życie.

– I pewnie dlatego chcesz, żebyśmy kochali się nawzajem? To znaczy, mężowie i żony, rodzice i dzieci, wszyscy wszystkich?

– Właśnie! Kiedy jestem twoim życiem, uległość jest najbardziej naturalnym sposobem na wyrażenie mojego charakteru i natury. Podobnie jest z tobą i innymi ludźmi.

– A ja tylko chciałem mieć Boga, który wszystko naprawi tak, żeby nikt nie cierpiał. – Mack potrząsnął głową. – Niestety, nie jestem dobry, jeśli chodzi o relacje z innymi. W przeciwieństwie do Nan.

Jezus dokończył kanapkę, zamknął torbę i postawił ją obok siebie na pniu. Strzepnął okruszki, które przywarły do jego wąsów i krótkiej brody. Potem sięgnął po kij leżący na ziemi i zaczął nim bazgrać na piasku, mówiąc:

– To dlatego że, jak większość mężczyzn, szukasz spełnienia poprzez swoje dokonania, a Nan, jak większość kobiet, znajduje je w stosunkach z innymi ludźmi. To jest jej język.

Jezus umilkł i przez chwilę obserwował, jak niecałe pięćdziesiąt stóp od nich spada z nieba rybołów, a następnie powoli wzbija się w powietrze, trzymając w pazurach dużego, trzepoczącego się pstrąga.

– Czy to znaczy, że jestem beznadziejny? Naprawdę pragnę tego, co łączy was troje, ale nie mam pojęcia, jak nawiązać takie relacje.

– Teraz wiele kwestii stoi ci na przeszkodzie, Mack, ale nie musisz tak dalej żyć.

– Wiem, że jest gorzej, odkąd nie ma Missy, ale nigdy nie było mi łatwo.

– Nie chodzi tylko o śmierć Missy. Jeszcze coś utrudnia ci dzielenie życia z nami. Świat jest rozdarty, bo w Edenie odrzuciliście więź z nami, żeby zdobyć niezależność. Ludzie wybrali pracę własnych rąk i pot na czole, żeby znaleźć swoją tożsamość, poczucie wartości i bezpieczeństwa. Ogłaszając, co jest dobre, a co złe, staracie się określić własne przeznaczenie. To był ten zwrot, który spowodował tyle cierpienia.

Jezus oparł się na kiju i wstał. Zaczekał, aż Mack dokończy kanapkę, a potem razem ruszyli brzegiem jeziora.

– Ale to nie wszystko. Kobieta nie pragnęła dzieła własnych rąk, tylko mężczyzny, a jego reakcją było przejęcie nad nią władzy, zostanie jej panem. Wcześniej kobieta znajdowała swoją tożsamość, bezpieczeństwo oraz zrozumienie dobra i zła tylko we mnie, podobnie jak mężczyzna.

– Nic dziwnego, że czuję się przy Nan jak nieudacznik. Nie wydaje się, żebym był dla niej panem.

– Nie zostałeś do tego stworzony, jedynie próbujesz odgrywać Boga.

Mack schylił się i podniósł płaski kamyk. Puścił nim kaczkę.

– Istnieje jakieś wyjście?

– Bardzo proste, ale niełatwe dla ciebie. Powrót do mnie. Rezygnacja z władzy i manipulacji. – Jezus mówił takim tonem, jakby błagał. – Kobietom na ogół trudno jest zostawić mężczyzn, przestać żądać, żeby spełniali ich potrzeby, zapewniali bezpieczeństwo, chronili ich tożsamość, i wrócić do mnie. Mężczyznom natomiast z trudnością przychodzi wyrzeczenie się pracy, dążenia do władzy i pozycji.

– Zawsze się zastanawiałem, dlaczego to mężczyźni rządzą – powiedział z zadumą Mack. – Wywołują tyle cierpienia na świecie. Odpowiadają za większość zbrodni, w tym wielu wymierzonych przeciwko kobietom i... dzieciom.

– Kobiety – ciągnął Jezus, podnosząc kamień i puszczając kaczki – odwróciły się od nas ku innym relacjom, a mężczyźni ku sobie i Ziemi. Świat byłby pod wieloma względami znacznie spokojniejszym i łagodniejszym miejscem, gdyby to kobiety rządziły. Mniej dzieci poświęcono by bożkom chciwości i władzy.

– Więc lepiej pełniłyby tę rolę.

– Może lepiej, ale to nadal by nie wystarczyło. Władza w rękach niezależnych ludzi, czy to mężczyzn, czy kobiet, deprawuje. Nie rozumiesz, że wypełnianie ról jest przeciwieństwem związku? Chcemy, żeby mężczyźni i kobiety byli sobie równi. Jedyni w swoim rodzaju i różniący się płcią, ale dopełniający się nawzajem i tak samo obdarzeni przez Sarayu, od której pochodzi cała prawdziwa władza i moc. Pamiętaj, że nie chodzi mi o dostosowanie się do struktur stworzonych przez człowieka, tylko o samo życie. Gdy dorastasz w relacji ze mną, jesteś naprawdę sobą.

– Ale ty przyszedłeś pod postacią mężczyzny. Czy to o czymś nie świadczy?

– Tak, ale nie o tym, co zakłada większość. Przyszedłem jako mężczyzna, żeby dopełnić cudownego obrazu, według którego was stworzyliśmy. Na początku ukryliśmy kobietę w mężczyźnie, żeby we właściwym czasie wyjąć ją z niego.

Nie stworzyliśmy mężczyzny, żeby żył samotnie; od razu przewidzieliśmy dla niego towarzyszkę. W pewnym sensie on ją urodził. Stworzyliśmy krąg relacji, takiej jak nasza, ale dla ludzi. Ona wyszła z niego, a teraz mężczyźni, włącznie ze mną, rodzą się z kobiety, a wszyscy pochodzą od Boga.

– Rozumiem – wtrącił Mack, zatrzymując się w pół kroku. – Gdyby kobieta została stworzona jako pierwsza, nie byłoby kręgu relacji, a więc i związku między kobietą i mężczyzną opartego na całkowitej równości. Zgadza się?

– Właśnie tak, Mack. – Jezus spojrzał na niego z uśmiechem. – Naszym pragnieniem było stworzyć istoty, które będą dla siebie równymi i silnymi partnerami, mężczyznę i kobietę. Ale wasza niezależność wraz z dążeniem do władzy i spełnienia niszczy relację, do której tęsknią wasze serca.

– Znowu to samo – stwierdził Mack, przesiewając kamyki, żeby znaleźć jak najbardziej płaski. – Zawsze wszystko sprowadza się do władzy, która stanowi przeciwieństwo relacji łączącej was troje. Chciałbym jej doświadczyć, z tobą i z Nan.

– Dlatego tu jesteś.

– Chciałbym, żeby ona też tutaj była.

– Och, co by mogło być – powiedział Jezus w zamyśleniu.

Mack nie miał pojęcia, o co mu chodzi.

Milczeli przez kilka minut. Ciszę przerywał jedynie plusk kamieni skaczących po wodzie.

Jezus już zamierzał puścić następną kaczkę, ale powstrzymał się i rzekł:

– Chciałbym, żebyś zapamiętał jeszcze jedno z naszej rozmowy, zanim odejdziesz.

Mack spojrzał na niego zaskoczony.

– Zanim odejdę?

Jezus zignorował pytanie i rzucił kamyk.

– Mack, podobnie jak miłość, uległość nie jest jednostronną deklaracją. Jeśli ja nie żyję w tobie, nie możesz służyć Nan, dzieciom ani nikomu innemu, łącznie z Tatą.

– To znaczy, że nie mogę po prostu zapytać: „Co zrobiłby Jezus?" – rzucił Mack z lekkim sarkazmem.

Jezus się zaśmiał.

– Dobre intencje, zły pomysł. Daj mi znać, jak to się sprawdza, jeśli postanowisz pójść tą drogą. – Spoważniał. – A mówiąc serio, moje życie nie miało być przykładem do naśladowania. Podążanie za mną nie oznacza starań, żeby „być jak Jezus", tylko gotowość na śmierć. Przybyłem, żeby dać wam życie, prawdziwe życie, moje życie. Przyjdziemy i będziemy żyć w was, żebyście mogli zacząć patrzeć naszymi oczami, słuchać naszymi uszami, dotykać naszymi rękami i myśleć tak jak my. Ale nigdy nie wymusimy na was tej jedności. Jeśli chcesz robić swoje, proszę bardzo. Czas jest po naszej stronie.

– To musi być to codzienne umieranie, o którym mówiła Sarayu – stwierdził Mack, kiwając głową.

– A skoro już mowa o czasie, masz spotkanie – powiedział Jezus, wskazując ścieżkę, która zaczynała się na końcu polany i prowadziła do lasu. – Idź tą drogą do końca. Ja zaczekam na ciebie tutaj.

Mack wiedział, że nie ma sensu upierać się przy kontynuowaniu tej rozmowy. W zadumie i milczeniu włożył buty. Jeszcze nie zdążyły wyschnąć, ale nie było mu w nich nieprzyjemnie. Wstał bez słowa i ruszył przed siebie. Zatrzymał się na chwilę, żeby spojrzeć na wodospad, a potem przeskoczył przez strumyk i wszedł do lasu dobrze utrzymaną i oznaczoną ścieżką.

11

Sąd idzie

„Ktokolwiek bierze na siebie ryzyko bycia sędzią Prawdy i Wiedzy, staje się pośmiewiskiem bogów".

Albert Einstein

„Duszo moja, bądź gotowa na przybycie Tego, Który wie, jak stawiać pytania".

T.S. Eliot

Ścieżka, którą szedł Mack, oddalała się od jeziora, omijała wodospad i biegła dalej w gęstwinę cedrów. Zaprowadziła go prosto do skalnej ściany z ledwo widocznym zarysem drzwi. Wszystko wskazywało na to, że powinien przez nie wejść, więc pchnął je z wahaniem. Jego dłoń przeszła na wylot, jakby nic tam nie było. Mack ostrożnie ruszył przed siebie i całym ciałem przeniknął przez to, co wyglądało na solidne kamienne zbocze góry. W środku panował nieprzenikniony mrok.

Mack wziął głęboki wdech i z wyciągniętymi rękami zrobił kilka niepewnych kroków w atramentową czerń. Potem zatrzymał się, ogarnięty strachem. Nie był pewien, czy ma iść dalej. Ścisnął mu się żołądek, a Wielki Smutek znowu osiadł na jego ramionach całym ciężarem. Mack nagle zapragnął wyjść z powrotem na światło, ale szybko się opanował, tłumacząc sobie, że Jezus nie przysłał go tutaj bez powodu. Ruszył przed siebie.

Gdy jego oczy powoli przywykły do ciemności, dojrzał korytarz biegnący w lewo. W miarę jak się nim posuwał, światło dnia u wejścia gasło, aż w końcu zastąpiła je widoczna z przodu słaba poświata odbijającą się od ścian.

Po stu stopach tunel skręcił raptownie w lewo i Mack stanął na skraju ogromnej pieczary, którą z początku wziął za wielką pustą przestrzeń. Złudzenie było tym silniejsze, że jedyne źródło światła stanowił ledwo widoczny blask, który dziesięć stóp dalej rozpraszał się we wszystkich kierunkach. Poza tym otaczały go kompletne ciemności. Ciężkie powietrze niemal przytłaczało, a przenikliwy chłód powodował dreszcze. Mack spojrzał w dół i z ulgą dostrzegł nikłe refleksy, ale nie na ziemi czy skale, tylko na ciemnej powierzchni, gładkiej i lśniącej jak wypolerowana mika.

Odważnie zrobił krok i zauważył, że otaczający go jaśniejszy krąg porusza się razem z nim, oświetlając niewielki fragment drogi. Poczuł się pewniej i zaczął ostrożnie iść przed siebie, ze wzrokiem wbitym w podłoże. Był tak skupiony na patrzeniu pod nogi, że potknął się o obiekt, który nagle przed nim wyrósł. Mack omal nie upadł.

Drewniane krzesło, które wyglądało na całkiem wygodne, stało pośrodku... niczego. Mack postanowił na nim usiąść i zaczekać na rozwój wydarzeń. Gdy to zrobił, towarzyszące mu światło posuwało się do przodu, jakby nadal szedł. Bezpośrednio przed sobą ujrzał duże hebanowe biurko. Gdy blask skupił się w jednym miejscu, Mack aż podskoczył na widok wysokiej, pięknej kobiety o oliwkowej skórze i cyzelowanych hiszpańskich rysach, odzianej w ciemną powiewną szatę. Siedziała za biurkiem prosto i po królewsku jak sędzia sądu najwyższego. Była oszałamiająca.

Jest piękna, pomyślał Mack. Wygląda jak nieosiągalny ideał zmysłowości. W półmroku jej twarz, włosy i szata stapiały się ze sobą, przechodząc płynnie jedno w drugie. Oczy jarzyły się, jakby miały własne źródło światła. Były niczym bramy prowadzące do bezkresu wygwieżdżonego nieba.

Onieśmielony Mack bał się, że zawiedzie go głos, jeśli spróbuje się odezwać. Jestem jak Myszka Miki, która ma rozmawiać z Pavarottim. Uśmiechnął się do własnej myśli, a nieznajoma odpowiedziała uśmiechem, jakby potrafiła czytać mu w głowie. W jaskini od razu pojaśniało, a Mack zrozumiał, że jest tutaj oczekiwany i mile widziany. Kobieta wyglądała znajomo, jakby kiedyś w przeszłości ją poznał, choć miał pewność, że widzi ją po raz pierwszy.

– Mogę zapytać, czy... To znaczy, kim pani jest? – wymamrotał głosem, który zabrzmiał w jego uszach zupełnie jak pisk Myszki Miki i nawet nie zdołał zakłócić ciszy panującej w jaskini.

– Rozumiesz, dlaczego tutaj jesteś? – Niczym podmuch wzbijający kurz, jej głos delikatnie wywiał jego pytanie z pieczary, tak że nie został po nim nawet cień echa.

Mack odniósł wrażenie, że jej słowa spływają mu po głowie i ramionach, powodując lekkie mrowienie. Zadrżał i postanowił, że już więcej się nie odezwie. Chciał jedynie, żeby ona mówiła, do niego albo do kogoś innego, byle tylko on mógł być przy tym obecny. Ale kobieta czekała.

– Ty wiesz – odparł głosem tak silnym i głębokim, że omal się nie obejrzał, by sprawdzić, kto to mówi. I od razu zrozumiał, że ma rację, tak prawdziwie zabrzmiało jego stwierdzenie. – Ja nie mam pojęcia – wyznał, spuszczając wzrok. – Nikt mi tego nie powiedział.

– Cóż, Mackenzie Allenie Phillips, jestem tutaj, żeby ci pomóc – oznajmiła kobieta i się roześmiała.

Mack natychmiast uniósł głowę. Gdyby tęcza albo rozkwitający kwiat wydawały jakieś dźwięki, brzmiałyby one jak jej śmiech – kaskada światła, zaproszenie do rozmowy. Mack zawtórował jej, choć nie wiedział, dlaczego się śmieje. Zresztą nie dbał o to.

Gdy umilkli, jej twarz, choć nadal łagodna, przybrała wyraz skupienia, jakby kobieta chciała zajrzeć w niego głęboko, żeby, omijając pozory i fasady, dotrzeć do miejsc, o których mówi się rzadko, jeśli w ogóle.

– Dziś jest bardzo ważny dzień o bardzo poważnych konsekwencjach. – Zrobiła pauzę, jakby chciała jeszcze dodać wagi już i tak ciężkim słowom. – Mackenzie, znalazłeś się tutaj między innymi z powodu swoich dzieci, ale również...

– Moich dzieci? – przerwał jej Mack. – Co masz na myśli?

– Mackenzie, kochasz swoje dzieci w taki sposób, w jaki twój ojciec nigdy nie kochał ciebie ani twoich sióstr.

– Oczywiście, że tak. Każdy rodzic kocha swoje dzieci – oświadczył Mack. – Ale co to ma wspólnego z powodem, dla którego tutaj jestem?

– W pewnym sensie każdy rodzic kocha swoje dzieci – przyznała kobieta, nie odpowiadając na jego pytanie. – Ale niektórzy rodzice są zbyt załamani, żeby kochać je mocno, inni w ogóle nie kochają. Powinieneś to rozumieć. Jeśli chodzi o ciebie, kochasz swoje dzieci, jak należy... bardzo mocno.

– Uczyłem się tego od Nan.

– Wiem. Ale się nauczyłeś, prawda?

170

– Chyba tak.

– Oto jedna z ludzkich tajemnic, również godna uwagi: uczyć się i zmieniać. – Kobieta była spokojna jak bezwietrzne morze. – Tak więc, Mackenzie, mogę zapytać, które ze swoich dzieci kochasz najbardziej?

Mack uśmiechnął się w duchu. W miarę jak jego dzieci pojawiały się na świecie, nieraz szukał odpowiedzi właśnie na to pytanie.

– Nie wyróżniam żadnego, ale każde kocham inaczej – odparł, starannie dobierając słowa.

– Wyjaśnij mi to, Mackenzie – poprosiła kobieta ze szczerym zainteresowaniem.

– Cóż, każde z moich dzieci jest wyjątkowe i ma osobowość, a to oznacza, że muszę traktować je indywidualnie. – Mack rozsiadł się wygodniej na krześle. – Pamiętam, że kiedy urodził się mój pierworodny, Jon, byłem tak zachwycony tą małą istotką, że martwiłem się, czy zostanie we mnie choć trochę miłości dla drugiego dziecka. Ale kiedy na świecie pojawił się Tyler, przyniósł ze sobą dar dla mnie, całkiem nową zdolność kochania. Chyba podobnie jest z Tatą, gdy mówi, że szczególnie kogoś lubi. Kiedy myślę o każdym z moich dzieci z osobna, stwierdzam, że szczególnie lubię wszystkie.

– Dobrze powiedziane, Mackenzie! – wykrzyknęła kobieta z niekłamanym podziwem, a następnie pochyliła się lekko i zapytała: – A kiedy źle się zachowują, kiedy dokonują wyborów innych niż te, których byś sobie życzył, buntują się albo są niegrzeczne? Gdy przynoszą ci wstyd? Jak to wpływa na twoją miłość do nich?

Mack odpowiedział powoli i z namysłem:

– Nie wpływa w żaden sposób, naprawdę. – Mówił prawdę, nawet jeśli Kate czasami w to nie wierzyła. – Przyznaję, że nieraz wprawiają mnie w zakłopotanie lub gniew, ale nawet kiedy zachowują się źle, nadal są moimi dziećmi, nadal są Joshem i Kate, i będą nimi zawsze. Może ucierpieć moja duma, ale nie miłość do nich.

Kobieta się rozpromieniła.

– Jesteś mądry w sprawach prawdziwej miłości, Mackenzie. Wielu ludzi sądzi, że to uczucie się pogłębia, ale w rzeczywistości przybywa doświadczeń, a miłość po prostu się rozrasta, żeby je ogarnąć. Jest jak skóra. Mackenzie, kochasz swoje dzieci, które znasz tak dobrze, cudowną, prawdziwą miłością.

Lekko zakłopotany jej pochwałami Mack spuścił wzrok.

– Dzięki, ale wobec innych ludzi taki nie jestem. Moja miłość jest warunkowa.

– Zawsze to jakiś początek, prawda, Mackenzie? Przerosłeś pod tym względem swojego ojca. Sam z pomocą Boga zmieniłeś się, żeby móc kochać w taki sposób. I teraz kochasz swoje dzieci tak, jak Ojciec kocha ciebie.

Mack czuł, że jego szczęki zaciskają się mimo woli; narastał w nim gniew. Pochwała, którą właśnie usłyszał, smakowała jak gorzka pigułka, a on nie miał ochoty jej połknąć. Próbował ukryć emocje, ale sądząc po spojrzeniu kobiety, było już za późno.

– Hm, niepokoi cię coś, co powiedziałam, Mackenzie?

Mack poczuł się nieswojo pod jej wzrokiem, jak obnażony.

– Chciałbyś coś dodać?

Cisza, która zapadła po jej pytaniu, zawisła ciężko w powietrzu. Mack starał się odzyskać panowanie nad sobą. W uszach dzwoniła mu rada jego matki: „Jeśli nie masz nic miłego do powiedzenia, lepiej w ogóle się nie odzywaj".

– Eee... nie! Naprawdę nie.

172

– Mackenzie, to nie czas na zdrowy rozsądek twojej matki, tylko na szczerość. Nie wierzysz, że Ojciec kocha swoje dzieci, prawda? Nie wierzysz, że Bóg jest dobry, tak?

– Czy Missy jest jego dzieckiem? – zapytał burkliwie Mack.

– Oczywiście!

– Otóż nie! – wykrzyknął, zrywając się z krzesła. – Nie wierzę, że Bóg kocha wszystkie swoje dzieci tak samo!

Jego oskarżenie odbiło się echem od ścian pieczary. Podczas gdy Mack był rozgniewany i bliski wybuchu, kobieta zachowała całkowity spokój. Powoli wstała z krzesła z wysokim oparciem i skinęła na niego zapraszającym gestem.

– Może usiądziesz tutaj?

– Bo dzięki temu zdobędę się na taką szczerość, jak ty? – rzucił sarkastycznie, ale nie ruszył się z miejsca, tylko na nią patrzył.

– Mackenzie. – Kobieta nadal stała za biurkiem. – Wcześniej zaczęłam ci mówić, dlaczego tu dzisiaj jesteś. Nie tylko z powodu twoich dzieci. Przybyłeś na sąd.

Kiedy te słowa rozbrzmiały w jaskini, Macka ogarnęła panika niczym fala przypływu. Powoli opadł na krzesło. Natychmiast poczuł się winny, a jego umysł zaatakowały wspomnienia, jak szczury uciekające z tonącego statku. Chwycił się poręczy, żeby odzyskać równowagę w tym zalewie obrazów i emocji. Jego ludzkie porażki i błędy nagle zogromniały, w głowie niemal usłyszał głos recytujący katalog jego grzechów. W miarę jak lista się wydłużała, narastał w nim strach. Nie miał nic na swoją obronę. Był zgubiony i dobrze o tym wiedział.

– Mackenzie...

– Teraz rozumiem – przerwał jej Mack. – Jestem martwy, tak? Widzę Jezusa i Tatę, bo umarłem. – Osunął się na krześle i spojrzał w ciemność, ogarnięty mdłościami. – Nie mogę w to uwierzyć! Zupełnie nic nie poczułem. – Spojrzał czujnie na kobietę, która cierpliwie go obserwowała. – Od jak dawna nie żyję?

– Mackenzie, przykro mi cię rozczarować, ale w swoim świecie jeszcze nawet nie zasnąłeś. Sądzę, że...

– Nie umarłem? – W jego głosie brzmiało niedowierzanie. Znowu wstał z krzesła. – Twierdzisz, że to wszystko jest realne i że ja żyję? Ale powiedziałaś, zdaje się, że przyszedłem tutaj na sąd?

– Tak – potwierdziła spokojnie kobieta z wyrazem rozbawienia na twarzy. – Ale, Macke...

– Sąd? I nawet nie jestem martwy? – Po raz trzeci jej przerwał, starając się zrozumieć to, co usłyszał. Panikę zastąpił gniew. – To niesprawiedliwe! – Wiedział, że emocje mu nie pomagają. – Czy innym ludziom też się to zdarza, to znaczy oddawanie pod sąd, zanim umrą? A jeśli się zmienię? Jeśli będę lepszy przez resztę życia? Jeśli okażę skruchę? Co wtedy?

– Jest coś, czego żałujesz, Mackenzie? – zapytała kobieta, nieporuszona jego wybuchem.

Mack powoli opadł na krzesło. Spuścił wzrok i potrząsnął głową.

– Nie wiedziałbym od czego zacząć – wymamrotał. – Jestem beznadziejny, prawda?

– Owszem.

Mack uniósł wzrok i zobaczył, że kobieta się uśmiecha.

– Jesteś beznadziejnym, wspaniałym, destrukcyjnym przypadkiem, Mackenzie. Ale nie przybyłeś tutaj, żeby okazać skruchę, przynajmniej w twoim rozumieniu.

– Przecież powiedziałaś, że...

– ...przyszedłeś tutaj na sąd? – Kobieta pozostała chłodna i spokojna jak letni wiatr. – Tak. Jednak nie ty będziesz sądzony.

Mack odetchnął z ulgą.

– Będziesz sędzią!

Kiedy dotarł do niego sens jej słów, żołądek znowu ścisnął mu się w supeł. Mack popatrzył na czekające na niego krzesło.

– Co? Ja? Raczej nie. – Zrobił pauzę. – Nie potrafię sądzić.

– Ależ to nieprawda. – W głosie kobiety brzmiała nuta sarkazmu. – Już udowodniłeś, że potrafisz, choćby przez ten krótki czas, który tu wspólnie spędziliśmy. Poza tym, w ciągu swojego życia wiele razy osądzałeś uczynki, a nawet motywy innych ludzi, jakbyś naprawdę je znał. Oceniałeś po kolorze skóry, mowie ciała, zapachu. Wydawałeś sądy o historii i związkach międzyludzkich. Wartościowałeś nawet cudze życie w oparciu o swoje pojęcie piękna. Biorąc to wszystko razem, masz niezłą praktykę w tej dziedzinie.

Mack poczuł, że ze wstydu zaczyna palić go twarz. Musiał przyznać, że w swoim czasie rzeczywiście wypowiedział wiele opinii. Ale chyba nie różnił się w tym od innych ludzi, prawda? Kto nie wyciąga pochopnych wniosków na temat bliźnich? No tak, znowu to samo – egocentryczne spojrzenie na świat. Zobaczył, że kobieta przypatruje mu się badawczo. Odwrócił wzrok.

– Jeśli mogę spytać, to na podstawie jakich kryteriów dokonujesz swoich ocen?

Mack spojrzał jej w oczy i natychmiast stracił zdolność logicznego myślenia. Musiał znów odwrócić wzrok i popatrzeć w ciemność, żeby się pozbierać.

– W tym momencie żadne z nich nie mają sensu – przyznał w końcu łamiącym się głosem. – Kiedy wypowiadałem te opinie, czułem się usprawiedliwiony, ale teraz...

– Oczywiście. – Kobieta mówiła rzeczowym tonem, jakby potwierdzała coś oczywistego. Nie próbowała grać na jego uczuciach: wstydzie i przygnębieniu. – Wydając sądy, musisz uważać się za lepszego od tego, którego osądzasz. Dzisiaj będziesz miał okazję wykorzystać swoje umiejętności. Chodź. – Poklepała oparcie krzesła. – Chcę, żebyś tu usiadł.

Mack ruszył z wahaniem w stronę masywnego biurka. Odnosił wrażenie, że z każdym krokiem robi się coraz mniejszy. A może to kobieta i krzesło rosły w jego oczach? Wspiął się na wysokie siedzisko i poczuł się jak dziecko; stopami ledwo dotykał podłogi.

– A... co właściwie będę sądził? – zapytał niepewnym głosem.

– Nie co, tylko kogo. – Kobieta usunęła się na bok.

Mack czuł się coraz bardziej nieswojo, a siedzenie na ponadwymiarowym królewskim tronie wcale mu nie pomagało. Jakie miał prawo, żeby kogokolwiek sądzić? Jasne, był pewnie winny oceniania niemal wszystkich, z którymi się w życiu zetknął, i wielu tych, których nigdy osobiście nie poznał. Owszem, poczuwał się do egocentryzmu. Jak odważy się jeszcze kogoś osądzić? Wszystkie jego opinie były powierzchowne, oparte na wyglądzie i pozorach, na rzeczach, które można interpretować zależnie od stanu umysłu albo od uprzedzeń, wynikających z potrzeby wywyższenia siebie, poczucia bezpieczeństwa albo przynależności. Czuł, że zaczyna ogarniać go panika.

– Twoja wyobraźnia nie służy ci dobrze w tym momencie – stwierdziła kobieta, przerywając jego rozmyślania.

Co ty powiesz, Sherlocku, pomyślał Mack, ale z jego ust wydobył się jedynie słaby protest:

– Naprawdę nie potrafię tego zrobić.

– Jeszcze się okaże, czy potrafisz, czy nie – odparła z uśmiechem kobieta. – I nie nazywam się Sherlock.

Mack był zadowolony, że w jaskini jest ciemno i nie widać jego zmieszania. Minęła dłuższa chwila, zanim odzyskał głos i w końcu wykrztusił:

– Więc kogo mam sądzić?

– Boga. – Kobieta powiedziała to normalnym, rzeczowym tonem. – I ludzką rasę. – Słowa po prostu spłynęły z jej języka, jakby mówiła o najzwyklejszych sprawach.

Mack w pierwszej chwili osłupiał, a potem wykrzyknął:

– Chyba żartujesz!

– Dlaczego? Z pewnością jest w twoim świecie wielu ludzi, którzy według ciebie zasłużyli na sąd. Musi być przynajmniej kilku, których można obwinić za ogrom bólu i cierpienia. A co z chciwcami, którzy wyzyskują biednych? Z tymi, którzy wysyłają dzieci na wojnę? Co z mężami bijącymi żony? Co z ojcami bijącymi synów tylko dlatego, że chcą złagodzić własną udrękę? Nie zasługują na sąd, Mackenzie?

Mack poczuł, że gwałtowny gniew narasta w nim jak fala. Osunął się na krześle, usiłując zachować równowagę pod naporem przykrych obrazów, ale powoli tracił panowanie nad sobą. Żołądek ścisnął mu się w supeł, dłonie w pięści, oddech miał krótki i przyśpieszony.

– A co z mężczyzną, który poluje na niewinne dziewczynki? Co z nim, Mackenzie? Czy ten człowiek jest winny? Powinien być osądzony?

– Tak! – krzyknął Mack. – Skazać go na piekło!

– Czy należy go winić za twoją stratę?

– Tak!

– A co z jego ojcem, który zrobił z niego potwora, co z nim?

– Jego też!

– Jak daleko mamy sięgnąć wstecz, Mackenzie? Występek to spuścizna po Adamie. A co z Adamem? I dlaczego na nim się zatrzymać? Co z Bogiem? Bóg to wszystko zaczął. Czy należy Go obwinić?

Mackowi kręciło się w głowie. Nie czuł się wcale jak sędzia, raczej jak oskarżony.

– Czy nie stąd się bierze twoja udręka, Mackenzie? – Kobieta była nieustępliwa. – Czy to nie jest pożywka dla Wielkiego Smutku? Przekonanie, że Bogu nie można ufać? Z pewnością ojciec taki jak ty może sądzić Ojca!

I znowu gniew rozgorzał w nim jak płomień, ale Mack się pohamował, bo kobieta miała rację i nie było sensu temu przeczyć.

– Czy nie tak brzmi twoja uzasadniona skarga, Mackenzie? Że Bóg cię zawiódł, że zawiódł Missy? Jeszcze przed Stworzeniem wiedział, że pewnego dnia twoja Missy zostanie zamordowana, a mimo to stworzył świat. A potem pozwolił, żeby ta zbłąkana dusza wyrwała ją z twoich kochających, opiekuńczych ramion. Czy nie należy o to winić Boga, Mackenzie?

Mack wpatrywał się w podłogę, a w jego głowie kłębiły się obrazy, szarpały nim emocje. W końcu powiedział głośniej, niż zamierzał, wskazując na nią palcem:

– Tak! Należy winić Boga! – Oskarżenie zawisło w powietrzu, a w sercu Macka opadł młotek sędziego.

– Więc skoro z taką łatwością uznajesz winę Boga, z pewnością potrafisz osądzić cały świat – stwierdziła kobieta i dodała bez emocji: – Musisz wybrać, które spośród twoich dzieci spędzą wieczność w niebie i na nowej ziemi. Ale tylko dwoje.

– Co?! – krzyknął Mack, patrząc na nią z niedowierzaniem.

– I troje, które spędzi wieczność w piekle.

Mack nie mógł uwierzyć własnym uszom. Ogarnął go strach.

– Mackenzie. – Głos kobiety był tak spokojny i melodyjny jak na początku. – Ja tylko proszę cię, żebyś zrobił to, co twoim zdaniem robi Bóg. On zna wszystkich ludzi, którzy się narodzili, zna ich o wiele głębiej i lepiej, niż ty kiedykolwiek poznasz swoje dzieci. Kocha każdego syna i córkę. Wierzysz, że skaże większość na wieczną mękę, z dala od Jego obecności, z dala od Jego miłości. Tak czy nie?

– Chyba tak. Ja nigdy nie myślałem o tym w ten sposób. – Mack się jąkał, głęboko wstrząśnięty. – Po prostu zakładałem, że Bóg mógłby to zrobić. Piekło zawsze było dla mnie czymś abstrakcyjnym, nie dotyczyło nikogo spośród tych, których naprawdę... – Mack się zawahał – ...nikogo spośród tych, na których mi naprawdę zależało.

– Zatem sądzisz, że Bogu takie decyzje przychodzą z łatwością, ale tobie nie? No, dalej, Mackenzie, które z pięciorga twoich dzieci skażesz na piekło? Kate teraz z tobą walczy. Źle cię traktuje i wypowiedziała pod twoim adresem wiele bolesnych słów. Może ona jest pierwszym i najbardziej logicznym wyborem? Jesteś sędzią, Mackenzie, i musisz coś postanowić.

– Nie chcę być sędzią – oświadczył Mack, wstając.

W głowie miał mętlik. To wszystko nie działo się naprawdę. Jak Bóg mógłby się od niego domagać, żeby wybrał spośród własnych dzieci? Nie było mowy, żeby skazał Kate czy którekolwiek z jej rodzeństwa na wieczność w piekle tylko dlatego, że zgrzeszyli przeciwko niemu. Nawet gdyby Kate, Josh, Jon albo Tyler popełnili jakąś ohydną zbrodnię, nigdy nie ukarałby ich w ten sposób. Nie potrafiłby! Nie chodziło o ich postępowanie, tylko o jego miłość do nich.

– Nie mogę tego zrobić – powiedział cicho.

– Musisz.

– Nie mogę – powtórzył głośniej i dobitniej.

– Musisz. – Głos kobiety nadal był łagodny.

– Nie... zrobię... tego! – wykrzyczał Mack. Krew w nim wrzała.

– Musisz – szepnęła kobieta.

– Nie mogę. Nie mogę. Nie zrobię! – Z Macka wylewały się słowa i emocje. Kobieta obserwowała go i spokojnie czekała. W końcu Mack spojrzał na nią błagalnym wzrokiem. – Mogę już sobie pójść? Jeśli potrzebujesz kogoś, żeby go dręczyć przez całą wieczność, ja go zastąpię. Może tak być? Zgadzasz się? – Padł jej do stóp, skamląc: – Proszę, weź mnie zamiast moich dzieci. Będę szczęśliwy... Proszę, błagam. Proszę... Proszę...

– Mackenzie, Mackenzie. – Głos kobiety był jak szklanka zimnej wody w upalny dzień. Dotknęła jego policzków, a potem dźwignęła go z ziemi. Patrząc przez łzy, Mack zobaczył, że uśmiecha się do niego promiennie. – Teraz mówisz jak Jezus. Okazałeś się dobrym sędzią, Mackenzie. Jestem z ciebie taka dumna!

– Przecież ja nikogo nie osądziłem – zdziwił się Mack.

– Ależ tak. Osądziłeś, że twoje potomstwo jest warte miłości, nawet gdybyś musiał zapłacić za nią najwyższą cenę. Oto jak kocha Jezus. – Kiedy Mack usłyszał te słowa, pomyślał o swoim nowym przyjacielu czekającym nad jeziorem. – I teraz wiesz, co czuje Ojciec, który kocha wszystkie swojej dzieci.

W umyśle Macka pojawił się obraz Missy. Poruszony, usiadł z powrotem na krześle.

– Co się stało, Mackenzie?

Mack uznał, że nie ma sensu niczego ukrywać.

– Rozumiem miłość Jezusa, ale Bóg to inna historia. Nie uważam, żeby byli do siebie podobni.

– Nie podobały ci się chwile spędzone z Tatą? – spytała kobieta, wyraźnie zaskoczona.

– Kocham Tatę, kimkolwiek jest. Wydaje się niezwykła, ale w niczym nie przypomina Boga, którego znam.

– Może masz niewłaściwe pojęcie o Bogu.

– Może. Jakoś trudno mi uwierzyć, że Bóg kochał Missy.

– Więc sąd trwa? – zapytała ze smutkiem kobieta.

Jej słowa pohamowały Macka, ale tylko na chwilę.

– A co mam myśleć? Ja po prostu nie rozumiem, jak Bóg mógł kochać Missy i pozwolić na to, co ją spotkało. Ona była niewinna. Nie zasłużyła na taki los.

– Wiem.

– Bóg wykorzystał ją, żeby ukarać mnie za to, co zrobiłem ojcu? – ciągnął Mack. – To niesprawiedliwe. Ona nie zasłużyła na karę, a Nan na cierpienie. – Łzy popłynęły po jego twarzy. – Ja może tak, ale one nie.

– Więc tak wygląda twój Bóg, Mackenzie? Nic dziwnego, że pogrążasz się w smutku. Ojciec nie jest taki. Nie karze ani ciebie, ani Missy, ani Nan. Nie on to zrobił.

– Ale nie powstrzymał mordercy.

– Istotnie. On nie przeciwdziała wielu rzeczom, które sprawiają mu ból. Wasz świat stacza się w przepaść. Zażądaliście niezależności, a teraz się gniewacie na tego, który kochał was na tyle mocno, żeby wam ją dać. Nic nie jest takie, jak zamierzył Bóg, jakie powinno być i będzie pewnego

dnia. Wasz świat tkwi pogrążony w mroku i chaosie, straszne rzeczy przytrafiają się tym, których Ojciec szczególnie
lubi.

– Więc dlaczego czegoś z tym nie zrobi?

– On już...

– Masz na myśli Jezusa?

– Nie widziałeś ran na rękach Taty?

– Nie zrozumiałem tego. Jak mógł...

– Z miłości. Wybrał krzyż, na którym miłosierdzie
triumfuje nad sprawiedliwością, z miłości. Wolałbyś, żeby
wybrał sprawiedliwość dla każdego? Chcesz sprawiedliwości, „drogi sędzio"? – Mówiąc to, uśmiechnęła się.

– Nie chcę – odparł Mack, spuszczając głowę. – Ani dla
mnie, ani dla moich dzieci.

Kobieta czekała.

– Nadal jednak nie rozumiem, dlaczego Missy musiała
umrzeć.

– Nie musiała, Mackenzie. Tata nie robi takich planów,
nie wykorzystuje zła, żeby osiągnąć swoje cele. To wy, ludzie, przyjęliście zło, a Bóg odpowiedział dobrocią. To, co
się stało z Missy, było dziełem zła, a nikt w twoim świecie
nie jest przed nim chroniony.

– Ale to tak bardzo boli. Musi istnieć lepszy sposób na zło.

– Istnieje. Tylko że teraz nie potrafisz go dostrzec. Odwrót od niezależności, Mackenzie. Zrezygnuj z bycia jego
sędzią i poznaj Ojca takiego, jaki jest. Wtedy w cierpieniu
będziesz mógł przyjąć Jego miłość, zamiast odtrącać Go
swoim egocentrycznym wyobrażeniem o idealnym kosmosie. Tata przeniknął do waszego świata, żeby być z wami,
żeby być z Missy.

Mack wstał z krzesła.

– Nie chcę być sędzią. Naprawdę chcę zaufać Tacie. – Kiedy Mack obchodził biurko, zauważył, że w jaskini jest teraz jaśniej. – Ale potrzebuję pomocy.

Kobieta uściskała Macka.

– To brzmi jak początek podróży do domu, Mackenzie. Bez wątpienia.

Ciszę panującą w pieczarze nagle przerwał dziecięcy śmiech. Dochodził zza jednej ze ścian, którą Mack teraz wyraźnie zobaczył, bo wokół niego zrobiło się jeszcze jaśniej. Kiedy spojrzał w jej stronę, kamienna powierzchnia stała się przezroczysta i do środka wlał się blask dnia. Zaskoczony Mack jak przez mgłę dostrzegł niewyraźne postacie bawiące się w oddali.

– Brzmią jak moje dzieci! – wykrzyknął ze zdumieniem.

Gdy podszedł do ściany, mgła zniknęła, jakby ktoś rozsunął kurtynę, i Mack ujrzał łąkę, a za nią jezioro. Na horyzoncie rysowały się wysokie góry pokryte śniegiem i gęstymi lasami, doskonałe w swoim majestacie. U ich podnóża stała przycupnięta chata, w której czekali na niego Tata i Sarayu. Tuż przed nim wypływał nie wiadomo skąd duży strumień i biegł ku jezioru przez rozległe pole porośnięte trawą i dzikimi kwiatami. Zewsząd dochodził śpiew ptaków, powietrze przesycał słodki zapach lata.

Wszystko to Mack zobaczył, usłyszał i poczuł w jednej chwili, ale zaraz potem jego wzrok przyciągnął ruch. Niecałe pięćdziesiąt jardów od miejsca, gdzie strumień wpadał do jeziora, bawiła się grupka osób, wśród których dostrzegł swoje dzieci: Jona, Tylera, Josha i Kate. Chwileczkę! Był tam jeszcze ktoś!

Mack głośno wciągnął powietrze i wytężył wzrok. Ruszył przed siebie, ale zatrzymała go niewidzialna przeszkoda, jakby nadal miał przed sobą kamienną ścianę. Mimo to i tak wszystko stało się jasne.

– Missy!

Była tam, kopała wodę bosymi stopami. Kiedy go usłyszała, oderwała się od grupki i pobiegła ścieżką, która kończyła się tuż przed nim.

– O, Boże! Missy! – wykrzyknął Mack i spróbował przedrzeć się przez zasłonę, która ich rozdzielała. Ku swojej konsternacji trafił na opór, jakby jakaś magnetyczna siła nie chciała go przepuścić i wpychała z powrotem do jaskini.

– Ona cię nie słyszy.

Mack nie zwrócił uwagi na słowa kobiety.

– Missy! – zawołał.

Była tak blisko. Wspomnienie, które usilnie starał się zachować w pamięci, ale które i tak powoli blakło, teraz na nowo odżyło. Mack rozejrzał się w poszukiwaniu jakiejś klamki albo uchwytu, żeby odsunąć przegrodę i dotrzeć do córki. Ale oczywiście niczego takiego tam nie było.

Tymczasem Missy dobiegła do końca ścieżki i stanęła tuż przed nim. Nie patrzyła na niego, tylko na coś, co znajdowało się pomiędzy nimi, coś dużego i najwyraźniej widzialnego tylko dla niej.

Mack w końcu przestał walczyć z tajemniczą siłą i odwrócił się do kobiety.

– Czy ona mnie widzi? Wie, że tu jestem? – zapytał z rozpaczą.

– Wie, że tu jesteś, ale nie może cię zobaczyć. Widzi tylko piękny wodospad, ale wie, że stoisz za nim.

– Wodospad! – Mack się roześmiał. – Missy nigdy nie ma dość wodospadów!

Teraz skupił się na córce, starając się zapamiętać każdy szczegół jej twarzy, włosów, rąk. I wtedy dziewczynka

uśmiechnęła się radośnie, a w jej policzkach zrobiły się do-
łeczki. Potem powiedziała bezgłośnie, w zwolnionym tempie, z wielką przesadą formując usta w słowa:

– Wszystko w porządku, ja... – narysowała te słowa
w powietrzu – cię kocham.

Tego było za wiele. Mack rozszlochał się z radości. Patrzył na córkę przez zasłonę spadającej wody i nie mógł
oderwać od niej wzroku. Jej widok i bliskość sprawiały mu
ból, kiedy tak stała w swojej charakterystycznej pozie, z jedną nogą wysuniętą do przodu i ręką na biodrze.

– U niej wszystko dobrze, tak? – wykrztusił przez łzy.

– Lepiej, niż myślisz. Doczesne życie to tylko przed-
smak wspanialszej rzeczywistości, która kiedyś nadejdzie,
i przygotowanie do tego, co Bóg zamierzył dawno temu.
W tym świecie nikt nie wykorzystuje w pełni swoich możliwości.

– Mogę do niej pójść? Tylko raz ją uścisnąć i pocałować? – poprosił cicho Mack.

– Nie. Ona tak chciała.

– Tak chciała? – zdziwił się Mack.

– Tak. Jest bardzo mądrym dzieckiem ta nasza Missy.
Szczególnie ją lubię.

– Ale na pewno wie, że tu jestem?

– Tak – uspokoiła go kobieta. – Bardzo czekała na ten
dzień, żeby móc pobawić się z siostrą i braćmi i być blisko
ciebie. Chciałaby, żeby tu była również jej mama, ale to
musi poczekać do innego razu.

Mack odwrócił się do kobiety.

– Wszystkie moje dzieci są tutaj naprawdę?

– I tak, i nie. Tak naprawdę jest tutaj tylko Missy. Pozostałe śnią i każde zachowa niejasne wspomnienie tej chwili, bardziej lub mniej szczegółowe, ale żadne nie będzie

dokładne i pełne. To bardzo spokojny sen dla każdego z nich, z wyjątkiem Kate. Ale Missy nie śpi.

Mack obserwował każdy ruch swojej ukochanej córeczki.

– Wybaczyła mi? – zapytał.

– Co miała ci wybaczyć?

– Że ją zawiodłem – wyszeptał Mack.

– Wybaczenie miałoby sens, gdyby było co wybaczać, a nie ma.

– Ale nie powstrzymałem tamtego mężczyzny. Porwał ją, kiedy nie zwracałem uwagi... – Urwał raptownie.

– O ile pamiętasz, ratowałeś syna. Tylko ty w całym wszechświecie uważasz, że jesteś winny. Missy w to nie wierzy, ani Nan, ani Tata. Może czas skończyć z tym samooskarżaniem, Mackenzie? Nawet gdybyś miał za co się winić, jej miłość jest dużo większa niż twój błąd.

W tym momencie ktoś zawołał Missy i Mack rozpoznał ten głos. Dziewczynka krzyknęła radośnie i pobiegła w stronę jeziora. Po kilku krokach zatrzymała się i wróciła do Macka. Rozpostarła ręce, pokazując, że go obejmuje, zamknęła oczy i, ściągając usta, posłała mu całusa. Mack też ją uściskał zza swojej bariery. Przez chwilę Missy stała bez ruchu, jakby chciała, żeby jej obraz wrył mu się w pamięć, a następnie mu pomachała, odwróciła się i popędziła do rodzeństwa.

Teraz Mack wyraźnie zobaczył osobę, która zawołała jego córkę. To był Jezus. Bawił się razem z jego dziećmi. Missy bez wahania rzuciła mu się w ramiona, a on zakręcił nią parę razy i postawił na ziemi. Wszyscy się roześmiali, a potem zaczęli szukać gładkich kamyków, żeby puszczać kaczki. Odgłosy ich radosnej zabawy były symfonią dla uszu Macka. Kiedy tak ich obserwował, po twarzy popłynęły mu łzy.

Nagle tuż przed nim, z góry runęła z hukiem woda, zasłaniając mu dzieci i zagłuszając ich wesołe głosy. Mack cofnął się odruchowo i wtedy zobaczył, że ściany ogromnej jaskini zniknęły, a on stoi w płytkiej grocie po drugiej stronie wodospadu.

Poczuł lekki dotyk na ramionach.

– To już koniec? – zapytał.

– Na razie – odpowiedziała kobieta czułym tonem. – Mackenzie, w sądzeniu nie chodzi o niszczenie, tylko o naprawianie.

Mack się uśmiechnął.

– Już nie czuję się zagubiony.

Gdy pokierowała nim łagodnie ku brzegowi wodospadu, Mack zobaczył, że Jezus stoi na plaży i nadal rzuca kamykami.

– Chyba ktoś na ciebie czeka.

Kobieta delikatnie zacisnęła mu dłonie na ramionach, a potem je zabrała. Mack nie obejrzał się, ale wiedział, że już jej tam nie ma. Ostrożnie wspiął się po mokrych, śliskich głazach, okrążył wodospad i zroszony przez odświeżającą mgłę wyszedł w blask dnia.

Wyczerpany, ale spokojny zatrzymał się na chwilę i przymknął oczy. Starał się na zawsze utrwalić w pamięci szczegóły spotkania z Missy, żeby w dniach, które nadejdą, móc przywołać każdą jej minę i gest.

Nagle zatęsknił za Nan. Bardzo.

12

W brzuchu bestii

„Ludzie nigdy nie popełniają zła tak bezgranicznie i ochoczo jak wtedy, gdy czynią je pod wpływem przekonań religijnych".

Blaise Pascal

„Gdy usuwa się Boga, rząd staje się Bogiem".

G.K. Chesterton

Idąc ścieżką w stronę jeziora, Mack nagle uświadomił sobie, że czegoś mu brakuje. Stały towarzysz, Wielki Smutek, zniknął bez śladu, jakby zmyły go mgły, kiedy Mack przechodził przez kurtynę wodospadu. Jego nieobecność wydawała się dziwna. Przez ostatnie lata przygnębienie było dla niego normalnym stanem, więc kiedy teraz niespodziewanie go opuściło, Mack poczuł się wręcz nieswojo. Normalność to mit, pomyślał.

Wielki Smutek przestał być częścią jego tożsamości. Mack już wiedział, że Missy nie będzie miała nic przeciwko temu, jeśli on na dobre uwolni się od żalu. Na pewno nie chciałaby, żeby nadal pogrążał się w czarnej melancholii, i litowałaby się nad nim, gdyby było inaczej. Mack zastanawiał się, kim teraz będzie, zaczynając każdy dzień bez poczucia winy i rozpaczy, które odbierały jego życiu wszelki smak.

Kiedy wszedł na polanę, zobaczył, że Jezus nadal na niego czeka.

– Hej, mój rekord to trzynaście odbić – pochwalił się ze śmiechem, wychodząc mu na spotkanie. – Ale Tyler pokonał mnie o trzy, a Josh nadał jednemu kamieniowi taką prędkość, że wszyscy straciliśmy rachubę. – Kiedy się uściskali na powitanie, Jezus dodał: – Masz wyjątkowe dzieci, Mack. Ty i Nan dobrze je kochaliście. Kate się buntuje, jak wiesz, ale jeszcze nie zrobiliśmy wszystkiego.

Swoboda i zażyłość, z jakimi Jezus mówił o jego dzieciach, głęboko poruszyły Macka.

– Więc już ich tu nie ma?

– Tak, wróciły do swoich snów, oczywiście z wyjątkiem Missy.

– Czy ona...? – zaczął Mack.

– Bardzo się cieszyła, że była tak blisko ciebie i że czujesz się lepiej.

Mack z trudem zachował panowanie nad sobą. Jezus zrozumiał jego emocje i zmienił temat.

– Jak spotkanie z Sofią?

– Z Sofią? Ach, więc tak ma na imię! – wykrzyknął Mack, a po jego twarzy przemknął wyraz lekkiej konsternacji. – Czy to znaczy, że jest was czworo? Ona też jest Bogiem?

Jezus się roześmiał.

– Nie, Mack. Jest nas tylko troje. Sofia to personifikacja mądrości Taty.

– Jak w Przypowieściach Salomona, gdzie mądrość jest przedstawiana jako kobieta, która woła na ulicach, szukając kogoś, kto zechce jej wysłuchać?

– To ona.

– A wydawała się taka prawdziwa. – Mack schylił się, żeby rozwiązać sznurowadła.

– O, jest całkiem prawdziwa – zapewnił go Jezus. Rozejrzał się, jakby chciał sprawdzić, czy ktoś ich nie obserwuje, i szepnął: – Jest częścią tajemnicy otaczającej Sarayu.

– Kocham Sarayu! – wykrzyknął Mack i trochę się speszył, zaskoczony własną wylewnością.

– Ja też! – Jezus powiedział to z emfazą.

Obaj poszli na brzeg i przez chwilę stali w milczeniu, patrząc na chatę po drugiej stronie jeziora.

– Czas spędzony z Sofią był straszny i cudowny – odezwał się w końcu Mack, odpowiadając na wcześniejsze pytanie Jezusa. Nagle zauważył, że słońce jest jeszcze wysoko na niebie. – A właściwie jak długo mnie nie było?

– Krótko, jakieś piętnaście minut – odparł Jezus. Widząc zdziwienie Macka, dodał: – W towarzystwie Sofii czas biegnie inaczej niż normalnie.

– Uhm – mruknął Mack. – Wątpię, czy przy niej w ogóle coś jest normalne.

– Tak naprawdę przy niej wszystko jest normalne i elegancko proste – stwierdził Jezus, rzucając ostatni kamyk. – Ponieważ jesteś tak zagubiony i niezależny, wniosłeś w wasze spotkanie wiele komplikacji i w rezultacie nawet jej prostotę uznałeś za głęboką.

– Więc ja jestem skomplikowany, a ona nie. No, no! Mój świat przewrócił się do góry nogami. – Mack siedział na pniu i zdejmował buty. – Potrafisz mi odpowiedzieć na jedno pytanie? Jest środek dnia, a moje dzieci były tutaj w swoich snach. Jak to możliwe? Czy w ogóle coś z tego, co się tu dzieje, jest prawdziwe? A może ja też tylko śnię?

190

Jezus znowu się roześmiał.

– Jeśli interesuje cię, jak to wszystko działa, lepiej nie pytaj, Mack. Od samego myślenia kręci się w głowie. Ma to coś wspólnego ze sprzężeniem czasoprzestrzennym. Czas nie stanowi ograniczeń dla Tego, który go stworzył. Zresztą to działka Sarayu. Ją zapytaj, jeśli chcesz.

– Nie, chyba sobie daruję – powiedział Mack ze śmiechem. – Po prostu byłem ciekaw.

– A jeśli pytasz, czy to dzieje się naprawdę, to zapewniam cię, że jak najbardziej. – Jezus umilkł na chwilę, żeby skupić na sobie uwagę Macka. – Lepsze byłoby pytanie: „Co jest rzeczywiste?".

– Dochodzę do wniosku, że nie mam pojęcia – przyznał Mack.

– Czy stałoby się mniej rzeczywiste, gdybyś śnił?

– Chyba byłbym rozczarowany.

– Dlaczego? Tutaj dzieje się więcej, niż jesteś w stanie ogarnąć zmysłami. Zapewniam cię, że wszystko to jest bardzo prawdziwe, dużo bardziej rzeczywiste niż życie, które znałeś.

Mack się zawahał, ale potem postanowił zaryzykować i spytał:

– Jeszcze jedno nie daje mi spokoju w związku z Missy.

Jezus usiadł obok niego na pniu. Mack pochylił się i oparł łokcie na kolanach, patrząc na kamyki pod nogami.

– Wciąż o niej myślałem, samej w tamtej ciężarówce, przerażonej...

Jezus położył dłoń na jego ramieniu i rzekł łagodnie:

– Mack, ona nigdy nie była sama. Nie opuściłem jej. Nie opuściliśmy jej ani na chwilę. Nie mógłbym tego zrobić, tak samo jak nie mógłbym opuścić siebie.

– Wiedziała, że jesteś przy niej?

– Tak, wiedziała. Nie od początku. Czuła obezwładniający strach, była w szoku. Minęły godziny, zanim dotarli tutaj z kempingu. Ale Sarayu otoczyła ją sobą i Missy się uspokoiła. Długa jazda dała nam szansę na to, żeby porozmawiać.

Mack próbował zrozumieć. Nie mógł dobyć głosu.

– Miała tylko sześć lat, ale zostaliśmy przyjaciółmi. Rozmawialiśmy. Missy nie miała pojęcia, co się stanie. Bardziej martwiła się o ciebie i rodzeństwo. Wiedziała, że nie możecie jej znaleźć. Modliła się za was, za wasz spokój.

Mack zaszlochał. Łzy płynęły po jego policzkach, ale tym razem nie wstydził się swojego wzruszenia. Jezus objął go delikatnie i przytulił.

– Nie sądzę, żebyś chciał poznać wszystkie szczegóły. Na pewno ci nie pomogą. Ale mogę cię zapewnić, że ani na chwilę nie została sama. Poznała mój spokój. Byłbyś z niej dumny. Była taka dzielna!

Łzy płynęły swobodnie, ale nawet Mack zauważył, że teraz jest inaczej. Już nie był sam. Bez wstydu szlochał na ramieniu człowieka, którego pokochał. I czuł, że opuszcza go napięcie, powoli ustępując miejsca głębokiej uldze. W końcu wziął głęboki wdech i uniósł głowę.

Potem bez słowa wstał, przewiesił buty przez ramię i wszedł do jeziora. Był trochę zaskoczony, kiedy po pierwszym kroku znalazł się po kostki w zimnej wodzie, ale nie przejął się tym. Zatrzymał się, podwinął nogawki spodni i zrobił następny krok. Tym razem zanurzył się do pół łydki, a po kolejnym kroku do kolan, ale nadal czuł pod stopami dno. Obejrzał się i zobaczył, że Jezus obserwuje go, stojąc na brzegu z rękami skrzyżowanymi na piersi.

Mack odwrócił się i spojrzał na drugi brzeg. Nie wiedział, dlaczego tym razem mu nie wychodzi, ale był zdecydowany próbować dalej. W obecności Jezusa nie miał się czego

192

obawiać. Wprawdzie perspektywa długiej, zimnej kąpieli nie była zbyt zachęcająca, ale Mack pomyślał, że w razie czego przepłynie jezioro.

Na szczęście, kiedy zrobił następny krok, nie zanurzył się głębiej, tylko uniósł trochę, a po paru kolejnych stanął na powierzchni. Jezus przyłączył się do niego i razem poszli w stronę chaty.

– Wychodzi lepiej, kiedy robimy to razem, nie sądzisz? – rzucił Jezus z uśmiechem.

– Chyba muszę się jeszcze sporo nauczyć. – Mack też się uśmiechnął.

Uświadomił sobie, że nie ma dla niego znaczenia, w jaki sposób pokona jezioro: płynąc czy idąc po powierzchni, choć to ostatnie było świetne. Liczyło się tylko to, że Jezus jest przy nim. Chyba jednak zaczynał mu ufać, nawet jeśli tylko w sprawie chodzenia po wodzie.

– Dziękuję, że jesteś ze mną, że rozmawiamy o Missy. Nie mówiłem o niej z nikim. To wszystko wydawało mi się przerażające. Teraz już nie ma takiej mocy.

– Ciemność wyolbrzymia lęki, kłamstwa i żale – wyjaśnił Jezus. – Prawda jest taka, że są one bardziej cieniami niż rzeczywistością, więc w mroku wydają się większe. Kiedy do miejsc, gdzie w tobie żyją, dociera światło, zaczynasz widzieć je takimi, jakie są.

– Ale dlaczego ukrywamy je w sobie? – zapytał Mack.

– Bo wierzymy, że tam jest bezpieczniej. I czasami, kiedy w dzieciństwie starasz się jakoś przetrwać, istotnie tam jest bezpieczniej. Potem dorastasz, ale w środku pozostajesz dzieckiem zagubionym w mrocznej jaskini, w której czają się potwory, i z nawyku dołączasz je do swojej kolekcji. Wszyscy gromadzimy rzeczy, które są dla nas cenne, prawda?

Mack się uśmiechnął. Jezus mówił to samo, co Sarayu powiedziała o zbieraniu łez.

– Więc jak ma to zmienić ktoś, kto zgubił się w ciemności jak ja?

– Przede wszystkim powoli – odparł Jezus. – I zapamiętaj, że sam nie dasz rady. Niektórzy ludzie próbują różnego rodzaju mechanizmów obronnych i autosugestii. Ale potwory nadal tam są i tylko czekają na okazję, żeby wyjść.

– Więc co mam teraz zrobić?

– To, co już robisz, Mack. Uczysz się, jak żyć kochanym. Ludziom nie jest łatwo to pojąć. Ty zawsze miałeś kłopoty z dzieleniem się. – Jezus zaśmiał się i mówił dalej: – Tak więc chcemy, żebyś wrócił do nas, a wtedy my przyjdziemy, urządzimy w tobie swój dom i zamieszkamy razem. To prawdziwa przyjaźń, a nie wyimaginowana. Będziemy wspólnie podróżować przez życie, twoje życie, prowadzić dialog. Ty zaczniesz czerpać z naszej mądrości i nauczysz się kochać naszą miłością, a my... będziemy wysłuchiwać twoich narzekań, gderania, pretensji i...

Mack roześmiał się i trącił Jezusa łokciem.

– Stój! – krzyknął Jezus i zamarł w bezruchu. W pierwszej chwili Mack pomyślał, że może go obraził, ale jego towarzysz uważnie wpatrywał się w wodę. – Widzisz go? Spójrz, znowu tu płynie.

– Co? – Mack przysunął się bliżej i osłonił oczy.

– Patrz! Tam! – Jezus starał się mówić ściszonym głosem. – Jest piękny. Musi mieć ze dwie stopy długości!

I wtedy jakieś dwie stopy pod powierzchnią wody Mack zobaczył wielkiego pstrąga, najwyraźniej nieświadomego poruszenia, które wywołał.

– Od tygodni próbuję go złapać, a on tu sobie podpływa, żeby się ze mną drażnić – powiedział Jezus ze śmiechem.

Pochylił się i zaczął skakać na boki, próbując schwytać rybę. W końcu się poddał i podekscytowany jak małe dziecko spojrzał na Macka, który obserwował go ze zdumieniem.

– Jest wspaniały, prawda? Pewnie nigdy go nie złapię.

Mack był oszołomiony tą sceną.

– Dlaczego po prostu nie rozkażesz mu... czy ja wiem, wskoczyć do twojej łodzi albo połknąć haczyk. Czyż nie jesteś Panem Stworzenia?

– Jasne – powiedział Jezus, przesuwając dłońmi po wodzie. – Ale co to by była za zabawa? – Podniósł wzrok i uśmiechnął się szeroko.

Mack nie wiedział, czy ma się radować, czy płakać. Uświadomił sobie, jak bardzo pokochał tego człowieka, który był również Bogiem.

Gdy w końcu ruszyli w stronę pomostu, odważył się zadać następne pytanie:

– Dlaczego nie powiedzieliście mi o Missy wcześniej, na przykład zeszłej nocy, rok temu albo...?

– Nie myśl, że nie próbowaliśmy. Zauważyłeś, że w swoim bólu myślałeś o mnie najgorsze rzeczy? Mówiłem do ciebie od dłuższego czasu, ale dzisiaj po raz pierwszy mnie wysłuchałeś. Jednak poprzednie próby nie były stratą czasu. Jak małe, pojedyncze rysy na ścianie łączą się ze sobą i tworzą duże pęknięcie, tak ciebie doświadczenia przygotowały na dzisiejszy dzień. Nie można się śpieszyć, szykując glebę pod siew.

– Nie wiem, dlaczego tak bardzo się opierałem – wyznał Mack. – Teraz wydaje mi się to głupie.

– Chodzi o właściwy moment, kiedy ma na ciebie spłynąć łaska, Mack. Gdyby w całym wszechświecie żyła tylko jedna ludzka istota, sprawa byłaby prosta. Ale dodaj kolejnego człowieka i... znasz resztę historii. Każdy wybór przetacza się falami przez czas i relacje, nakłada na inne wybory. Powstaje wielki bałagan, w którym tylko Bóg potrafi się rozeznać i tka z niego wspaniały gobelin.

– Więc jedyne, co mogę zrobić, to go słuchać – stwierdził Mack.

– Właśnie o to chodzi. Teraz zaczynasz rozumieć, co to znaczy być naprawdę człowiekiem.

Gdy dotarli na miejsce, Jezus wskoczył na pomost i odwrócił się, żeby pomóc Mackowi. Razem usiedli na deskach i zwiesili nogi nad wodą. Przez jakiś czas obserwowali, jak wiatr marszczy powierzchnię jeziora. Mack pierwszy przerwał milczenie.

– Czy kiedy patrzyłem na Missy, widziałem Niebo? Takie odniosłem wrażenie.

– Cóż, Mack, naszym ostatecznym celem nie jest Niebo, którego obraz nosisz w głowie, no wiesz, perłowe bramy, ulice ze złota. Chodzi o oczyszczenie świata, żeby wyglądał tak jak tutaj.

– A co z perłowymi bramami i złotymi ulicami?

– To jest obraz mnie i kobiety, którą kocham – odparł Jezus, kładąc się na pomoście i zamykając oczy.

Mack spojrzał na niego badawczo, ale jego towarzysz najwyraźniej nie żartował.

– Mojej narzeczonej, Kościoła – powiedział Jezus. – Jednostek tworzących razem duchowe miasto, przez które płynie żywa rzeka, a na jej brzegach rosną drzewa z owocami leczącymi choroby i smutki narodów. To miasto jest zawsze otwarte, każda prowadząca do niego brama jest zrobiona z jednej perły... – Otworzył jedno oko i spojrzał na Macka. – To będę ja! – Gdy zobaczył minę Macka, wyjaśnił: – Perły to jedyny klejnot powstały z bólu, cierpienia i... wreszcie śmierci.

– Rozumiem. Jesteś drogą, ale... – Mack zrobił pauzę, szukając właściwych słów. – Mówisz o Kościele jako o kobiecie, którą kochasz. Ja jej nie poznałem. Nie odwiedzam jej w niedziele. – Ostatnie słowa niemal wyszeptał, niepewny, czy może coś takiego bezpiecznie powiedzieć na głos.

– Bo widzisz tylko instytucję stworzoną przez człowieka. Nie przyszedłem po to, żeby ją zbudować. Mnie chodzi o ludzi i ich życie, o wspólnotę tych, którzy kochają mnie, a nie budynki czy programy.

Mack w pierwszej chwili oniemiał, kiedy usłyszał, że Jezus mówi o Kościele w taki sposób, ale z drugiej strony niezbyt go to zdziwiło. Właściwie poczuł ulgę.

– Więc jak mam stać się częścią tej wspólnoty? – zapytał. – Jak poznać tę kobietę, w której jesteś najwyraźniej zadurzony.

– To proste, Mack. Chodzi o więzi międzyludzkie i zwykłe dzielenie życia. Rób to, co teraz robimy, bądź otwarty i dostępny dla innych. Mój Kościół to ludzie, a życie to relacje. Sam go nie zbudujesz. To moje zadanie i jestem w tym dobry. – Jezus się roześmiał.

Dla Macka te słowa były niczym tchnienie świeżego powietrza. Jakie to proste – nie przypomina wyczerpującej pracy, długiej listy wymagań, siedzenia na niekończących się spotkaniach modlitewnych i wpatrywania się w plecy ludzi, których nawet nie znał.

– Ale, zaczekaj... – Mack miał mnóstwo wątpliwości. Może coś źle zrozumiał. To wszystko wydawało się zbyt proste. Czyżby ludzie byli aż tak zagubieni i niezależni, żeby komplikować najprostsze rzeczy? Dlatego powstrzymał się przed roztrząsaniem tego, co już zaczynał pojmować. Gdyby teraz zaczął zadawać pytania, byłoby tak, jakby rzucał grudy ziemi w czystą wodę małego stawu. – Mniejsza o to – bąknął w końcu.

– Mack, nie musisz wszystkiego od razu rozgryźć – powiedział Jezus. – Po prostu bądź ze mną.

Po chwili zastanowienia Mack położył się obok niego na pomoście i osłonił oczy przed popołudniowym słońcem, żeby obserwować chmury sunące po niebie.

– Szczerze mówiąc, nie jestem zbyt rozczarowany, że ulice ze złota nie są główną nagrodą – odezwał się po dłuższym milczeniu. – Zawsze wydawało mi się to nudne, a teraz wiem, że wcale nie jest tak wspaniałe jak przebywanie tutaj z tobą.

Po tych słowach znowu przez jakiś czas rozkoszował się chwilą. Słuchał szumu wiatru przegarniającego gałęzie drzew, chichotu pobliskiego strumyka, który wpadał do jeziora. Dzień był piękny, krajobraz zapierał dech w piersiach.

– Naprawdę chcę zrozumieć – nie wytrzymał w końcu Mack. – To znaczy odkryć, dlaczego jesteś tak inny od Jezusa, którego znam z tych wszystkich religijnych opowiastek.

– Wiesz, że niezależnie od dobrych intencji religijna machina potrafi pożerać ludzi! – rzekł Jezus ostrzejszym tonem. – Bardzo dużo z tego, co jest robione w moim imieniu, nie ma ze mną nic wspólnego, a często jest wręcz sprzeczne, choćby niezamierzenie, z moimi celami.

– Nie przepadasz za religią i instytucjami? – rzucił Mack. Sam nie wiedział, czy zadaje pytanie, czy dzieli się spostrzeżeniem.

– Ja nie tworzę instytucji. Nigdy tego nie robiłem i nie będę robił.

– A co z instytucją małżeństwa?

– Małżeństwo to nie instytucja, tylko więź. – Jezus znowu mówił głosem spokojnym i cierpliwym. – Jak już

198

wspomniałem, ja nie tworzę instytucji. To zajęcie dla tych, którzy chcą odgrywać Boga. A więc owszem, nie przepadam za religią, podobnie jak za polityką czy ekonomią. – Jego oblicze wyraźnie spochmurniało. – Zresztą dlaczego miałoby być inaczej? Ta stworzona przez człowieka groźna trójca pustoszy ziemię i mami tych, na których mi zależy. Czy zamęt i niepokój, doświadczany przez ludzką istotę, nie jest ściśle związany z tymi trzema czynnikami?

Mack się zawahał. Nie był pewien, co odpowiedzieć. To wszystko było dla niego za trudne. Widząc jego puste spojrzenie, Jezus wyjaśnił:

– Mówiąc po prostu, wykorzystuje się je, żebe wzmocnić złudzenie bezpieczeństwa i kontroli. Ludzie boją się niepewności, boją się przyszłości. Te instytucje, struktury i ideologie są rezultatem próżnych wysiłków, żeby zyskać poczucie bezpieczeństwa i pewności tam, gdzie ich nie ma. To wszystko fałsz! Systemy nie są w stanie zapewnić ci spokoju ducha, tylko ja mogę to zrobić.

– Nie tak prędko! – Tylko tyle Mack zdołał z siebie wykrzesać. Świat, w którym jakoś nauczył się poruszać, raptem legł w gruzach. – Więc... – Gdy nadal nic mądrego nie przychodziło mu do głowy, zamienił to słowo w pytanie: – Więc?

– Nie mam żadnego tajnego planu, Mack. Wprost przeciwnie. Przybyłem, żeby dać ci pełnię życia. Swoje życie. Radość, prostotę i czystość coraz silniejszej przyjaźni.

– A, rozumiem!

– Jeśli postanowisz doświadczyć jej beze mnie, bez dialogu i wspólnej podróży, będzie to przypominało samodzielne próby chodzenia po wodzie. Kiedy zaryzykujesz, nawet mając dobre intencje, utoniesz. Przecież ratowałeś już kiedyś tonącego...

Mięśnie Macka napięły się mimo woli. Nie lubił przypominać sobie Josha uwięzionego pod kajakiem i paniki, która go wtedy ogarnęła.

– Bardzo trudno jest ratować kogoś, kto nie chce ci zaufać – dodał Jezus.

– To prawda.

– A ja proszę cię tylko o jedno. Kiedy zaczynasz tonąć, pozwól mi się uratować.

Prośba nie wyglądała na trudną do spełnienia, ale Mack był przyzwyczajony do tego, że jest ratownikiem, a nie ratowanym.

– Jezu, nie jestem pewien, jak...

– Pokażę ci. Wystarczy, że dasz mi odrobinę tego, co masz, i razem będziemy patrzeć, jak rośnie.

Mack zaczął wkładać skarpetki i buty.

– Gdy siedzę tutaj z tobą, nie wydaje mi się to wszystko takie trudne. Ale kiedy pomyślę o swoim normalnym życiu w domu, nie wiem, jak mógłbym spełnić twoją prośbę. Jak każdy dążę do tego, by mieć nad wszystkim kontrolę. Polityka, ekonomia, system społeczny, rachunki, rodzina, zobowiązania... potrafią przytłoczyć człowieka. Nie wiem, jak to zmienić.

– Nikt tego od ciebie nie wymaga! – uspokoił go Jezus. – To zadanie Sarayu. Ona wie, jak wpłynąć na człowieka, nie zmuszając go do niczego. Zresztą nie jest to jednorazowe działanie, tylko cały proces. Ja chcę jedynie, żebyś powierzył mi to, co masz, i zaczął obdarzać ludzi wokół siebie taką samą miłością, jaka nas łączy. Nie musisz ich zmieniać ani przekonywać. Masz ich kochać bez żadnych warunków czy planów.

– Właśnie tego chcę się nauczyć.

– I uczysz się. – Jezus mrugnął do niego.

Wstał z desek pomostu i się przeciągnął.

– Mówiono mi tyle kłamstw – stwierdził Mack, idąc w jego ślady.

Jezus objął go ramieniem i uścisnął.

– Wiem, Mack, mnie również. Tylko że ja po prostu nie uwierzyłem w żadne.

Kiedy dotarli na brzeg, Jezus położył dłoń na ramieniu Macka i delikatnie odwrócił go do siebie, tak że stanęli twarzą w twarz.

– Mack, świat jest urządzony tak, jak jest. Instytucje, ustroje, ideologie i inne rzeczy wymyślone przeze ludzi są wszechobecne i kontakt z nimi jest nieunikniony. Ale mogę dać ci wolność, która pozwoli ci przezwyciężyć każdy system władzy, czy to religijny, ekonomiczny, społeczny, czy polityczny. Zyskasz swobodę poruszania się w nich albo między nimi, pozostawania wewnątrz albo na zewnątrz. Razem, ty i ja, możemy być w środku, ale nie stanowić ich części.

– Ale tylu ludzi, na których mi zależy, chce być ich częścią! – Mack miał na myśli głęboko wierzących znajomych, którzy nieraz okazywali troskę jego rodzinie. Kochali Jezusa, lecz jednocześnie całym sercem oddawali się działalności religijnej i patriotycznej.

– Mack, ja ich kocham, a ty źle oceniasz wielu z nich – rzekł Jezus. – Musimy znaleźć sposoby, żeby ich kochać i im służyć, nie sądzisz? Pamiętaj, że ludzie, którzy mnie znają, potrafią żyć i kochać bez żadnego przyjętego programu.

– Czy to właśnie znaczy być chrześcijaninem? – W chwili, gdy Mack wymówił te słowa, od razu wydały mu się głupie, ale akurat takie nasunęło mu się podsumowanie wszystkiego, co do tej pory usłyszał.

– A kto mówił o byciu chrześcijaninem? Ja nim nie jestem.

To dziwne stwierdzenie tak zaskoczyło Macka, że nie zdołał pohamować uśmiechu.

– Chyba nie – przyznał.

Gdy dotarli do szopy, Jezus się zatrzymał i powiedział:

– Ci, którzy mnie kochają, wywodzą się ze wszystkich systemów, jakie istnieją. Byli buddystami, mormonami, baptystami albo muzułmanami, demokratami i republikanami. Niektórzy z nich nie głosują, nie chodzą na niedzielne msze ani nie należą do żadnego Kościoła. Wśród moich wyznawców są mordercy i obłudnicy, bankierzy i bukmacherzy, Amerykanie, Irakijczycy, Żydzi i Palestyńczycy. Nie mam ochoty robić z nich chrześcijan, a jedynie pragnę im pomóc w przemianie w synów i córki Taty, w moich braci i siostry, w moich Umiłowanych!

– Czy to znaczy, że wszystkie drogi prowadzą do ciebie? – zapytał Mack.

– Nie wszystkie – odparł Jezus z uśmiechem. – Większość prowadzi donikąd. To znaczy jedynie, że ja przebędę każdą drogę, żeby ciebie odnaleźć. – Sięgnął do klamki. – Mack, mam parę rzeczy do zrobienia w warsztacie, więc spotkamy się później.

– Dobrze. Co mam robić?

– Co chcesz, Mack, popołudnie należy do ciebie. – Jezus poklepał go po ramieniu i uśmiechnął się szeroko. – Jeszcze ostatnia rzecz. Pamiętasz, jak mi wcześniej dziękowałeś, że pozwoliłem ci zobaczyć Missy? To był pomysł Taty. – Po tych słowach odwrócił się, pomachał mu przez ramię i wszedł do szopy.

Mack już wiedział, co chce robić. Ruszył do chaty, żeby odszukać Tatę.

13

Spotkanie serc

„Fałsz ma nieskończoną liczbę postaci, natomiast prawda tylko jedną formę istnienia".

Jan Jakub Rousseau

Kiedy Mack zbliżył się do chaty, poczuł zapach babeczek, rogalików albo jakiegoś innego smakołyku. Dzięki manipulacjom Sarayu mogła dopiero minąć pora lunchu, ale Mack odnosił wrażenie, jakby nie jadł od wielu godzin. Nawet gdyby był ślepy, nie miałby trudności ze znalezieniem drogi do stołu. Ale kiedy wszedł przez tylne drzwi, z zaskoczeniem i rozczarowaniem stwierdził, że kuchnia jest pusta.

— Jest tu kto?! — zawołał.

— Na ganku, Mack — dobiegł głos przez otwarte okno. — Weź sobie coś do picia i chodź do mnie.

Mack nalał sobie kawy i wyszedł przed dom. Tata siedziała z zamkniętymi oczami na starym ogrodowym krześle i pławiła się w słońcu.

— A cóż to? Bóg znalazł chwilę czasu, żeby się poopalać? Nie masz nic lepszego do roboty dziś po południu?

— Nie masz pojęcia, co ja teraz robię.

Mack usiadł na drugim takim samym krześle, a Tata uchyliła jedną powiekę. Między nimi na małym stoliku stała taca pełna kalorycznych wypieków, świeżego masła, dżemów i galaretek.

– O rany, ale pachnie! – wykrzyknął Mack.

– Bierz się do jedzenia. Ten przepis pożyczyłam od twojej prapraprababci. I zrobiłam je z niczego. – Tata uśmiechnęła się szeroko.

Mack nie był pewien, co w ustach Boga oznacza „zrobione z niczego", ale postanowił zaryzykować. Wziął jeszcze ciepłe ciastko i zatopił w nim zęby; rozpływało się w ustach.

– Pycha! – wymamrotał. – Dziękuję!

– Musisz podziękować swojej prapraprababci, kiedy ją zobaczysz.

– Mam nadzieję, że nieprędko – rzucił Mack między kęsami.

– Nie chciałbyś wiedzieć? – spytała Tata, puszczając do niego oko, i znowu wystawiła twarz do słońca.

Kiedy Mack zjadł następną babeczkę, zebrał się na odwagę, żeby powiedzieć, co mu leży na sercu.

– Tato? – Po raz pierwszy zwrócił się w ten sposób do Boga i wcale nie poczuł się niezręcznie.

– Tak? – Tata otworzyła oczy i uśmiechnęła się z błogością.

– Byłem dla ciebie dość surowy.

– Hm. Zdaje się, że Sofia jakoś do ciebie dotarła.

– O, tak! Nie miałem pojęcia, że odgrywałem rolę twojego sędziego. To było strasznie aroganckie.

– Owszem – potwierdziła z uśmiechem Tata.

– Tak mi przykro. Naprawdę nie miałem pojęcia... – Mack ze smutkiem potrząsnął głową.

– To już należy do przeszłości i niech tam pozostanie. Nie chcę, żebyś się kajał, Mack. Zależy mi tylko na tym, żebyśmy się do siebie zbliżyli.

– Ja też tego pragnę – zapewnił Mack, sięgając po następne ciastko. – Nie zjesz nawet jednego?

– Nie, ale ty się nie krępuj. Wiesz, jak to jest. Gdy zaczynasz próbować to, co gotujesz, przechodzi ci cały apetyt. Jedz śmiało. – Podsunęła mu tacę.

Mack wziął ciastko i usiadł wygodniej, żeby się nim rozkoszować.

– Jezus powiedział, że to był twój pomysł, żebym dziś po południu spędził chwilę z Missy. Nie znajduję słów, żeby podziękować!

– Ach, nie ma za co, skarbie. Mnie również sprawiło to wielką radość! Już nie mogłam się doczekać waszego spotkania.

– Chciałbym, żeby Nan tu była.

– Byłoby idealnie! – zgodziła się Tata z entuzjazmem.

Mack przez chwilę siedział w milczeniu, niepewny, jak zareagować.

– Czyż Missy nie jest wyjątkowa? – powiedziała Tata, kiwając głową. – O, tak, szczególnie ją lubię.

– Ja też! – Mack rozpromienił się na myśl o swojej księżniczce za wodospadem.

Księżniczce? Wodospad? Chwileczkę! Tata obserwowała go uważnie. Niemal było widać, jak w głowie Macka obracają się trybiki.

– Oczywiście wiesz o fascynacji mojej córki wodospadami, a szczególnie legendą o księżniczce Multnomah – stwierdził Mack, a Tata potwierdziła skinieniem głowy. – O to chodzi? Musiała umrzeć, żebym ja mógł się zmienić?

– Hej, Mack. – Tata się pochyliła. – Ja nie działam w taki sposób.

– Ale ona tak lubiła tę historię.

– Tak. I dlatego doceniła, co Jezus zrobił dla niej i dla całej ludzkiej rasy. Historie o ludziach gotowych oddać życie za innych są w waszym świecie zapisane złotymi zgłoskami. Ujawniają zarówno wasze potrzeby, jak i moje intencje.

– Ale gdyby ona nie umarła, nie byłoby mnie tutaj teraz...

– Mack, to, że z niewyobrażalnych tragedii potrafię wydobyć dobro, nie oznacza, że je reżyseruję. Nie waż się myśleć, że kiedy wykorzystuję jakąś sytuację, sama do niej doprowadziłam albo że jej potrzebowałam, by osiągnąć swoje cele. Rozumując w taki sposób, dojdziesz do fałszywych wniosków na mój temat. Łaska nie zależy od cierpienia, ale tam, gdzie jest cierpienie, znajdziesz łaskę pod różną postacią.

– Co za ulga! Nie mógłbym znieść myśli, że mój upór mógł skrócić jej życie.

– Ona nie była twoją ofiarą, Mack. Jest i zawsze pozostanie twoją radością. I to w zupełności wystarczy.

Mack rozparł się na krześle i przez chwilę podziwiał widok roztaczający się z ganku.

– Czuję się pełny!

– No cóż, zjadłeś pół tacy ciastek.

– Nie to miałem na myśli – powiedział ze śmiechem Mack. – I dobrze o tym wiesz. Świat po prostu wygląda tysiąc razy lepiej, a ja czuję się tysiąc razy lżejszy.

– Bo to prawda! Nie jest łatwo być sędzią całego świata. – Uśmiech Taty upewnił Macka, że może bezpiecznie poruszyć tę kwestię.

– Albo sądzić ciebie. Byłem prawdziwym utrapieniem... gorszym, niż myślałem. Zupełnie nie rozumiałem, kim jesteś w moim życiu.

– Nie do końca tak było, Mack. Mieliśmy również wspaniałe chwile, więc nie oceniaj się zbyt surowo.

– Ale zawsze lubiłem Jezusa bardziej niż ciebie. On wydawał się taki miłosierny, a ty...

– Małostkowa? To smutne, nie sądzisz? Jezus przyszedł, żeby pokazać ludziom, kim jestem, i teraz większość ludzi, zwłaszcza religijnych, obsadza nas w rolach złego i dobrego gliniarza. Kiedy chcą, żeby inni robili to, co oni uważają za słuszne, potrzebują surowego Boga. Gdy szukają wybaczenia, biegną do Jezusa.

– Właśnie – zgodził się Mack.

– Ale my wszyscy jesteśmy w nim. Stanowimy jedność. Kocham cię i zapraszam, żebyś kochał mnie.

– Ale dlaczego ja? Akurat Mackenzie Allen Phillips? Dlaczego kochasz kogoś, kto jest taki pokręcony? Wiesz, co w głębi serca czułem wobec ciebie i o co cię oskarżałem, więc dlaczego w ogóle miałoby ci zależeć na tym, żeby do mnie dotrzeć?

– Bo właśnie na tym polega miłość – odparła Tata. – Pamiętaj, Mackenzie, że ja nie zastanawiam się, co zrobisz ani jakich wyborów dokonasz. Ja już wiem. Powiedzmy, oczywiście hipotetycznie, że próbuję nauczyć cię nie ukrywać się za kłamstwami. – Mrugnęła do niego. – I wiem, że będzie to wymagało czterdziestu siedmiu różnych sytuacji i wydarzeń, zanim mnie wysłuchasz, to znaczy, zanim posłuchasz na tyle uważnie, żeby przyznać mi rację i się zmienić. Tak więc, kiedy nie słyszysz mnie za pierwszym razem, nie jestem sfrustrowana ani rozczarowana. Cieszę się, że zostało jeszcze tylko czterdzieści sześć prób. I że ta pierwsza będzie kamieniem węgielnym pod budowę mostu uzdrowienia, po którym pewnego dnia, to znaczy dzisiaj, przejdziesz.

– No tak, teraz czuję się winny – stwierdził Mack.

– Doprawdy? – Tata się zaśmiała. – A poważnie, Mackenzie, nie chodzi o wyrzuty sumienia. Poczucie winy nigdy nie pomoże ci znaleźć wolności we mnie. Najlepsze, czego jest w stanie dokonać, to utrudnić ci przyjęcie jakiejś innej etyki narzuconej z zewnątrz. Ja działam wewnątrz.

– Mówiłaś o ukrywaniu się za kłamstwami. Chyba właśnie tak postępowałem przez większość życia.

– Kochanie, jesteś twardy. Nie ma w tym żadnego wstydu. Twój ojciec bardzo cię skrzywdził. Życie cię zraniło. Kłamstwa to jedno z miejsc, w którym łatwo mogą się schronić tacy jak ty. Ono daje poczucie bezpieczeństwa, bo tam polegasz tylko na sobie. Ale to mroczne miejsce, prawda?

– Bardzo mroczne – szepnął Mack, kręcąc głową.

– Ale jesteś gotowy zrezygnować z poczucia mocy i spokoju, które ono obiecuje? Oto jest pytanie.

– Co masz na myśli? – zapytał Mack.

– Kłamstwa to małe fortece. W środku czujesz się bezpieczny i silny. Z tych małych twierdz starasz się kierować swoim życiem i manipulować innymi. Ale fortece potrzebują murów, więc je wznosisz. Są nimi usprawiedliwienia twoich kłamstw. Takie jak wtedy, gdy chronisz tych, których kochasz, i próbujesz oszczędzić im cierpienia. To działa, więc nawet kłamiąc, czujesz się w porządku.

– Nie powiedziałem Nan o liście, żeby nie sprawić jej bólu.

– Widzisz? Usprawiedliwiasz się, Mackenzie. Twoja wymówka to wierutne kłamstwo, ale ty tego nie dostrzegasz. –

Tata pochyliła się. – Chcesz, żebym ci powiedziała, jaka jest prawda?

W głębi duszy Mack czuł ulgę, że o tym rozmawia, ale jednocześnie korciło go, żeby roześmiać się w głos. Już nie czuł się zakłopotany.

– Nieee. – Uśmiechnął się znacząco, przeciągając to słowo. – A właściwie możesz powiedzieć.

Tata odwzajemniła uśmiech, ale zaraz spoważniała.

– Prawdziwym powodem, dla którego nie wspomniałeś Nan o liście, nie jest to, że starałeś się jej oszczędzić bólu. W rzeczywistości bałeś się emocji, które mogłeś wywołać zarówno w niej, jak i w sobie. Uczucia cię przerażają, Mack. Skłamałeś, żeby chronić siebie, a nie ją!

Mack odchylił się na oparcie krzesła. Tata miała całkowitą rację.

– Co więcej, takie kłamstwo jest wrogiem miłości. W imię troski o żonę popsułeś wasze stosunki i relację Nan ze mną. Gdybyś jej powiedział, może byłaby tutaj z nami.

Słowa Taty podziałały na Macka jak cios w żołądek.

– Chciałaś, żeby ona też przyjechała? – wykrztusił.

– Decyzja należała do ciebie i do Nan, gdyby miała szansę ją powziąć. Rzecz w tym, Mack, że nie wiesz, co by się stało, bo byłeś bardzo zajęty chronieniem Nan.

I znowu Macka ogarnęło poczucie winy.

– Więc co mam teraz zrobić?

– Ty mi powiedz, Mackenzie. Ty boisz się wyjść z ciemności i powiedzieć jej prawdę, poprosić o wybaczenie, tak żeby ono cię uzdrowiło. Poproś ją, żeby modliła się za ciebie, Mack. Zaryzykuj uczciwość. A kiedy znowu nabroisz, błagaj o wybaczenie. To jest proces, skarbie. I pamiętaj, że ja potrafię sobie radzić z twoimi kłamstwami, ale to nie czyni ich słusznymi i nie umniejsza szkód i cierpień, których innym przysparzają.

– A jeśli Nan mi nie wybaczy? – W głębi duszy Mack rzeczywiście się tego obawiał. Łatwiej było dorzucać nowe kłamstwa na wciąż rosnący stos starych.

– Na tym polega ryzyko wiary, Mack. Wiara nie rośnie w domu pewności. Nie jestem tutaj po to, by cię zapewniać, że Nan ci wybaczy. Może wybaczy, a może nie będzie potrafiła, ale moje życie w tobie przejmie na siebie ryzyko i niepewność, a ty z własnej woli zmienisz się w człowieka, który zawsze mówi prawdę, i to będzie cud większy niż wskrzeszenie umarłego.

Mack chłonął słowa Taty, siedząc bez ruchu.

– Wybacz mi, proszę – wykrztusił w końcu.

– Zrobiłam to już dawno temu, Mack. Jeśli mi nie wierzysz, zapytaj Jezusa. On przy tym był.

Mack napił się kawy, zaskoczony, że jest równie gorąca jak w chwili, kiedy ją sobie nalał.

– Ale ja bardzo się starałem wykluczyć ciebie z mojego życia.

– Ludzie są uparci, jeśli chodzi o skarb ich urojonej niezależności. Bardzo sobie cenią tę chorobę i za nic nie chcą wyzdrowieć. Znajdują w niej swoją tożsamość i wartość, dlatego strzegą jej z całych sił. Nic dziwnego, że łaska jest tak mało atrakcyjna. W tym sensie próbowałeś zamknąć drzwi swojego serca.

– Ale mi się nie udało.

– To dlatego że moja miłość jest dużo większa niż twoja głupota – powiedziała Tata. – Wykorzystałam twoje wybory, żeby służyły moim celom. Jest wiele takich osób jak ty, Mackenzie. Zamykają się w ciasnej kryjówce razem z potworem, który w końcu ich zdradzi, nie spełni ich oczekiwań, nie da im tego, czego się spodziewają. Skarb, w który wierzyli, staje się ich zgubą. Ale uwięzieni dostają szansę powrotu do mnie.

– Więc zmuszasz ludzi, żeby do ciebie wrócili, wykorzystując ich ból? – Było oczywiste, że Mack tego nie pochwala.

Tata pochyliła się i delikatnie dotknęła jego dłoni.

– Skarbie, wybaczyłam ci również przekonanie, że mogłabym tak postępować. Rozumiem, jakie to wszystko trudne dla ciebie, zagubionego w swoim postrzeganiu rzeczywistości, a jednocześnie tak pewnego swoich sądów, że nie jesteś w stanie w ogóle dostrzec, nie mówiąc o wyobrażeniu sobie, kto jest prawdziwą miłością i dobrocią. Prawdziwa miłość nigdy do niczego nie zmusza. – Tata uścisnęła jego dłoń i odchyliła się na oparcie krzesła.

– Ale jeśli dobrze rozumiem twoje słowa, konsekwencje naszego samolubstwa są częścią procesu, który przynosi nam koniec złudzeń i pomaga odnaleźć ciebie. To dlatego nie powstrzymujesz każdego zła? Dlatego nie ostrzegłaś mnie, że Missy grozi niebezpieczeństwo, ani nie pomogłaś nam jej odszukać? – Z głosu Macka zniknął oskarżycielski ton.

– Gdyby to było takie proste, Mackenzie. Nikt nie wie, przed jakimi okropieństwami uratowałam świat, bo ludzie nie widzą tego, co się nie wydarzyło. Wszelkie zło płynie z niezależności, a niezależność to wasz wybór. Gdybym tak po prostu mogła odwołać wszystkie wasze decyzje, świat, który znasz, przestałby istnieć, a miłość straciłaby znaczenie. Ziemia nie jest placem zabaw, na którym chronię swoje dzieci przed złem. Zło jest znakiem tych czasów i chaosem, do którego sami doprowadziliście, ale nie będzie miało ostatniego słowa. Teraz dotyka wszystkich, których kocham, zarówno tych, którzy we mnie wierzą, jak i tych,

211

którzy nie wierzą. Jeśli usunę skutki ludzkich wyborów, zniszczę gotowość do miłości. Miłość wymuszona nie jest żadną miłością.

Mack przeczesał włosy palcami i westchnął.

– Po prostu trudno to zrozumieć.

– Skarbie, podam ci jeden z powodów twojego zagubienia. Bierze się ono stąd, że masz słabe pojęcie, co to znaczy być człowiekiem. Całe stworzenie jest wspaniałe. Ty jesteś cudowny ponad wszelkie wyobrażenie. To, że dokonujesz błędnych, destrukcyjnych wyborów, nie oznacza, że nie zasługujesz na szacunek za to, kim naprawdę jesteś: ukoronowaniem mojego dzieła i obiektem moich uczuć.

– Ale...

– Nie zapominaj również w swoim cierpieniu, że otacza cię piękno, cud Stworzenia, sztuka, muzyka, kultura, śmiech i miłość, nadzieje i celebracje, nowe życie i przemiana, pojednanie i wybaczenie. To również są rezultaty waszych wyborów, a liczy się każdy wybór, nawet ukryty. Więc czyje decyzje powinniśmy cofnąć, Mackenzie? A może lepiej było niczego nie tworzyć? Może należało powstrzymać Adama, zanim wybrał niezależność? A co z twoim postanowieniem, żeby mieć jeszcze jedną córkę, albo decyzją twojego ojca, żeby bić syna? Żądasz niezależności, a potem się skarżysz, że kocham cię na tyle, żeby ci ją dać.

– Już to słyszałem – przypomniał Mack z uśmiechem.

Tata również się uśmiechnęła i sięgnęła po ciastko.

– Mówiłam, że Sofii udało się do ciebie dotrzeć. Mackenzie, ja nie dążę do własnej ani twojej wygody. Moje cele są zawsze i jedynie wyrazem miłości. Chcę śmierć, zagubienie i ciemność przemienić w życie, wolność i światło. To, co postrzegasz jako chaos, ja widzę jako fraktal. Wszystko musi się stopniowo rozwinąć, nawet jeśli tych, których kocham, spotykają potworne tragedie, jeśli nie omijają najbliższych mojemu sercu.

– Mówisz o Jezusie? – zapytał cicho Mack.

– Tak, kocham tego chłopca. – Tata odwróciła wzrok i pokręciła głową. – On jest najważniejszy. Pewnego dnia wy, ludzie, zrozumiecie, z czego zrezygnował. To nie są tylko słowa.

Kiedy Mack słuchał, jak Tata mówi o swoim synu, poczuł ucisk w gardle. Jej słowa mocno go poruszyły. Po chwili wahania przerwał milczenie.

– Możesz mi pomóc coś zrozumieć? Co właściwie osiągnął Jezus poprzez swoją śmierć?

Tata spojrzała na las.

– Och, nic wielkiego. – Machnęła ręką. – Tylko istotę wszystkiego, co miłość zamierzyła jeszcze przed położeniem fundamentów Stworzenia.

– Jakie piękne i obszerne wyjaśnienie – skomentował śmiało Mack, zanim zdążył ugryźć się w język. – Mogłabyś troszeczkę je uściślić?

Zamiast się rozgniewać, Tata posłała mu szeroki uśmiech.

– Czy przypadkiem nie zaczynasz zadzierać nosa? Daj człowiekowi palec, a on zaraz chwyci rękę.

Mack też się uśmiechnął, ale nic nie odpowiedział, bo miał w ustach ciastko.

– Jak już wspomniałam, Jezus jest najważniejszy. W całym Stworzeniu i historii chodzi o niego. W nim jesteśmy teraz w pełni ludźmi, więc nasz cel i wasze przeznaczenie są na zawsze ze sobą powiązane. Można powiedzieć, że włożyliśmy wszystkie jajka do jednego koszyka. Nie ma planu B.

– Zdaje się, że to dość ryzykowne posunięcie – zauważył Mack.

– Może dla ciebie, ale nie dla mnie. Nigdy nie było wątpliwości, że dostanę to, czego od początku chciałam. – Tata wyprostowała się na krześle i oparła na stole splecione ręce. – Skarbie, pytałeś mnie, czego dokonał Jezus na krzyżu, więc teraz posłuchaj mnie uważnie. Dzięki jego śmierci i zmartwychwstaniu jestem teraz w pełni pojednana ze światem.

– Z całym światem? Masz na myśli tych, którzy w ciebie wierzą, tak?

– Z całym światem, Mack. Pojednanie wymaga wysiłku obu stron, a ja swoją część już zrobiłam, całkowicie i ostatecznie. Miłość z natury nie wymusza relacji, tylko otwiera drogę.

Tata wstała z krzesła i zaczęła zbierać naczynia ze stolika.

– W takim razie nie rozumiem pojednania i boję się emocji – stwierdził Mack. – O to chodzi?

Tata nie odpowiedziała od razu, tylko pokręciła głową i weszła do domu. Mack usłyszał, że po drodze mamrocze pod nosem:

– Ludzie! Czasami są takimi idiotami.

Mack nie mógł uwierzyć własnym uszom.

– Czy dobrze słyszałem, że Bóg nazywa mnie idiotą?! – zawołał przez siatkowe drzwi.

Zobaczył, że Tata wzrusza ramionami i znika w pomieszczeniu, a potem usłyszał, jak krzyczy z kuchni:

– Uderz w stół... Tak, kochanie, uderz w stół...

Mack roześmiał się i wstał z krzesła. Był wykończony. Umysł miał napełniony po brzegi, podobnie jak brzuch. Zaniósł resztę naczyń do kuchni i postawił je na blacie. Cmoknął Tatę w policzek i ruszył do tylnych drzwi.

14

Słowa i inne wolności

„Bóg jest Słowem".

Buckminster Fuller

Mack wyszedł na popołudniowe słońce. Czuł się dziwnie: wyżęty jak ścierka, a zarazem radośnie ożywiony. Cóż to był za niesamowity dzień! I jeszcze się nie skończył. Przez chwilę stał niezdecydowany przed domem, a potem ruszył nad wodę. Kiedy zobaczył łódki przywiązane do pomostu, zrozumiał, że pewnie już zawsze wszystkie miłe chwile będą zabarwione kroplą goryczy, ale po raz pierwszy od lat myśl o wypłynięciu na jezioro dodała mu energii.

Odwiązał ostatni kajak, wsiadł do niego ostrożnie i zaczął wiosłować, kierując się ku drugiemu brzegowi. Przez kilka godzin krążył po jeziorze, badając wszystkie jego zakątki. Znalazł dwie rzeki i parę strumieni, które do niego wpadały, płynąc z gór, albo zasilały niżej położone zbiorniki. Odkrył również idealne miejsce, gdzie mógł, dryfując, obserwować wodospad. Wszędzie kwitły górskie kwiaty, ubarwiając pejzaż kolorowymi plamami. Mack od wieków, jeśli w ogóle kiedykolwiek, nie czuł tak głębokiego i całkowitego spokoju.

Zaśpiewał nawet kilka piosenek, parę starych hymnów i folkowych songów, tylko dlatego że miał taką ochotę. Śpiewanie też należało do tych rzeczy, których od dawna nie robił. Sięgając wstecz do odległej przeszłości, zaczął nucić głupiutką pioseneczkę, którą kiedyś zabawiał Kate: „K-K-K-Kate... piękna Kate. Jesteś jedyną, którą wielbię...". Potrząsnął głową na myśl o córce, tak twardej, a jednocześnie kruchej. Zastanawiał się, jak dotrzeć do jej serca. Już nie był zaskoczony, że łzy łatwo napływają mu do oczu.

W pewnym momencie odwrócił się, żeby popatrzeć na ślad, który za kajakiem zostawiało wiosło, a kiedy znowu usiadł prosto, zobaczył siedzącą na dziobie Sarayu. Omal nie podskoczył z wrażenia.

– Jezu! – krzyknął. – Wystraszyłaś mnie.

– Przepraszam, Mackenzie, ale kolacja prawie gotowa, więc czas, żebyś wrócił do chaty.

– Byłaś ze mną przez cały czas? – spytał Mack, nadal lekko roztrzęsiony od nagłego przypływu adrenaliny.

– Oczywiście. Zawsze jestem z tobą.

– Więc dlaczego nic o tym nie wiedziałem? Ostatnio potrafiłem wyczuć twoją obecność.

– Zawsze jestem przy tobie, nieważne, czy zdajesz sobie z tego sprawę, czy nie. Chcę, żebyś był świadomy mojej bliskości w szczególny sposób, bardziej intuicyjny.

Mack skinął głową na znak, że zrozumiał, i zawrócił kajak w stronę odległego brzegu. Teraz wyraźnie czuł obecność Sarayu jako mrowienie na plecach. Oboje się uśmiechnęli.

– Zawsze będę mógł cię zobaczyć albo usłyszeć tak jak teraz, nawet wtedy, gdy już wrócę do domu?

– Mackenzie, zawsze możesz ze mną porozmawiać, bo zawsze będę obok ciebie, niezależnie od tego, czy wyczujesz moją obecność, czy nie.

– Teraz to wiem, ale jak cię usłyszę?

– Nauczysz się słuchać moich myśli w swoich, Mackenzie – zapewniła go Sarayu.

– Czy to będzie dla mnie oczywiste? A jeśli pomylę twój głos z jakimś innym? Jeśli będę popełniał błędy?

Śmiech Sarayu zabrzmiał jak szmer płynącej wody, tylko że był bardziej melodyjny.

– Oczywiście, że będziesz popełniał błędy. Wszyscy je popełniają, ale w miarę jak nasza relacja będzie się umacniać, nauczysz się lepiej rozpoznawać mój głos.

– Nie chcę popełniać błędów – burknął Mack.

– Och, Mackenzie, błędy to część życia, a Tata wykorzystuje je do swoich celów.

Jej uśmiech był tak zaraźliwy, że Mack musiał go odwzajemnić. Już teraz dobrze ją rozumiał.

– Przez ten weekend zetknąłem się z tyloma zupełnie nowymi rzeczami. Nie zrozum mnie źle, Sarayu, doceniam wszystko, co daliście mi przez te dni. Ale nie mam pojęcia, jak uda mi się wrócić do dawnego życia. Nie wiem, czy nie było mi łatwiej, kiedy uważałem Boga za wymagającego i surowego albo nawet kiedy zmagałem się z samotnością Wielkiego Smutku.

– Tak uważasz? Naprawdę?

– Przynajmniej wtedy wydawało mi się, że mam wszystko pod kontrolą.

– „Wydawało się” to właściwe słowa. I co ci dało to poczucie władzy? Wielki Smutek i więcej bólu, niż mogłeś znieść, cierpienia, które dosięgło nawet najbliższe ci istoty.

– Według Taty działo się tak dlatego, że boję się uczuć – wyjawił Mack.

Sarayu zaśmiała się głośno.

– Ta wasza pogawędka była dość zabawna.

– Boję się emocji – powiedział Mack, nieco zdeprymowany, że Sarayu tak lekko potraktowała jego wyznanie. – Nie lubię ich. Nie mogę im ufać, bo raniłem nimi innych. Stworzyliście wszystkie czy tylko te dobre?

– Mackenzie. – Można było odnieść wrażenie, że Sarayu unosi się w powietrzu. Mack zawsze miał trudności z patrzeniem prosto na nią, a teraz, kiedy słońce późnego popołudnia odbijało się od wody, było jeszcze gorzej. – Uczucia to kolory duszy. Są cudowne i niezwykłe. Bez nich świat staje się bezbarwny i ponury. Tylko sobie przypomnij, jak Wielki Smutek zredukował gamę barw w twoim życiu do szarości i czerni.

– Więc pomóż mi je zrozumieć – poprosił Mack.

– Nie ma wiele do rozumienia. One po prostu istnieją. Nie są ani złe, ani dobre. Ale podam ci pewien logiczny ciąg pojęć, dzięki któremu łatwiej ci będzie uporządkować sobie to wszystko w głowie. Paradygmaty, percepcja, emocje. Większość doznań to reakcje na jakieś wydarzenie czy sytuację, tak jak je widzisz. Jeśli twoje spostrzeżenia są fałszywe, reakcja emocjonalna też będzie fałszywa. Musisz zatem sprawdzić prawdziwość swoich obserwacji, a potem paradygmatów, czyli tego, w co wierzysz. Nawet jeśli jesteś mocno o czymś przeświadczony, niekoniecznie musi to być prawdą. Bądź gotowy zrewidować swoje przekonania. Jeśli żyjesz w prawdzie, uczucia pomogą ci widzieć jasno. Ale nawet wtedy nie możesz im ufać bardziej niż mnie.

Mack pozwolił, żeby wiosło obracało mu się w dłoni, poruszane przez wodę.

– Wydaje mi się, że życie w relacji z tobą, no wiesz – zaufanie i rozmowa – jest trochę bardziej skomplikowane niż samo przestrzeganie zasad.

– Jakich zasad, Mackenzie?

– Tych wszystkich rzeczy, których wymaga od nas Pismo.

– W porządku... – powiedziała Sarayu z pewnym wahaniem. – Czyli jakich?

– No wiesz, robienie dobrych uczynków, unikanie złych, pomaganie biednym, czytanie Biblii, modlitwa, chodzenie do kościoła. Tego rodzaju rzeczy.

– Rozumiem. A jak jest z tym u ciebie?

Mack się roześmiał.

– Cóż, nie najlepiej. Miewam dobre chwile, ale wciąż z czymś się zmagam albo z jakiegoś powodu dręczą mnie wyrzuty sumienia. Wymyśliłem, że muszę bardziej się starać, ale trudno mi wytrwać w tym postanowieniu.

– Mackenzie! Biblia nie uczy, żebyś przestrzegał zasad. – Sarayu mówiła z naciskiem. – Ona przedstawia obraz Jezusa. Słowa mogą określać, jaki jest Bóg, a nawet mówić, czego on od ciebie chce, ale bez niego nic nie możesz zrobić. Nie ma innego życia jak tylko w nim. Nie sądziłeś chyba, że potrafisz samodzielnie żyć w prawości, co?

– Tak właśnie myślałem – bąknął Mack. – Ale musisz przyznać, że zasady i reguły są prostsze niż relacje z innymi.

– To prawda, że relacje są o wiele trudniejsze, ale zasady nigdy nie dadzą ci odpowiedzi na najważniejsze pytania i nigdy nie będą cię kochać.

Mack zanurzył ręce w wodzie i zaczął przelewać ją przez palce. Nadal leniwie dryfowali z prądem.

– Zdaję sobie sprawę, jak niewiele wiem. Całkowicie mnie zmieniłaś.

– Mackenzie, w religii chodzi o właściwe odpowiedzi i niektóre takie są. Ale ja mówię o procesie, który doprowadza cię do Niego, a kiedy już go odnajdziesz, on dokona twojej wewnętrznej przemiany. Wielu bystrych ludzi mówi słuszne rzeczy, bo powiedziano im, jak brzmią właściwe odpowiedzi, ale oni wcale mnie nie znają. A zatem, jak ich odpowiedzi mogą być właściwe, nawet jeśli takie są? Nadążasz za moim tokiem rozumowania? – Sarayu się uśmiechnęła. – Więc nawet jeśli mają rację, tak naprawdę się mylą.

– Rozumiem, o czym mówisz. Przez wiele lat po seminarium ja też czasami potrafiłem udzielać właściwych odpowiedzi, ale nie znałem ciebie. Ten weekend, kiedy dzieliłem z tobą zwyczajne życie, dał mi dużo więcej niż tamte nauki. Zobaczę cię jeszcze kiedyś? – spytał z wahaniem Mack.

– Oczywiście. Może usłyszysz mnie w muzyce albo w ciszy, zobaczysz w dziele sztuki, w ludziach, w Stworzeniu albo w swojej własnej radości czy smutku. Moja zdolność komunikowania się jest nieograniczona i żywa, ma moc przeobrażania i zawsze pozostaje w harmonii z dobrocią i miłością Taty. Odkryjesz mnie również na nowo w Biblii, ale nie szukaj zasad czy reguł, tylko relacji, sposobu, żeby z nami być.

– To jednak nie będzie to samo, co siedzenie z tobą w łodzi.

– Będzie dużo lepiej, niż ci się wydaje, Mackenzie. A gdy zaśniesz w tym świecie na zawsze, czeka nas wspólna wieczność, twarzą w twarz.

Po tych słowach Sarayu zniknęła, ale Mack wiedział, że jest blisko niego.

– Więc pomóż mi żyć w prawdzie – powiedział na głos, a w myślach dodał: „Może to liczy się jako modlitwa?".

***

Kiedy wrócił do chaty, zobaczył, że Jezus i Sarayu już siedzą przy stole. Tata jak zwykle była zajęta wnoszeniem tac z cudownie pachnącymi potrawami, z których Mack znowu rozpoznał tylko kilka i nawet wtedy musiał dwa razy się przyjrzeć, by mieć pewność. Wyraźnie rzucał się w oczy brak warzyw. Mack poszedł do łazienki, żeby się umyć, a kiedy wrócił, pozostali już zaczęli jeść. Przysunął sobie czwarte krzesło i usiadł.

– Tak naprawdę nie musicie jeść, prawda? – zapytał, nalewając sobie do miski coś, co wyglądało na zupę z owoców morza. Pływały w niej kalmary, kawałki ryb i inne, bardziej tajemnicze specjały.

– Nic nie musimy robić – odparła Tata dość ostrym tonem.

– Więc dlaczego jecie? – dociekał Mack.

– Żeby dotrzymać ci towarzystwa, skarbie. Ty musisz jeść, więc jaki może istnieć lepszy pretekst, żeby pobyć razem?

– Poza tym wszyscy lubimy gotować – dodał Jezus. – A ja uwielbiam jedzenie... w dużych ilościach. Nie ma to jak pierożki shaomai, ugali, nipla czy kori bananie, żeby uszczęśliwić kubki smakowe. A na deser bardzo słodki budyń o smaku toffi, tiramisu albo gorąca herbata. Palce lizać! Nie ma nic lepszego pod słońcem.

Wszyscy się roześmiali i zaczęli podawać sobie talerze i nakładać potrawy. Jedząc, Mack słuchał wesołych przekomarzań swoich gospodarzy. Zachowywali się jak starzy przyjaciele, którzy bardzo dobrze się znają. I rzeczywiście, tak właśnie było. Zazdrościł im tej swobodnej, ale pełnej szacunku rozmowy i zastanawiał się, jak to by było, gdyby podobnie czuł się w towarzystwie Nan i może jeszcze paru innych bliskich osób.

I znowu dotarło do niego z całą mocą, jaka to wyjątkowa i jednocześnie absurdalna chwila. Przypomniał sobie rozmowy, które tych troje z nim prowadziło przez ostatnie dwadzieścia cztery godziny. O rany! Był tutaj zaledwie jeden dzień! I co miał zrobić, jak już wróci do domu? Wiedział, że o wszystkim opowie Nan. Być może ona mu nie uwierzy, i nic dziwnego. On sam wątpiłby w prawdziwość tej historii.

Pogrążony w myślach, poczuł, że oddala się od swoich towarzyszy. To nie mogło dziać się naprawdę. Zamknął oczy i spróbował odciąć się od pogawędki toczącej się przy stole. Nagle w jadalni zapadła martwa cisza. Mack powoli rozchylił powieki, przekonany, że obudzi się w domu, ale zobaczył, że Tata, Jezus i Sarayu patrzą na niego z uśmiechami przyklejonymi do twarzy. Nawet nie próbował się tłumaczyć. Wiedział, że wiedzą.

Wskazał na jedną z potraw i spytał:

– Mogę tego spróbować?

Gdy gospodarze podjęli konwersację, Mack z początku słuchał uważnie. Ale po chwili poczuł, że znowu odpływa, więc czym prędzej postanowił temu zaradzić.

– Dlaczego nas kochacie? – wypalił. – Przypuszczam, że... – W tym momencie uświadomił sobie, że niezbyt dobrze sformułował pytanie. – To znaczy, chciałem zapytać, dlaczego kochacie mnie, skoro nie mam wam nic do zaoferowania?

– Gdybyś się nad tym zastanowił, Mack, świadomość, że nie masz nam nic do zaoferowania, oczywiście w potocznym sensie, powinna przynieść ci ulgę, zmniejszyć presję, że koniecznie musisz się nam przypodobać – odpowiedział Jezus.

– A ty kochasz swoje dzieci bardziej, kiedy się dobrze zachowują? – wtrąciła Tata.

– Nie. – Mack zrobił pauzę. – Rozumiem, o co wam chodzi, ale ja czuję się bardziej spełniony dzięki temu, że mam je w swoim życiu. A wy?

– Nie – odparła Tata. – My jesteśmy spełnieni z natury. Waszym przeznaczeniem jest być we wspólnocie, skoro zostaliście stworzeni na nasz obraz. Więc skoro czujesz, że dzieci są twoim dopełnieniem, jest to całkowicie naturalne i słuszne. Zapamiętaj, Mackenzie, że choć postanowiłam przybrać ludzką postać na spotkanie z tobą i naprawdę stać się człowiekiem, w Jezusie, z natury jestem całkowicie inną istotą.

– Wiesz, że potrafię śledzić twój tok myślenia tylko do pewnego momentu, a potem całkiem się gubię – powiedział Mack przepraszającym tonem.

– Rozumiem. Nie jesteś w stanie zobaczyć oczami umysłu tego, czego nie możesz doświadczyć.

Mack zastanawiał się przez chwilę nad tymi słowami.

– Chyba tak... Zresztą wszystko jedno... Sama widzisz. Kompletna sieczka w głowie.

Kiedy wszyscy troje przestali się śmiać, Mack mówił dalej:

– Wiecie, że jestem naprawdę wdzięczny za wszystko, ale w ten weekend strasznie dużo zrzuciliście mi na barki. Co mam robić, kiedy wrócę do domu? Czego teraz ode mnie oczekujecie?

Jezus i Tata odwrócili się do Sarayu, która właśnie podnosiła do ust widelec. Powoli go odłożyła na talerz i spojrzała na Macka.

– Musisz wybaczyć tym dwojgu, Mackenzie – zaczęła. – Ludzie mają skłonność do zmieniania języka tak, by dostosować go do swojej niezależności i potrzeby grania określonych ról. Więc kiedy słyszę, jak ktoś przemawia językiem zasad, zamiast mówić o dzieleniu z nami życia, trudno mi jest zachować milczenie.

– I może tak by należało – wtrąciła Tata z uśmiechem.

– A co ja takiego powiedziałem? – zdziwił się Mack.

– Śmiało, Mackenzie. Możemy rozmawiać i jeść.

Mack uświadomił sobie, że on również trzyma widelec w połowie drogi do ust. Kiedy przeżuwał jedzenie, Sarayu zaczęła mówić. Wydawało się, że lewituje nad krzesłem i migocze w tańcu subtelnych mieniących się barw i odcieni. Powietrze wypełnił delikatny aromat, przyprawiający o zawrót głowy.

– Pozwól, że odpowiem pytaniem. Jak myślisz, dlaczego stworzyliśmy dziesięć przykazań?

Mack zastanawiał się przez chwilę, nie przestając jeść.

– Sądzę, a w każdym razie tak mnie uczono, że to zestaw reguł, których przestrzegania oczekujecie od ludzi, jeśli mają żyć w prawości i waszej łasce.

– Gdyby to była prawda, a nie jest, ilu ludzi swoim postępowaniem zasługiwałoby na naszą łaskę?

– Niewielu, jeśli są podobni do mnie – przyznał Mack.

– Właściwie udało się to tylko jednemu: Jezusowi. On nie tylko przestrzegał litery prawa, ale również jego ducha. Ale zrozum, Mackenzie, żeby to zrobić, musiał całkowicie i w pełni polegać na mnie.

– Więc dlaczego daliście nam te przykazania? – zapytał Mack.

– Chcieliśmy, żebyście zrezygnowali z samodzielnych prób prawego postępowania. To było lustro, które pokazywało, jak brudna staje się twoja twarz, kiedy żyjesz niezależnie.

224

– Na pewno wiesz, że jest wielu takich, którzy uważają, że są prawi, kiedy wypełniają przykazania – zauważył Mack.

– A możesz oszukać lustro, które pokazuje, że twoja twarz jest brudna? W zasadach nie ma łaski ani miłosierdzia nawet dla jednego błędu. To dlatego Jezus wcielił je za was wszystkie w czyn, żeby już więcej nie miały nad wami władzy. A Prawo, które kiedyś stawiało kategoryczne wymagania, „Nie będziesz...", staje się obietnicą, którą w was spełniamy. – Sarayu mówiła z zapałem, jej oblicze rozmywało się i falowało. – Ale zapamiętaj, że jeśli żyjesz samotnie i niezależnie, obietnica jest pusta. Jezus położył kres wymaganiom prawa, tak że nie ma już ono mocy oskarżania ani rozkazywania. Jezus jest zarówno obietnicą, jak i jej spełnieniem.

– Twierdzisz, że nie muszę przestrzegać zasad? – Mack przestał jeść i całkowicie skupił się na rozmowie.

– Tak. W Jezusie już nie podlegasz żadnemu prawu. Wszystko jest dozwolone.

– Chyba nie mówisz poważnie! Znowu mącisz mi w głowie – jęknął Mack.

– Dziecko, jeszcze niewiele usłyszałeś – wtrąciła Tata.

– Ludzie, którzy boją się wolności, to ci, którzy nie potrafią uwierzyć, że w nich żyjemy – ciągnęła Sarayu. – Próby przestrzegania prawa są właściwie deklaracją niezależności, sposobem na zachowanie kontroli.

– Więc tak bardzo lubimy prawo, bo daje nam władzę? – zapytał Mack.

– Jest dużo gorzej – odparła Sarayu. – Ono daje wam moc sądzenia innych i poczucie wyższości nad nimi. Wierzysz, że stoisz na wyższym poziomie moralnym niż ci, których osądzasz. Narzucanie zasad, zwłaszcza w bardziej subtelnych formach, takich jak odpowiedzialność i oczekiwania, to daremna próba zamiany niepewności w pewność. I wbrew temu, co możesz myśleć, ja bardzo lubię niepewność. Reguły nie są w stanie zapewnić wolności, one mają jedynie moc oskarżania.

— Zaraz! — Mack nagle sobie uświadomił, co powiedziała Sarayu. — Twierdzisz, że odpowiedzialność i oczekiwania są inną formą reguł, które już nas nie obowiązują? Dobrze usłyszałem?

— Tak — odezwała się Tata. — A skoro już o tym mówimy... Sarayu, oddaję go w twoje ręce!

Mack zignorował Tatę i skupił całą uwagę na Sarayu, co nie było łatwe.

— Mackenzie, zawsze przedkładam czasownik nad rzeczownik — powiedziała zagadkowo i umilkła.

Mack nie był pewien, jak ma rozumieć jej tajemniczą uwagę, więc wypowiedział jedyne słowo, które przyszło mu do głowy:

— Hę?

— Ja jestem czasownikiem. — Rozłożyła ręce, obejmując tym gestem Tatę i Jezusa. — Jestem, kim jestem. Będę, kim będę. Jestem słowem! Jestem żywa, dynamiczna, zawsze aktywna, wiecznie w ruchu. Jestem słowem.

Mack miał pustkę w głowie i na twarzy. Rozumiał słowa, które wypowiadała Sarayu, ale w jego umyśle wcale nie łączyły się w logiczną całość.

— I jako że sama moja istota jest słowem, czyli czasownikiem, wolę je od rzeczowników. Wyrazy takie, jak: wyznawać, okazywać skruchę, żyć, kochać, odpowiadać, rosnąć, dojrzewać, zmieniać się, siać, biegać, tańczyć, śpiewać, i tak dalej. Ludzie natomiast biorą czasownik, który jest żywy i pełen gracji, i przekształcają go w martwy rzeczownik albo zasadę, a wtedy to, co jest żywe i rośnie, obumiera. Rzeczowniki istnieją, bo istnieje wszechświat i fizyczna rzeczywistość, ale jeśli kosmos zamienia się w zbiór rzeczowników, staje się martwy. Jeśli nie ma „ja jestem", nie ma czasowników, a one są tym, co czyni świat żywym.

– Ale co to właściwie znaczy? – Choć w jego umyśle pojawiły się pierwsze przebłyski światła, Mack nadal miał trudności ze zrozumieniem tego długiego wywodu.

Sarayu nie wyglądała na zirytowaną jego powolnym myśleniem.

– Żeby ożywić martwą rzecz, musisz do niej dodać jakiś żywy element – zaczęła cierpliwym tonem. – Żeby zmienić zwykły rzeczownik w coś dynamicznego i nieprzewidywalnego, istniejącego w czasie teraźniejszym, trzeba prawo zastąpić łaską. Mogę podać ci kilka przykładów?

– Zamieniam się w słuch.

Jezus parsknął śmiechem. Mack łypnął na niego spode łba i odwrócił się z powrotem do Sarayu. Na jej twarzy dostrzegł cień uśmiechu.

– Weźmy dwa wasze słowa: odpowiedzialność i oczekiwanie. Zanim stały się rzeczownikami, były moimi ulubionymi czasownikami, wyrażającymi ruch, gotowość, nadzieję i doświadczenie. Moje słowa są żywe i dynamiczne, pełne energii i możliwości; wasze są martwe, kojarzą się ze strachem, prawami i sądem. To dlatego nie znajdziesz w Piśmie słowa „odpowiedzialność".

– O rany! – Mack powoli zaczynał rozumieć, do czego zmierza Sarayu. – Na pewno ich nadużywamy.

– Religia musi wykorzystywać prawo, żeby umocnić swoją władzę nad ludźmi, którzy są niezbędni do jej przetrwania. Ja daję wam zdolność do odpowiedzi, a ta odpowiedź to być wolnym, żeby kochać i służyć w każdej sytuacji. I dlatego każda chwila jest inna, wyjątkowa i cudowna. Ponieważ ja jestem twoją zdolnością do reakcji, muszę być w tobie obecna. Gdybym po prostu dała ci odpowiedzialność, nie musiałabym wcale być przy tobie. Miałbyś jedynie zadanie do wykonania, obowiązek do spełnienia, a więc również możliwość, że zawiedziesz.

– O rany, o rany – wymamrotał Mack bez zbytniego entuzjazmu.

– Weźmy, powiedzmy, przyjaźń, i zobaczmy, jak usunięcie elementu życia z rzeczownika może drastycznie zmienić relacje. Jeśli ty i ja jesteśmy przyjaciółmi, istnieje w naszych stosunkach wyczekiwanie. Kiedy się rozstajemy, mamy nadzieję, że wkrótce się spotkamy, będziemy się śmiać i rozmawiać. Wyczekiwanie nie ma ścisłej definicji, jest żywe i dynamiczne, a przebywanie razem to wyjątkowy dar, którego nie dzieli z nami nikt inny. Ale co się stanie, jeśli zmienię „wyczekiwanie" na „oczekiwanie", wyrażone wprost albo niewypowiedziane? Nagle do naszej relacji wkracza prawo. Raptem zaczyna się od ciebie wymagać, żebyś zachował się w sposób, który spełni moje oczekiwania. Już nie chodzi o mnie i o ciebie, tylko o to, co powinni przyjaciele, czy też inaczej mówiąc, o obowiązki dobrego przyjaciela.

– Albo obowiązki męża, ojca, pracownika czy kogo tam – dopowiedział Mack. – Już rozumiem. Wolałbym raczej życie w wyczekiwaniu.

– Ja też.

– Ale czy wszystko się nie rozpadnie, jeśli nie będzie żadnych oczekiwań i obowiązków? – zastanawiał się Mack.

– Tylko jeśli żyjesz z dala ode mnie i pod rygorem prawa. Obowiązki i oczekiwania są źródłem poczucia winy, wstydu i sądu, wymuszają postępowanie, od którego zależy twoja wartość i tożsamość. Wiesz dobrze, jak to jest nie spełniać czyichś życzeń.

– O, tak, wiem! – przyznał Mack. – Nie takie jest moje pojęcie o dobrze spędzonym czasie. – Nagle przyszła mu do głowy nowa myśl. – Sugerujesz, że niczego ode mnie nie oczekujesz?

Tym razem odezwała się Tata.

– Kochanie, nigdy niczego nie wymagałam od ciebie ani nikogo innego. Jeśli ktoś ma oczekiwania, oznacza to, że nie zna przyszłości ani wyniku działania i próbuje kontrolować czyjeś zachowanie, żeby osiągnąć pożądany skutek. A czyni to głównie poprzez oczekiwania. Znam ciebie i wiem o tobie wszystko. Dlaczego miałabym spodziewać się innego rezultatu niż ten, który już znam? To byłoby głupie. A poza tym, skoro nie mam oczekiwań, nigdy mnie nie rozczarujesz.

– Co? – W głosie Macka brzmiało wyraźne niedowierzanie. – Nigdy nie byłaś mną rozczarowana?

– Nigdy! – zapewniła Tata z naciskiem. – W naszej relacji jest natomiast obecne stałe i żywe wyczekiwanie. Daję ci możliwość reagowania na każdą sytuację i okoliczność, w której się znajdziesz. Jeśli będziesz się uciekał do oczekiwań i obowiązków, nigdy mnie nie poznasz ani mi nie zaufasz.

– I będziesz żył w strachu – dodał Jezus.

– Ale... – Mack nie wydawał się przekonany. – Nie chcesz, żebyśmy ustanowili jakieś priorytety? No wiesz, najpierw Bóg, na drugim miejscu coś innego, i tak dalej?

– Kłopot z życiem według priorytetów polega na tym, że we wszystkim dostrzega się hierarchię, a my już odbyliśmy rozmowę na ten temat – powiedziała Sarayu. – Jeśli stawiasz Boga na szczycie, co to naprawdę oznacza? Ile czasu dziennie mi dasz, nim zajmiesz się tym, co o wiele bardziej cię interesuje?

– Widzisz, Mackenzie – odezwała się Tata – ja nie chcę tylko kawałka ciebie ani fragmentu twojego życia. Nawet gdybyś był w stanie, a nie jesteś, dać mi z siebie najwięcej, nie na tym mi zależy. Chcę mieć całego ciebie i każdą chwilę twojego dnia.

– Mack – przemówił Jezus – nie chcę być pierwszy na twojej liście ważnych rzeczy. Kiedy żyję w tobie, razem możemy przetrwać wszystko. Nie interesuje mnie miejsce na szczycie piramidy, tylko w samym centrum twojego życia, gdzie wszystko – przyjaciele, rodzina, praca, myśli, aktywność – jest związane ze mną, ale porusza się wraz z wiatrem w niewiarygodnym tańcu istnienia.

– A tym wiatrem jestem ja – dokończyła Sarayu z szerokim uśmiechem i ukłonem.

W jadalni zapadła cisza. Mack kurczowo ściskał brzeg stołu obiema rękami, jakby chciał przytrzymać się czegoś solidnego i w ten sposób obronić przed naporem pojęć i obrazów.

– No, dość tego – stwierdziła Tata, wstając z krzesła. – Czas na trochę zabawy! Idźcie pierwsi, a tymczasem ja zbiorę naczynia. Pozmywam później.

– A co z modlitwą? – zapytał Mack.

– Nie istnieją żadne ustalone rytuały, Mackenzie, więc dziś wieczorem zrobimy coś innego. Na pewno ci się spodoba!

Kiedy Mack ruszył za Jezusem do drzwi, poczuł dłoń na ramieniu. Gdy się obejrzał, zobaczył, że Sarayu spogląda na niego z powagą.

– Mackenzie, chciałabym dać ci prezent specjalnie na ten wieczór. Mogę dotknąć twoich oczu i je uzdrowić, ale tylko na dzisiaj?

Mack zrobił zdziwioną minę.

– Przecież dobrze widzę.

– Tak naprawdę widzisz bardzo mało, choć jak na człowieka całkiem dobrze – powiedziała Sarayu. – Ale chciałabym, żebyś choć raz zobaczył niewielką część tego, co my widzimy.

– Ależ proszę bardzo – zgodził się Mack. – Dotknij moich oczu i czego tam jeszcze chcesz.

Kiedy Sarayu wyciągnęła ręce, zamknął oczy i pochylił się. Jej dotyk był jak lód, nieoczekiwany i odświeżający. Mack poczuł miły dreszcz na plecach i sięgnął do jej dłoni, żeby przytrzymać je na swojej twarzy. Nie napotkał niczego, więc wolno rozchylił powieki.

15

Festiwal przyjaciół

„Możesz ucałować rodzinę i przyjaciół na pożegnanie i oddalić się na mile, ale jednocześnie zabierzesz ich w swoim sercu, umyśle i trzewiach, bo nie tylko ty żyjesz w świecie, ale świat żyje w tobie".

Frederick Buechner, „Mówienie prawdy"

Gdy Mack otworzył oczy, musiał natychmiast je zasłonić przed oślepiającym światłem. Potem usłyszał głos Sarayu.

– Trudno ci będzie spojrzeć bezpośrednio na mnie albo na Tatę. Ale kiedy twój umysł przyzwyczai się do zmian, będzie łatwiej.

Mack stał w miejscu, gdzie zamknął oczy, ale chata zniknęła, podobnie jak pomost i szopa. On sam znajdował się na szczycie małego wzgórza pod jasnym, choć bezksiężycowym nocnym niebem. Gwiazdy przesuwały się po nim bez pośpiechu, ale gładko i z precyzją, jakby ich ruchami kierowali wielcy niebiańscy dyrygenci.

Od czasu do czasu, jakby na znak, przez gwiezdne konstelacje przelatywał deszcz meteorów albo komet, wprowadzając wariacje do płynnego tańca sfer. Potem Mack zobaczył, że niektóre gwiazdy rosną i zmieniają kolor, jakby przekształcały się w nową albo w białego karła. Było tak, jakby sam czas, nagle dynamiczny i kapryśny, włączył się do pozornie chaotycznego, ale w rzeczywistości precyzyjnie wyreżyserowanego kosmicznego spektaklu.

Mack odwrócił się do Sarayu, która stała obok niego. Choć nadal nie mógł patrzeć na nią bezpośrednio, był teraz w stanie dostrzec symetrię w kolorowych wzorach tworzących jej świetlisty strój, który najpierw poruszał falami, a potem rozpadł się na cząsteczki i wyglądał, jakby wszyto w niego miniaturowe diamenty, rubiny i szafiry we wszelkich odcieniach.

– To wszystko jest niewiarygodnie piękne – wyszeptał Mack, oszołomiony tym świętym i majestatycznym widokiem.

– To prawda – dobiegł ze światła głos Sarayu. – Rozejrzyj się, Mackenzie.

Mack zrobił to i omal nie krzyknął z zachwytu. Nawet w ciemności nocy wszystko jaśniało, otoczone aureolami o najróżniejszych barwach. Las jarzył się kolorowym blaskiem, tak że było wyraźnie widać każde drzewo, każdą gałąź, każdy liść. Śmigające w powietrzu ptaki i nietoperze zostawiały za sobą ogniste, barwne ślady. W oddali, na skraju lasu i nad jeziorem zebrała się armia Stworzenia: jelenie, niedźwiedzie, kozice górskie, majestatyczne łosie, wydry i bobry; wszystkie zwierzęta świeciły własnymi kolorami. Wszędzie wokół biegały, latały, pierzchały miriady dużo mniejszych istot, każda we własnej glorii.

Wśród brzoskwiniowych, śliwkowych i czerwonych płomieni z góry spadł rybołów, ale poderwał się w ostatniej chwili i pomknął tuż nad wodą, a z jego skrzydeł sypały się iskry. Za nim duży tęczowy pstrąg wyskoczył nad powierzchnię, jakby chciał się podroczyć z pędzącym drapieżnikiem, po czym opadł do jeziora w kolorowym rozprysku.

Mack poczuł się wielki. Zupełnie, jakby mógł być obecny wszędzie, gdzie spojrzał. Jego wzrok przyciągnęły dwa niedźwiadki, które baraszkowały u stóp matki, ochrowo-miętowo-orzechowe kulki przekomarzające się w swoim języku. Mackowi zdawało się, że mógłby ich dotknąć. Bez zastanowienia wyciągnął rękę, ale natychmiast ją cofnął, gdy zobaczył, że on też się jarzy. Spojrzał na swoje dłonie, cudownie ukształtowane i wyraźnie widoczne w kaskadach wielobarwnego światła, które od nich biło. Obejrzał się od stóp do głów i stwierdził, że cały jest otoczony kolorowym blaskiem. Ta osobliwa szata dawała mu swobodę ruchów i jednocześnie spełniała wymogi przyzwoitości.

Mack uświadomił sobie również, że nie czuje żadnego bólu, nawet w stawach, które zwykle mu dokuczały. Po prawdzie, jeszcze nigdy nie czuł się tak dobrze, tak zdrowo. Umysł miał jasny. Wdychał głęboko aromaty nocy, kwiatów w ogrodzie, z których wiele zaczęło się budzić na uroczystość.

Ogarniała go doskonała, oszałamiająca radość. Mack podskoczył i wolno wzbił się górę, a potem łagodnie opadł na ziemię.

To takie podobne do latania we śnie, pomyślał.

I wtedy zobaczył światła. Pojedyncze punkciki wyłaniały się z lasu i gromadziły nad łąką, poniżej miejsca, gdzie stał razem z Sarayu. Mack ujrzał je również wysoko w okolicznych górach. Pojawiały się i znikały, zmierzając w ich stronę niewidzialnymi ścieżkami i szlakami.

Wkrótce znalazły się na łące. Cała armia dzieci. Otoczone swoim własnym blaskiem, nosiły różne stroje, tak jak przypuszczał Mack, charakterystyczne dla danego plemienia. Chociaż potrafił zidentyfikować tylko kilka, nie miało to znaczenia. To były dzieci Ziemi, dzieci Taty. Szły z godnością, z wyrazem zadowolenia i spokoju na twarzach, małe trzymały za ręce jeszcze młodsze.

Przez chwilę Mack zastanawiał się, czy jest wśród nich Missy. Szybko jednak zrezygnował z wypatrywania córki, bo uznał, że gdyby tam była i gdyby chciała do niego przybiec, zrobiłaby to. Dzieci utworzyły wielki krąg na łące, zostawiając ścieżkę, która prowadziła od jego środka do miejsca, gdzie stał Mack. Kiedy chichotały albo szeptały, zapalały się wokół nich małe ogniki, niczym lampy błyskowe o dłuższym czasie działania. Najwyraźniej, w przeciwieństwie do Macka, dzieci wiedziały, co się dzieje, i oczekiwanie było dla nich zbyt trudne.

Za nimi wyszli na polanę i utworzyli następny krąg większych świateł dorośli, również kolorowi, ale o bardziej przytłumionych odcieniach.

Nagle uwagę Macka przyciągnął niezwykły ruch. Jedna ze świetlnych istot w zewnętrznym kręgu najwyraźniej miała jakieś kłopoty. W ich kierunku pomknęły łukiem przez noc fioletowe i alabastrowe włócznie. Potem ich miejsce zajęły orchidea, złoto i ognisty cynober. Jaskrawe błyski buchały ku nim, płonęły na tle ciemności, a potem przygasały i wracały do źródła.

Sarayu się zaśmiała.

– Co się dzieje? – zapytał szeptem Mack.

– Pewien człowiek nie jest w stanie ukryć tego, co czuje.

Nie tylko nie potrafił sam się opanować, ale wprowadzał zamęt wśród tych, którzy stali obok. Powstał efekt fali, kiedy błyskające światło dotarło do kręgu dzieci. Te najbliższe wichrzyciela zaczęły żywo reagować i z kolei od nich w jego stronę popłynął kolorowy blask. Powstałe kombinacje barw

były wyjątkowe. Mackowi wydawało się, że jest w nich odpowiedź dla osobnika, który powodował zamieszanie.

– Nadal nie rozumiem – szepnął Mack.

– Mackenzie, barwny świetlisty wzór jest wyjątkowy dla
każdej osoby, nie ma dwóch takich samych, żaden się nie
powtarza. Tutaj jesteśmy w stanie zobaczyć się nawzajem
w prawdziwej postaci, a każda osoba i emocja jest widoczna
jako kolorowe światełko.

– To niesamowite! – wykrzyknął Mack. – Ale dlaczego
dzieci są przeważnie białe?

– Kiedy się do nich zbliżysz, zobaczysz, że mają wiele
różnych kolorów, które stapiają się w biel. W miarę jak doj-
rzewają i stają się tym, kim naprawdę są, barwy robią się
wyraźniejsze, o odcieniu jedynym w swoim rodzaju.

– Niesamowite!

Mack przyjrzał się uważniej i dostrzegł, że za kręgiem
dorosłych pojawiły się wysokie płomienie, równo rozmiesz-
czone wokół całego obwodu. Były szafirowe i akwamary-
nowe z domieszkami innych kolorów. Wyglądały, jakby się
chwiały na wietrze.

– Anioły – wyjaśniła Sarayu, zanim Mack zdążył zapytać. – Słudzy i obserwatorzy.

– Niesamowite! – powtórzył Mack po raz trzeci.

– Poczekaj, Mackenzie, a zrozumiesz, co się dzieje z tamtym człowiekiem. – Wskazała w stronę zamieszania.

Nawet dla Macka było oczywiste, że tajemniczy osobnik
nadal ma poważne kłopoty. Świetlne włócznie mknęły coraz dalej w ich stronę.

– Dzięki charakterystycznym barwom możemy nie tylko
odróżniać poszczególne osoby, ale również komunikować
się z nimi. Spontaniczną reakcję bardzo trudno jest kontrolować, ale nie powinno się jej hamować, tak jak próbuje

to zrobić tamten. Lepiej po prostu pozwolić sobie na ekspresję.

– Nie rozumiem. – Mack się zawahał. – Mówisz, że możemy ze sobą rozmawiać kolorowymi błyskami?

– Tak. – Sarayu skinęła głową albo przynajmniej tak się wydawało Mackowi. – Każda więź między dwiema osobami jest całkowicie wyjątkowa. Nie można kochać dwóch osób tak samo. To po prostu niemożliwe. Kochasz każdego człowieka inaczej, bo jest jedyny w swoim rodzaju i on w tobie również dostrzega twoją niepowtarzalność. Im lepiej się poznajecie, tym bogatsze stają się barwy waszej relacji.

Mack słuchał, ale nadal obserwował rozgrywający się przed nimi spektakl.

– Żebyś mógł lepiej zrozumieć, podam ci przykład. Powiedzmy, że idziesz z przyjacielem do kawiarni. Jesteś skupiony na swoim towarzyszu i gdybyś miał oczy, które potrafią to zobaczyć, zauważyłbyś, że obaj jesteście otoczeni kolorowym blaskiem charakterystycznym nie tylko dla was jako jednostek, ale również dla waszej wzajemnej relacji i emocji, których doświadczacie w tym momencie.

– Ale...

– Ale przypuśćmy – ciągnęła Sarayu – że do kawiarni wchodzi inna osoba, którą kochasz, a ty dostrzegasz ją, chociaż jesteś pochłonięty rozmową z przyjacielem. Gdybyś miał oczy widzące szerszą rzeczywistość, oto, co byś zobaczył: dalej prowadziłbyś rozpoczętą rozmowę, ale wyjątkowa kombinacja koloru i światła przeniosłaby się z ciebie na osobę, która właśnie weszła. W ten właśnie sposób pozdrowiłbyś ją i wyraził swoje uczucia. I jeszcze jedno, Mackenzie, nie tylko wzrok postrzega tę wyjątkowość, ale także inne zmysły. Możesz ją poczuć, dotknąć jej, a nawet posmakować.

– Cudownie! – wykrzyknął Mack. – Ale jak to możliwe, że wszyscy są tacy spokojni, nie licząc tamtego? – Wskazał na ożywione błyski w kręgu dorosłych. – Zdawałoby się, że wszędzie aż powinno się jarzyć od kolorów. Czy oni się nie znają?

– Większość zna się bardzo dobrze, ale przybyli tutaj na uroczystość, w której nie chodzi o nich ani o ich wzajemne stosunki, przynajmniej nie bezpośrednio – wyjaśniła Sarayu. – Oni czekają.

– Na co? – spytał Mack.

– Wkrótce zobaczysz – odparła Sarayu i było oczywiste, że już nic więcej mu nie powie na ten temat.

– Więc dlaczego tamten jest taki podekscytowany i wyraźnie na nas skupiony? – Mack znowu patrzył na osobnika siejącego zamęt w szeregach.

– Mackenzie, on nie jest skupiony na nas, tylko na tobie – powiedziała łagodnie Sarayu.

– Co?!

– Ten człowiek, który tak usilnie próbuje nad sobą zapanować, to... twój ojciec.

Macka zalała fala emocji, mieszanina gniewu i tęsknoty, i jakby na dany znak kolorowe błyski pomknęły nad łąką i otoczyły go wirami rubinu, cynobru, fuksji i fioletu. I nagle Mack stwierdził, że biegnie pośród tej gwałtownej ulewy w stronę ojca, do źródła oślepiającego blasku. Znowu był małym chłopcem, który chciał być przy tatusiu i po raz pierwszy się go nie bał. Pędził przed siebie, nie widząc nic oprócz obiektu swoich uczuć. Ojciec klęczał oblany światłem, na rękach zasłaniających twarz lśniły łzy niczym wodospad z diamentów. Nie śmiał podnieść wzroku na syna.

– Tato! – krzyknął Mack i rzucił się do niego pośród ryku wiatru i płomieni. Ujął w dłonie twarz ojca i zmusił go, żeby spojrzał mu w oczy. Potem wyrzucił z siebie słowa, które zawsze chciał powiedzieć: – Tato, tak mi przykro! Kocham cię!

Blask tego wyznania przepędził ciemność z aury ojca, zmienił jej barwę na krwistoczerwoną. Później, szlochając, wybaczyli sobie nawzajem, a ostatecznie uzdrowiła ich miłość większa niż ta, którą sami byli w stanie odczuwać.

Gdy wreszcie wstali, ojciec obejmował syna tak, jak nigdy wcześniej tego nie robił. I wtedy Mack usłyszał melodię. Narastając powoli, otoczyła ich obu i wypełniła święte miejsce, w którym się znajdowali. Spleceni ramionami, niezdolni do mówienia z powodu łez, słuchali hymnu pojednania, który rozświetlił nocne niebo. Wśród dzieci, tych które ucierpiały najbardziej, trysnęła łukiem w górę fontanna jaskrawego światła, zafalowała i przesunęła się dalej, niesiona wiatrem, aż całe pole zostało zalane blaskiem i pieśnią.

Mack wiedział, że to nie pora na rozmowę i że jego czas z ojcem dobiega końca. Wyczuł, że dla nich obu te chwile bardzo wiele znaczą. On sam był w euforii, lekki jak piórko. Pocałował ojca, odwrócił się i ruszył z powrotem na wzgórze, gdzie czekała na niego Sarayu. Idąc między dziećmi, czuł na sobie muśnięcia ich kolorów. Najwyraźniej znano go tutaj i kochano.

Kiedy dotarł do Sarayu, ona też go objęła, a wtedy Mack pozwolił sobie na łzy. Gdy trochę się opanował, spojrzał na łąkę, jezioro i nocne niebo. W ciszy, która zapadła, wyczuwało się napięcie i oczekiwanie. Nagle po prawej stronie wyłonił się z ciemności Jezus. W jaśniejącej białej szacie i prostej złotej koronie na głowie wyglądał w każdym calu na króla wszechświata. Jego przybycie wywołało pandemonium.

Człowiek, który był Bogiem, i Bóg, który był człowiekiem, szedł ścieżką prowadzącą do środka kręgów, do centrum całego Stworzenia. Tańczące światła i kolory tkały dla niego dywan miłości. Niektórzy wykrzykiwali słowa uwielbienia, inni po prostu stali z uniesionymi rękami. Wielu z tych, których barwy były najbardziej intensywne, leżało zwróconych twarzami do ziemi. Wszystko, co oddychało, śpiewało pieśń dziękczynną. W tej chwili świat był taki, jaki powinien być.

Kiedy Jezus dotarł na środek łąki, zatrzymał się i rozejrzał. Gdy dostrzegł Macka stojącego na małym wzgórzu, wyszeptał mu do ucha:

– Mack, szczególnie cię lubię.

Dla Macka tego było już za wiele. Padł na ziemię i rozpłynął się w łzach radości. Nie mógł się poruszyć w objęciach miłości i czułości Jezusa.

Potem usłyszał jego wyraźny, łagodny i zapraszający głos:

– Przyjdźcie do mnie!

Dzieci ruszyły pierwsze, a za nimi dorośli. Wszyscy rozmawiali, śmiali się, obejmowali i śpiewali z Jezusem. Czas stanął w miejscu, ale niebieski taniec i pokaz trwały. Potem każdy odchodził, aż w końcu na łące zostali tylko płonący błękitem wartownicy i zwierzęta. Jezus przeszedł nawet między nimi, wołając każde po imieniu. Po tym powitaniu leśne stworzenia razem z młodymi ruszały do swoich gęstwin, gniazd i pastwisk.

Mack stał bez ruchu i próbował uporać się z doświadczeniem, które przekraczało jego zdolność rozumienia.

– Nie miałem pojęcia... – wyszeptał, kręcąc głową i patrząc w dal. – Niewiarygodne!

Sarayu roześmiała się, rozsiewając wokół siebie kolorowe iskry.

– Tylko sobie wyobraź, Mack, co by było, gdybym dotknęła nie tylko twoich oczu, ale również języka, nosa i uszu.

Gdy zostali sami, dziki, przeciągły okrzyk nura poniósł się echem po jeziorze, jakby ogłaszał koniec uroczystości. Wszyscy strażnicy zniknęli. I tylko chór świerszczy i żab, które pozostały na skraju wody i na okolicznych łąkach, wkrótce podjął swoje pieśni dziękczynne. Cała trójka ruszyła bez słowa z powrotem do chaty. Mack ją zobaczył, bo znowu był ślepy. Jakby na jego oczy opadła kurtyna, odzyskał normalny wzrok. Czuł tęsknotę i nawet lekki smutek, ale wtedy Jezus zbliżył się do niego i ujął jego dłoń. Ścisnąwszy ją, dał znak Mackowi, że wszystko jest takie, jakie powinno być.

16

Poranek smutków

„Nieskończony Bóg oddaje się cały wszystkim swoim dzieciom. On nie dzieli siebie, żeby każde mogło dostać swoją część, tylko każdemu daje całego siebie, jakby nie było innych".

A.W. Tozer

Mackowi wydawało się, że dopiero co zasnął głębokim snem bez marzeń sennych, kiedy poczuł, że ktoś nim potrząsa.

– Obudź się, Mack. Pora ruszać. – Głos był znajomy, ale głębszy i bardziej matowy.

– Co? Która godzina – wymamrotał Mack, próbując się zorientować, gdzie jest i co tutaj robi.

– Czas iść!

Mack wychylił się z łóżka i mamrocząc pod nosem, namacał wyłącznik lampy. Po nieprzeniknionej ciemności światło było oślepiające, więc minęła chwila, zanim Mack zdołał uchylić powiekę i zerknąć na porannego gościa.

Mężczyzna stojący przy łóżku wyglądał trochę jak Tata. Żylasty i dostojny, był starszy i wyższy od Macka. Miał srebrne włosy ściągnięte w kucyk, pasujący do szpakowatych wąsów i koziej bródki. Koszula w kratę z podwiniętymi rękawami, dżinsy i buty turystyczne składały się na strój osoby gotowej do wyruszenia na szlak.

– Tata? – zapytał niepewnie Mack.

– Tak, synu.

– Wciąż mącisz mi w głowie – stwierdził Mack.

– Owszem – potwierdził Bóg z ciepłym uśmiechem, a potem odpowiedział na następne pytanie, zanim Mack zdążył je zadać. – Dzisiejszego ranka będziesz potrzebował ojca. Chodźmy. Na krześle przy łóżku masz wszystko co niezbędne. Spotkamy się w kuchni i coś przekąsimy przed wymarszem.

Mack pokiwał głową. Nie próbował pytać, dokąd się wybierają. Gdyby Tata chciał, sam by mu powiedział. Szybko włożył idealnie pasujące na niego ubranie, podobne do tego, które miał na sobie Tata, i wzuł buty turystyczne. Następnie odświeżył się w łazience i poszedł do kuchni.

Jezus i Tata stali przy blacie kuchennym i wyglądali na dużo bardziej wypoczętych niż on. Mack już miał się odezwać, kiedy zjawiła się Sarayu z długim zwiniętym pakunkiem, który wyglądał jak śpiwór przewiązany ciasno paskiem, służącym jednocześnie do niesienia. Wręczyła go Mackowi, a on od razu poczuł cudowne zapachy wydostające się z tobołka. Była to mieszanina aromatycznych ziół i kwiatów, których woń wydawała mu się znajoma. Rozpoznał nutę cynamonu, mięty i jakichś owoców.

– To podarunek, ale na później. Tata ci pokaże, co z nim zrobić. – Sarayu uśmiechnęła się i uściskała go, a w każdym razie tylko tak można było opisać jej zachowanie.

– Zebrałeś je wczoraj z Sarayu – dodał Tata. – Możesz je ponieść.

– Mój dar zaczeka do twojego powrotu – powiedział z uśmiechem Jezus i on również przygarnął Macka, ale tym razem czuło się, że to jest prawdziwy uścisk.

Następnie Jezus i Sarayu wyszli z chaty, a Mack został sam z Tatą, który robił jajecznicę i piekł dwa paski bekonu.

– Tato... – Mack z zaskoczeniem stwierdził, że nazywanie go w ten sposób przychodzi mu z łatwością. – Ty nie będziesz jadł?

– U nas nie ma żadnego rytuału, Mackenzie. Ty musisz jeść, a ja nie. Tylko nie pochłoń śniadania, bo dostaniesz niestrawności – ostrzegł go Bóg z uśmiechem. – Mamy dużo czasu.

Mack jadł wolno i w milczeniu, ciesząc się obecnością Taty.

W pewnym momencie do jadalni zajrzał Jezus i poinformował Boga, że położył narzędzia pod drzwiami. Tata mu podziękował, a Jezus pocałował go i wyszedł.

Pomagając zmywać naczynia, Mack spytał:

– Kochasz go naprawdę? To znaczy, Jezusa.

– Wiem, kogo masz na myśli – powiedział Tata i przestał na chwilę wycierać patelnię. – Z całego serca! Jest coś szczególnego w jedynym synu! – Mrugnął do Macka i dodał: – Chyba na tym między innymi polega jego wyjątkowość.

Posprzątawszy po śniadaniu, wyszli przed chatę. Nad górskimi szczytami wstawał świt, szare niebo kończącej się nocy z wolna przybierało barwy wczesnego poranka. Mack wziął podarunek od Sarayu i przewiesił go sobie przez ramię. Tata wręczył mu czekan, który stał oparty o ścianę obok drzwi. Sam zarzucił sobie na ramiona plecak, w jedną rękę wziął łopatę, w drugą laskę i bez słowa ruszył przez ogród w stronę jeziora.

Gdy dotarli do początku szlaku, zrobiło się na tyle jasno, że nie mieli trudności ze znajdowaniem drogi. W tym miejscu Tata zatrzymał się i wskazał laską na drzewo rosnące przy ścieżce. Mack dostrzegł na pniu mały czerwony łuk. Nie miał pojęcia, co oznacza ten znak, a Tata nic mu nie wyjaśnił, tylko odwrócił się i ruszył szlakiem, zachowując umiarkowane tempo. W czasie marszu nucił jakąś melodię, ale Mack jej nie rozpoznawał.

Pakunek od Sarayu był stosunkowo lekki jak na swoje rozmiary, a czekana Mack używał jako laski. Ścieżka, którą podążali, prowadziła przez jeden ze strumieni i dalej w głąb lasu. Gdy po nieostrożnym kroku Mack pośliznął się na kamieniach i wpadł po kostki w wodę, był zadowolony, że jego buty są wodoodporne.

Idąc, rozmyślał o tym, co przeżył w ciągu ostatnich dwóch dni. Rozmowy z całą trójką, razem i z osobna, czas spędzony z Sofią, modlitwy, w których uczestniczył, obserwowanie nocnego nieba razem z Jezusem, spacer po jeziorze. A całość wieńczyła ceremonia z ostatniej nocy i pojednanie z ojcem. Tyle zbawiennego działania przy tak niewielu słowach. Mackowi trudno było to wszystko ogarnąć rozumem.

Kiedy dumał o tym, czego się nauczył, uświadomił sobie, ile jeszcze ma pytań. Czuł jednak, że teraz nie jest odpowiednia pora, żeby je zadać. Wiedział tylko, że już nigdy nic nie będzie takie samo, i zastanawiał się, jak zmiany wpłyną na Nan, na niego i na dzieci, a zwłaszcza na Kate.

Lecz jedna sprawa wciąż nie dawała mu spokoju, więc w końcu przerwał milczenie.

– Tato?

– Tak, synu?

– Sofia pomogła mi wczoraj zrozumieć dużo rzeczy w związku z Missy. I bardzo dobrze mi zrobiła rozmowa z Tatą... eee, to znaczy, z tobą. – Mack się speszył, ale kiedy Bóg odwrócił się do niego z dobrotliwym uśmiechem, mówił dalej: – Czy to dziwne, że z tobą również chcę o tym porozmawiać? Jesteś teraz bardziej... ojcowski, jeśli wiesz, co mam na myśli.

– Wiem, Mackenzie. Zataczamy pełny krąg. Dzięki temu, że wczoraj wybaczyłeś swojemu ojcu, dzisiaj lepiej mnie poznasz w tej roli. Nie musisz nic więcej wyjaśniać.

Mack wiedział, że zbliżają się do końca długiej podróży i Tata stara się pomóc mu zrobić ostatnie kroki.

– Jak wiesz, nie dało się stworzyć wolności bez poniesienia kosztów. – Tata zerknął na blizny wyraźnie widoczne na jego nadgarstkach. – Wiedziałem, że moje Stworzenie się zbuntuje, że wybierze niezależność i śmierć. I wiedziałem, że będę musiał otworzyć drogę pojednania. Wasza niezależność doprowadziła do chaosu, tak że świat wydaje się wam teraz przypadkowy i przerażający. Czy mogłem zapobiec temu, co spotkało Missy? Odpowiedź brzmi: tak.

Mack bez słowa popatrzył na Tatę, zadając mu wzrokiem pytanie. Nie musiał wypowiadać go na głos.

– Po pierwsze, gdybym w ogóle nie stworzył świata, te pytania byłyby zbędne. Po drugie, mogłem czynnie interweniować, żeby uratować Missy. To pierwsze nigdy nie wchodziło w rachubę, a drugie nie było brane pod uwagę z powodów, których teraz nie jesteś w stanie zrozumieć. W tym momencie zamiast odpowiedzi mogę dać ci miłość i dobroć. Nie zaplanowałem śmierci Missy, ale to nie znaczy, że nie mogę jej wykorzystać w dobrym celu.

Mack pokiwał ze smutkiem głową.

– Masz rację, że tego nie rozumiem. Czasami mam jakieś przebłyski, ale chwilę potem wraca tęsknota i poczucie straty, a ja wtedy myślę, że to, co widziałem, nie mogło być prawdą. Jednak ufam ci... – Te słowa jego samego zaskoczyły i jednocześnie zabrzmiały jak cudowna muzyka. – Tato, ja ci ufam!

Bóg uśmiechnął się do niego promiennie.

– Wiem, synu, wiem.

Odwrócił się i ruszył szlakiem, a Mack poszedł za nim ze spokojniejszym i lżejszym sercem. Wkrótce rozpoczęli wspinaczkę i choć okazała się stosunkowo łatwa, tempo marszu spadło. Od czasu do czasu Tata zatrzymywał się i dotykał jakiegoś głazu albo dużego drzewa rosnącego przy ścieżce, za każdym razem pokazując mały czerwony łuk. Mack nigdy nie zdążył zadać oczywistego pytania, bo Bóg podejmował marsz.

Powoli drzewa zaczęły rzednąć i Mack dostrzegł w prześwitach piargi, tam gdzie lawiny kamienne zmiotły duże połacie lasu, jeszcze zanim wytyczono szlak. Gdy raz zatrzymali się na krótki odpoczynek, Mack napił się zimnej wody, którą Tata zabrał w manierkach.

Niedługo potem ścieżka zrobiła się dość stroma, więc jeszcze bardziej zwolnili. Mack oceniał, że idą już od dwóch godzin. Gdy przekroczyli linię drzew, zobaczył, że szlak biegnie dalej po górskim zboczu, które wznosiło się przed nimi, ale najpierw musieli przejść przez rozległe rumowisko skalne.

Tata zatrzymał się, zdjął plecak i wyjął z niego wodę.

– Prawie jesteśmy na miejscu, synu – oznajmił, wręczając Mackowi manierkę.

– Naprawdę? – zdziwił się Mack, patrząc na niegościnne kamieniste pole rozciągające się przed nimi.

– Tak!

Odpowiedź była krótka, ale Mack sam nie wiedział, czy chce się dopytywać, gdzie właściwie dotarli.

Tata wybrał nieduży głaz tuż przy ścieżce i usiadł na nim, położywszy najpierw obok niego plecak i łopatę. Miał zatroskaną minę.

– Chcę ci pokazać coś, co będzie dla ciebie bardzo bolesne.

Mack poczuł ściskanie w żołądku. Odłożył czekan i siadł obok Taty, kładąc sobie na kolanach pakunek od Sarayu. Wydobywające się z niego aromaty, wzmocnione przez poranne słońce, działały kojąco na jego zmysły i przynosiły spokój.

– Co takiego? – spytał ostrożnie.

– Żebyś mógł to zobaczyć, muszę zabrać jeszcze jedną rzecz, która kładzie się cieniem na twoim sercu.

Mack od razu zrozumiał, o czym mówi Tata. Odwrócił od niego wzrok i wbił go w ziemię między swoimi stopami.

– Synu, nie chodzi o zawstydzenie ciebie – rzekł Tata łagodnym, krzepiącym tonem. – Ja nie upokarzam, nie budzę poczucia winy, nie potępiam. Takie metody nie przysparzają cnót ani prawości i dlatego zostały przybite do krzyża razem z Jezusem. – Odczekał chwilę, żeby jego słowa zapadły w świadomość Macka. – Dzisiaj wyruszyliśmy na uzdrawiający szlak, żeby zakończyć tę część twojej podróży, i nie chodzi tylko o ciebie, ale również o innych. Dzisiaj wrzucamy wielki kamień do jeziora, a fale dotrą do miejsc, w których byś się ich nie spodziewał. Już wiesz, czego chcę, prawda?

– Obawiam się, że tak – wymamrotał Mack, czując, że z zamkniętego zakamarka jego serca próbują wydostać się emocje.

– Synu, musisz to powiedzieć na głos.

Tym razem Mack nawet nie starał się powstrzymać gorących łez. Kiedy spłynęły po jego twarzy, zaczął mówić, szlochając:

– Nie potrafię wybaczyć temu sukinsynowi, który zabił moją Missy. Gdyby tu dzisiaj był, nie wiem, co bym zrobił. Wiem, że to nie jest dobre, ale chcę, żeby cierpiał tak, jak ja cierpiałem... I skoro nie mogę doczekać się sprawiedliwości, pragnę zemsty.

Tata poczekał, aż strumień żalu wyleje się z Macka i odpłynie.

– Mackenzie, wybaczyć temu człowiekowi to zostawić go mnie i pozwolić, żebym go zbawił.

– Zbawił? – W Macku znowu rozgorzał płomień gniewu i bólu. – Nie chcę, żebyś go zbawiał! Chcę, żebyś go zranił, ukarał, żebyś wtrącił go do piekła...

Bóg czekał cierpliwie, aż fala emocji opadnie.

– Po prostu nie mogę zapomnieć tego, co zrobił.

– Wybaczenie to nie zapomnienie, Mack. Chodzi w nim o to, żeby puścić czyjeś gardło.

– Myślałem, że zapominasz nasze grzechy.

– Mack, jestem Bogiem. Niczego nie zapominam. Wiem wszystko. Mogę najwyżej postanowić się ograniczyć. Synu, dzięki Jezusowi nie istnieje teraz prawo, które wymaga, żebym przypominał sobie wasze grzechy. One zniknęły i nie przeszkadzają w naszych wzajemnych stosunkach.

Mack podniósł wzrok i spojrzał głęboko w oczy Taty.

– Ale ten człowiek...

– On też jest moim synem. Chcę go zbawić.

– I co wtedy? Po prostu mu wybaczę i wszystko będzie w porządku? Zostaniemy kumplami? – Mack powiedział to cicho, ale z sarkazmem.

– Nic cię nie łączy z tym człowiekiem, przynajmniej na razie. Wybaczenie nie oznacza nawiązania stosunków. W Jezusie wybaczyłem wszystkim ludziom ich grzechy przeciwko mnie, ale tylko niektórzy wybierają relację ze mną.

Mackenzie, nie rozumiesz, że wybaczenie to niesamowita moc? Moc, którą dzielisz z nami. Jezus daje ją wszystkim, w których mieszka, żeby mogło dojść od pojednania. Kiedy wybaczył tym, którzy go ukrzyżowali, przestali być jego dłużnikami i moimi. W swojej relacji z tymi ludźmi nigdy nie wspomnę o tym, co zrobili, nie zawstydzę ich ani nie wprawię w zakłopotanie.

– Nie sądzę, żebym był do tego zdolny – stwierdził Mack.

– Chcę, żebyś to zrobił. Wybaczenie jest przede wszystkim dla ciebie, dla wybaczającego. Pozwala ci uwolnić się od czegoś, co zżera cię żywcem, niszczy wszelką radość i zdolność do kochania. Myślisz, że tego człowieka obchodzi ból i udręka, które przeżyłeś? Jeśli już, to karmi się tą świadomością. Nie chcesz położyć temu kresu? Czyniąc to, uwolnisz go od ciężaru, który dźwiga, czy sobie zdaje z tego sprawę, czy nie. Gdy postanawiasz komuś wybaczyć, okazujesz mu dobrą miłość.

– Nie kocham go.

– Dzisiaj nie. A ja kocham go nie takiego, jakim się stał, kocham zwyrodniałe dziecko, złamane przez cierpienie. Chcę pomóc ci odnaleźć siłę w miłości i wybaczeniu, a nie w nienawiści.

– Czy to oznacza, że jeśli wybaczę temu człowiekowi, pozwolę mu bawić się z Kate albo z moją pierwszą wnuczką? – Macka znowu ogarnął gniew.

– Mackenzie, już ci powiedziałem, że przebaczenie nie oznacza tworzenia więzi. – Tata był stanowczy. – Jeśli ludzie nie mówią prawdy o tym, co zrobili, jeśli nie zmieniają zachowania i sposobu myślenia, stosunki oparte na zaufaniu nie są możliwe. Kiedy komuś wybaczasz, uwalniasz go od sądu, ale bez prawdziwej przemiany nie da się nawiązać żadnej relacji.

– Więc przebaczenie nie wymaga ode mnie udawania, że to, co zrobił, nigdy się nie wydarzyło?

– Jak by to było możliwe? Wybaczyłeś swojemu tacie zeszłej nocy. Czy kiedykolwiek zapomnisz, co ci zrobił?

– Nie sądzę.

– I mimo to teraz możesz go kochać. Pozwala na to jego przemiana. Wybaczenie w żadnym razie nie oznacza, że masz zaufać temu, kto cię skrzywdził. Ale jeśli ten ktoś w końcu wyzna winę i okaże skruchę, odkryjesz w swoim sercu cud, który pozwoli ci zacząć budować między wami most pojednania. A czasami, choć teraz może ci się to wydawać niepojęte, ta droga może nawet doprowadzi cię do innego cudu: odzyskanego zaufania.

Mack zsunął się ze skały, na której siedział, i oparł się o nią plecami. Wbił wzrok w ziemię.

– Tato, chyba rozumiem, co mówisz. Ale wydaje mi się, że gdybym wybaczył temu człowiekowi, to tak, jakbym puścił go wolno. Jak mogę usprawiedliwić to, co zrobił? Czy to byłoby uczciwe wobec Missy, gdybym przestał być na niego wściekły?

– Mackenzie, wybaczenie nie oznacza usprawiedliwienia. Wierz mi, ten człowiek w żadnym razie nie jest wolny. A ty nie masz obowiązku wymierzania mu sprawiedliwości. Ja się tym zajmę. Natomiast jeśli chodzi o Missy, ona już mu wybaczyła.

– Naprawdę? – Mack nawet nie podniósł wzroku. – Jak to możliwe?

– Dzięki mojej obecności w niej. To jedyny sposób, żeby prawdziwe wybaczenie było możliwe.

Mack poczuł, że Tata siada obok niego na ziemi, ale nadal nań nie patrzył. Kiedy objęły go silne ramiona, zaczął płakać.

– Wyrzuć to z siebie – usłyszał szept i nareszcie był w stanie to zrobić.

Zamknął oczy, kiedy pociekły z nich łzy. Jego umysł zalały wspomnienia Missy, książeczek do kolorowania, kredek, podartej, zakrwawionej sukienki. Płakał długo, aż wypłakał z siebie całą ciemność, tęsknotę i poczucie straty, i nie zostało w nim już nic. Lecz nadal zaciskał powieki, kołysał się w przód i w tył i błagał:

– Pomóż mi, Tato. Pomóż! Co mam zrobić? Jak mu wybaczyć?

– Powiedz mu.

Mack otworzył oczy, jakby się spodziewał, że zobaczy stojącego przed sobą człowieka, którego nigdy w życiu nie widział.

– Jak, Tato?

– Powiedz to głośno. W oświadczeniach moich dzieci jest moc.

Mack zaczął szeptać, najpierw bez przekonania, jąkając się, a potem stopniowo z coraz większą siłą:

– Wybaczam ci. Wybaczam ci. Wybaczam ci.

Tata tulił go mocno.

– Mackenzie, jesteś dla mnie prawdziwą radością.

Kiedy Mack w końcu się pozbierał, Tata podał mu mokrą ściereczkę do wytarcia twarzy. Potem Mack wstał, z początku trochę niepewnie.

– O rany! – powiedział Mack ochrypłym głosem, nie znajdując słów, które opisałyby jego emocjonalną podróż. Czuł się jak nowo narodzony. Oddał chusteczkę Tacie, wstał z głazu, dość niepewnie, i zapytał: — Więc to w porządku, że nadal jestem zły?

— Oczywiście! — zapewnił go Tata pośpiesznie. — To, co ten człowiek zrobił, było potworne. Sprawił wielu ludziom straszliwy ból. Gniew jest właściwą i zrozumiałą reakcją na takie zło. Ale nie pozwól, żeby wściekłość i poczucie straty powstrzymały cię przed wybaczeniem mu i zdjęciem rąk z jego szyi. — Tata schylił się po plecak i zarzucił go sobie na ramiona. — Synu, może pierwszego i drugiego dnia będziesz musiał powtórzyć słowa wybaczenia sto razy, ale trzeciego będzie ich mniej i z każdym kolejnym jeszcze mniej, aż do dnia, kiedy sobie uświadomisz, że wybaczyłeś całkowicie. A wtedy zaczniesz się za niego modlić i oddasz go mnie, żeby moja miłość wypaliła w nim wszelkie przejawy zepsucia. Choć teraz wydaje ci się to niepojęte, może kiedyś poznasz tego człowieka w innych okolicznościach i spojrzysz na niego inaczej.

Mack jęknął. Choć od słów Boga ściskało go w żołądku, w głębi serca wiedział, że taka jest prawda. Wszedł na szlak i ruszył w drogę powrotną do domu.

— Jeszcze tu nie skończyliśmy, Mackenzie — zatrzymał go Tata.

Mack się odwrócił.

— Naprawdę? Myślałem, że właśnie po to mnie tutaj przyprowadziłeś.

— Tak, ale wspomniałem, że mam ci do pokazania coś, o co mnie prosiłeś. Przyszliśmy tutaj, żeby sprowadzić Missy do domu.

Nagle wszystko nabrało sensu. Mack spojrzał na dar Sarayu i zrozumiał. Gdzieś w tej odludnej okolicy zabójca ukrył ciało Missy, a oni przyszli je zabrać.

– Dziękuję. – Tylko tyle zdołał wykrztusić, zanim po jego twarzy spłynął kolejny słony potok, jakby z bezdennego zbiornika. – Nienawidzę tego wszystkiego... płaczu, bełkotania jak idiota, wszystkich tych łez.

– Och, dziecko – przemówił Tata łagodnie. – Nie lekceważ cudu łez. One mogą być uzdrawiającymi wodami i strumieniem radości. Czasami są najlepszymi słowami, jakie potrafi wypowiedzieć serce.

Mack odsunął się i spojrzał Bogu w twarz. Jeszcze nigdy nie widział takiej dobroci, miłości, nadziei i żywej radości.

– Ale obiecałeś, że kiedyś już nie będzie płaczu. Nie mogę się tego doczekać.

Tata uśmiechnął się, wyciągnął rękę i wierzchem dłoni delikatnie otarł policzki Macka.

– Mackenzie, ten świat jest pełen łez, ale obiecałem, jeśli pamiętasz, że to ja wytrę je z twoich oczu.

Mack zdobył się na uśmiech, podczas gdy jego dusza nadal się rozpływała i zdrowiała w miłości Ojca.

– Masz – powiedział Tata, podając mu manierkę. – Napij się porządnie. Nie chcę, żebyś wysechł jak śliwka, zanim wszystko się skończy.

Mack musiał się roześmiać i w pierwszej chwili pomyślał, że to bardzo niestosowne, ale po zastanowieniu zrozumiał, że właśnie tak trzeba. To był śmiech nadziei i odzyskanej radości, koniec procesu zdrowienia.

Wkrótce ruszyli w drogę. Zanim opuścili główny szlak, żeby przejść przez wielkie rumowisko, Tata zatrzymał się i postukał laską w duży głaz. Obejrzał się na Macka i gestem pokazał mu, żeby dobrze się przyjrzał. Mack zobaczył znajomy czerwony łuk i wreszcie się domyślił, że ścieżka, którą podążali, została oznaczona przez zabójcę jego córki. W czasie marszu Tata wyjaśnił mu, że nigdy nie znaleziono żadnych ciał, bo morderca wyszukiwał, czasami na wiele miesięcy przed każdym porwaniem, odludne miejsca, żeby je ukryć.

W połowie drogi przez kamienne pole Tata zszedł ze ścieżki i zapuścił się w labirynt górskich zboczy, ale najpierw pokazał mu symbol namalowany na skalnej ścianie. Mack stwierdził, że jeśli człowiek nie wiedział, czego szukać, łatwo mógł przegapić wskazówki. Dziesięć minut później Bóg zatrzymał się w miejscu, gdzie stykały się dwie wychodnie. U ich podstawy leżał stos kamieni, a na jednym z nich widniał podpis mordercy.

– Pomóż mi – powiedział Tata i zaczął odsuwać większe głazy. – Tu jest ukryte wejście do jaskini.

Po usunięciu kamieni, posługując się czekanem i łopatą, zdjęli warstwę stwardniałej ziemi i żwiru blokującą wejście. Gdy osypała się reszta gruzu, zobaczyli otwór prowadzący do małej jaskini, kiedyś zapewne zimowego leża jakiegoś zwierzęcia. Stęchły odór rozkładu, który buchnął ze środka, przyprawił Macka o mdłości. Tata sięgnął do pakunku Sarayu i wyciągnął z niego kawałek płótna wielkości bandany. Owiązał go Mackowi wokół nosa i smród pieczary natychmiast został zastąpiony przez słodki aromat ziół.

Nora była tak ciasna, że dało się w niej jedynie pełznąć. Tata wyjął z plecaka latarkę i pierwszy wsunął się do jaskini. Mack podążył za nim, ciągnąc tobołek.

Znalezienie tego, czego szukali, zajęło im tylko parę minut. Na małym skalnym występie Mack zobaczył ciało, prawdopodobnie Missy. Leżała twarzą do góry, nakryta brudnym, butwiejącym prześcieradłem.

Tata odwinął pakunek Sarayu i pieczarę od razu wypełniły cudowne wonie. Choć całun Missy niemal się rozpadał, Mackowi udało się ułożyć ją wśród suszonych ziół i kwiatów.

Wtedy Tata owinął ją delikatnie i zaniósł do wyjścia. Mack wygramolił się pierwszy, a Bóg podał mu skarb. Potem sam wydostał się z jaskini i zarzucił plecak na ramiona. Przez cały ten czas nie wypowiedzieli do siebie ani jednego słowa. Tylko Mack chwilami mamrotał pod nosem:

– Wybaczam ci... Wybaczam ci...

Zanim opuścili to miejsce, Tata wziął kamień z czerwonym łukiem i położył go przy wejściu. Mack nie zwrócił na to szczególnej uwagi. Pogrążony we własnych myślach, czule tulił ciało córki do serca.

17

Wybory serca

„Ziemia nie zna smutku, którego nie mogą wyleczyć niebiosa".

Autor nieznany

Choć Mack niósł ciało Missy, droga powrotna minęła szybko. Kiedy dotarli do chaty, Jezus i Sarayu czekali na nich w kuchennych drzwiach. Jezus delikatnie uwolnił go od ciężaru i razem poszli do szopy, w której zwykle pracował. Od swojego przybycia Mack nie zajrzał tu ani razu, więc teraz zaskoczyła go prostota wnętrza. W promieniach światła wpadających przez duże okna unosił się pył drzewny. Narzędzia rozmieszczono na ścianach i stołach roboczych w taki sposób, żeby łatwo dało się po nie sięgnąć. Było to prawdziwe sanktuarium mistrza rzemieślnika.

Pośrodku stała jedna z jego prac, dzieło sztuki, w którym miały spocząć szczątki Missy. Kiedy Mack obszedł trumnę, od razu rozpoznał detale wyrzeźbione w drewnie. Były to sceny z życia jego córki. Gdy się dokładniej przyjrzał, zobaczył Missy z kotem Judaszem na kolanach. Siebie siedzącego na krześle i czytającego jej książeczkę Dr. Seussa. Na bokach i na wieku została uwieczniona cała rodzina: Nan i Missy piekące ciasteczka, wycieczka nad jezioro Wallowa i przejażdżka kolejką górską, dziewczynka w czerwonej sukience kolorująca książeczkę przy obozowym stole i spinka w kształcie biedronki zostawiona przez mordercę. Był nawet starannie wyrzeźbiony portret Missy, która patrzy z uśmiechem na wodospad, bo wie, że jej tatuś jest po drugiej stronie. Wolne miejsca między scenkami wypełniały kwiaty i ulubione zwierzęta Missy.

Mack odwrócił się i z wdzięcznością uściskał Jezusa, a on szepnął mu do ucha:

– Missy mi pomagała. Sama wybrała wszystkie obrazki.

Mack objął go mocniej i nie puszczał przez dłuższą chwilę.

– Przygotowaliśmy najlepsze miejsce na jej ciało, Mackenzie – powiedziała Sarayu, która nagle pojawiła się obok nich. – Nasz ogród.

Z wielką troskliwością włożyli szczątki Missy do trumny wyścielonej miękką trawą i mchem, a potem napełnili ją kwiatami i ziołami. Zamknąwszy wieko, obaj z Jezusem wynieśli trumienkę z szopy i podążyli za Sarayu do miejsca w sadzie, które Mack pomagał uprzątnąć. Tam, między wiśniami i brzoskwiniami, wśród orchidei i lilii, gdzie dzień wcześniej Mack wykarczował kwitnący krzew, wykopano dół. Przy nim już czekał Bóg. Gdy delikatnie umieszczono rzeźbioną skrzynię w ziemi, Tata uściskał Macka.

Potem do przodu wystąpiła Sarayu, ukłoniła się i powiedziała:

– Ja mam uczcić Missy pieśnią, którą ona sama napisała na tę okazję.

I zaczęła śpiewać głosem przywodzącym na myśl jesienny wiatr, opadanie liści z drzew, nadejście nocy i obietnicę nowych dni. Była to ta sama melodia, którą nucili wcześniej Sarayu i Tata, ale teraz Mack usłyszał ją ze słowami córki:

Oddychaj we mnie... głęboko,
Żebym mogła oddychać... i żyć.
Przytul mnie mocno, żebym mogła zasnąć
W twoich czułych objęciach.

Pocałuj mnie, wietrze, i zabierz mój oddech,
Aż ty i ja staniemy się jednym
I będziemy tańczyć wśród grobów,
Aż wszyscy zmarli odejdą.

I nie wie nikt, że istniejemy
Spleceni ramionami,
Z wyjątkiem Tego, który tchnie oddechem
Chroniącym mnie przed krzywdą.

Pocałuj mnie, wietrze, i zabierz mi oddech,
Aż ty i ja staniemy się jednym
I będziemy tańczyć wśród grobów,
Aż wszyscy zmarli odejdą.

Kiedy Sarayu umilkła, wszyscy troje powiedzieli jednocześnie:

– Amen.

Mack powtórzył „amen" za nimi, wziął łopatę i z pomocą Jezusa zaczął zasypywać trumnę, w której spoczywało ciało Missy.

Gdy skończył, Sarayu wyjęła z fałd szaty małą buteleczkę. Wylała z niej na dłoń odrobinę cennego płynu, łez Macka, i zaczęła delikatnie strząsać je na żyzną glebę, w której spoczywała Missy. Krople lśniły jak diamenty i rubiny, a w miejscu, gdzie spadały, od razu wyrastały kwiaty i rozwijały się w jaskrawym słońcu. Sarayu przez chwilę uważnie przyglądała się ostatniej łzie, która została w jej dłoni, wyjątkowej perle, a potem upuściła ją na środek grobu. Z ziemi natychmiast wystrzeliło małe drzewko i zaczęło w oczach rosnąć. Wkrótce dojrzało, okryło się liśćmi, obsypało kwiatami, młode, dorodne, piękne. Sarayu odwróciła się i uśmiechnęła do Macka, który patrzył na to jak urzeczony.

– To drzewo życia rosnące w ogrodzie twojego serca – powiedziała szemrzącym głosem wiatru.

Następnie do Macka podszedł Tata i objął go.

– Missy jest wspaniała, wiesz o tym. Naprawdę cię kocha.

– Tęsknię za nią strasznie... i to nadal boli.

– Wiem, Mackenzie, wiem.

***

Sądząc po położeniu słońca, minęło południe, kiedy wszyscy czworo opuścili ogród i udali się do chaty. W kuchni nie pachniało jedzeniem, stół w jadalni świecił pustkami. Bóg zaprowadził ich do salonu, gdzie na stoliku do kawy leżał bochenek świeżego chleba i stał kielich wina. Gdy wszyscy usiedli, Tata zwrócił się do Macka:

– Mackenzie, jest coś, co powinieneś rozważyć. Będąc tu z nami, ozdrowiałeś i dużo się nauczyłeś.

– Myślę, że to za mało powiedziane. – Mack się zaśmiał.

Bóg również się uśmiechnął.

– Szczególnie ciebie lubimy, wiesz? Ale musisz dokonać wyboru. Możesz zostać z nami i nadal się uczyć albo wrócić do swojego drugiego domu, do Nan, dzieci i przyjaciół. Tak czy inaczej, obiecujemy, że zawsze będziemy z tobą. Choć tak jak teraz wszystko jest bardziej oczywiste.

Mack odchylił się na oparcie krzesła i zamyślił.

– A co z Missy? – spytał po chwili.

– Jeśli postanowisz zostać, zobaczysz ją dziś po południu – odparł Tata. – Ona też przyjdzie. Ale jeśli zdecydujesz się opuścić to miejsce, nie spotkasz się z Missy.

– To nie jest łatwy wybór – stwierdził z westchnieniem Mack. W pokoju przez kilka minut panowała cisza, podczas gdy on zmagał się z myślami. W końcu zapytał: – Czego chciałaby Missy?

– Bardzo pragnęłaby być dzisiaj z tobą, ale żyje w miejscu, gdzie nie istnieje niecierpliwość. Nie ma nic przeciwko czekaniu.

– Chciałbym zostać z nią. – Mack uśmiechnął się do tej myśli. – Ale to byłoby bardzo trudne dla Nan i pozostałych dzieci. Pozwólcie, że o coś zapytam. Czy to, co robię w domu, jest ważne? Czy się liczy? Bo to niewiele poza pracą, dbaniem o rodzinę i przyjaciół...

– Mack, jeśli coś się liczy, wtedy wszystko się liczy – przerwała mu Sarayu. – Ponieważ ty jesteś ważny, wszystko, co robisz, jest ważne. Za każdym razem, kiedy wybaczasz, świat się zmienia, za każdym razem, kiedy wkładasz w coś serce, świat się zmienia, każdy dobry uczynek, widoczny lub niewidoczny, jest spełnieniem moich celów i później już nic nie jest takie samo.

– W porządku, wrócę – oznajmił Mack stanowczym tonem. – Nie sądzę, żeby ktokolwiek uwierzył w moją historię, ale wiem, że będę mógł coś zmienić, nieważne jak niewielka będzie to zmiana. Zresztą jest parę rzeczy, które muszę... które chcę zrobić. – Powiódł wzrokiem po wszystkich obecnych i uśmiechnął się szeroko: – Wiecie...

Cała trójka się roześmiała.

– I naprawdę wierzę, że nigdy mnie nie opuścicie ani nie porzucicie, więc nie boję się wrócić. No, może trochę.

– To bardzo dobra decyzja – stwierdził Tata i rozpromieniony usiadł obok Macka.

Teraz z kolei przemówiła Sarayu:

– Mackenzie, skoro wracasz, mam dla ciebie jeszcze jeden dar.

– Jaki? – spytał z zaciekawieniem Mack.

– Właściwie to dla Kate.

– Dla Kate?! – wykrzyknął Mack, uświadamiając sobie w tym momencie, że kłopoty ze starszą córką nadal ciążą mu na sercu. – Powiedz mi, proszę.

– Kate uważa, że to ją należy winić za śmierć Missy.

Mack poczuł się jak ogłuszony, ale jednocześnie przyznał w duchu, że Sarayu ma rację. Było oczywiste, że Kate się obwinia. Uniosła wiosło, co zapoczątkowało serię zdarzeń, które doprowadziły do porwania Missy. Mack nie mógł uwierzyć, że wcześniej nie przyszło mu to do głowy. W jednej chwili słowa Sarayu pozwoliły mu zrozumieć zachowanie córki.

– Bardzo ci dziękuję! – powiedział ze szczerą wdzięcznością.

Teraz już musiał wrócić, choćby tylko dla Kate. Sarayu pokiwała z uśmiechem głową i usiadła. Jako ostatni wstał Jezus, sięgnął do jednej z półek i zdjął z niej blaszane pudełko.

– Pomyślałem, że możesz tego chcieć...

Mack wziął pudełko od Jezusa i przez chwilę trzymał je w rękach.

– Właściwie to nie sądzę, żebym jeszcze kiedyś go potrzebował – stwierdził w końcu. – Możesz je przechować? I tak wszystkie moje największe skarby są teraz ukryte w tobie. Chcę, żebyś był moim życiem.

– Jestem – usłyszał wyraźne, czyste i szczere zapewnienie.

***

Bez żadnych rytuałów i ceremonii dzielili się potem ciepłym chlebem, raczyli winem i śmiali, wspominając wspólnie spędzone chwile. Mack wiedział, że weekend dobiegł końca i pora wracać do domu. Zastanawiał się tylko, jak o wszystkim opowiedzieć Nan.

Nie miał nic do pakowania. Ten niewielki bagaż, który ze sobą przywiózł, zniknął z jego pokoju, zapewne odniesiony do samochodu. Mack zdjął pożyczony strój turystyczny i włożył rzeczy, w których przyjechał, świeżo wyprane i starannie złożone. Kiedy skończył się ubierać, zdjął płaszcz wiszący na haku i po raz ostatni rozejrzał się po izbie.

– Bóg służący – powiedział do siebie i zachichotał, ale zaraz poczuł ściskanie w gardle. – To jest prawdziwy Bóg, mój sługa.

Kiedy wrócił do salonu, nie zastał w nim nikogo. Przy kominku czekał na niego kubek parującej kawy. Mack nie miał okazji się pożegnać, ale kiedy się nad tym zastanowił, doszedł do wniosku, że sam pomysł żegnania się z Bogiem jest niedorzeczny. Uśmiechnął się. Usiadł na podłodze plecami do kominka i spróbował kawy. Była pyszna i gorąca. Czując jej ciepło w przełyku, nagle uświadomił sobie, jaki jest wyczerpany po tym wszystkim, co ostatnio przeżył. Powieki same mu opadły, jak obdarzone własną wolą, i Mack łagodnie pogrążył się w krzepiącym śnie.

Następnym, co poczuł, było dotkliwe zimno, lodowate palce sięgające pod jego ubranie i ziębiące skórę. Obudził się raptownie i wstał z trudem; mięśnie miał obolałe i sztywne od leżenia na podłodze. Rozejrzał się szybko po izbie i stwierdził, że wszystko znowu wygląda tak samo jak dwa dni wcześniej, nawet plamy krwi przy kominku, przy którym spał.

Wbiegł na rozpadający się ganek. Chata znowu była stara i brzydka, deski przegniłe, okna wypaczone. Las i drogę prowadzącą do jeepa Williego pokrywał śnieg. Jezioro ledwo przeświecało przez splątany gąszcz jeżyn i innych krzaków. Z pomostu zostało zaledwie kilka większych pali i desek, reszta znajdowała się pod wodą. Mack wrócił do rzeczywistości. Albo raczej znalazłem się z powrotem w nieprawdziwym świecie, pomyślał i uśmiechnął się.

Włożył płaszcz i poszedł do samochodu po swoich starych śladach, nadal widocznych na śniegu. Kiedy dotarł do jeepa, z nieba zaczął opadać świeży puch. Do Joseph dojechał bez przygód w mroku zimowego wieczoru. Napełnił bak, zjadł naprędce jakiś posiłek o nieokreślonym smaku, a potem bezskutecznie próbował dodzwonić się do Nan. Uznał, że pewnie jest w drodze do domu, a komórka ma słaby zasięg. Postanowił wpaść na komisariat i zobaczyć się z Tommym, ale kiedy przejechał kilka razy ulicą i stwierdził, że w budynku nic się nie dzieje, rozmyślił się i nie wszedł do środka. Jak miałby opowiedzieć przyjacielowi, co się wydarzyło, skoro nie wiedział, jak porozmawiać z własną żoną?

Na najbliższym skrzyżowaniu światła akurat zmieniły się na czerwone, więc Mack się zatrzymał. Był zmęczony, ale spokojny i dziwnie radosny. Nie obawiał się, że zaśnie w czasie długiej jazdy do domu. Już nie mógł się doczekać, kiedy znowu zobaczy rodzinę, a zwłaszcza Kate.

Pogrążony w myślach, ruszył na zielonych światłach, ale nie zauważył samochodu nadjeżdżającego z boku. Najpierw zobaczył oślepiający błysk, a potem otoczyła go cisza i atramentowa ciemność.

Jeep Williego został zmiażdżony w ułamku sekundy, po paru minutach zjawiła się straż pożarna i karetka pogotowia, a po kilku godzinach połamany i nieprzytomny Mack znalazł się w szpitalu Emmanuela w Portland w stanie Oregon.

18

Fale odpływu

„Wiara nigdy nie wie, dokąd zmierza, ale zna i kocha tego, kto ją prowadzi".

Oswald Chambers

W końcu usłyszał dobiegający z daleka znajomy głos czy też raczej radosny okrzyk:

– Ścisnął mój palec! Czułem to! Naprawdę!

Nie mógł nawet otworzyć oczu, ale wiedział, że to Josh trzyma go za rękę. Próbował znowu uścisnąć jego dłoń, ale ogarnęła go ciemność. Minął cały dzień, zanim odzyskał przytomność. Nie mógł ruszyć żadnym mięśniem. Nawet uchylenie powieki okazało się ogromnym wysiłkiem, ale zostało nagrodzone okrzykami, piskami i śmiechem. Całe tabuny ludzi kolejno zbliżały się do jego otwartego oka, jakby wszyscy koniecznie chcieli zajrzeć w głęboką czarną dziurę zawierającą nie wiadomo jakie sekrety. To, co zobaczyli, najwyraźniej sprawiało im wielką radość, bo odchodzili uszczęśliwieni, żeby rozgłaszać dobrą nowinę.

Niektóre twarze znał, a te, których nigdy wcześniej nie widział, wkrótce nauczył się rozpoznawać; należały do lekarzy i pielęgniarek. Dużo spał, ale wyglądało na to, że za każdym razem, kiedy otwiera oczy, budzi taki sam entuzjazm u odwiedzających. Tylko poczekajcie, aż wystawię język, pomyślał. To dopiero będzie widowisko.

Wszystko go bolało. Aż za dobrze czuł zabiegi pielęgniarek, które maltretowały jego bezwładne ciało w czasie fizykoterapii albo poprawiały go, żeby uchronić od odleżyn. W taki sam sposób najprawdopodobniej traktowały każdego nieszczęśnika, który leżał nieprzytomny więcej niż dzień albo dwa, ale ta świadomość wcale nie czyniła tortur bardziej znośnymi.

Z początku Mack nie miał pojęcia, gdzie jest i jak się tam znalazł. Dobrze chociaż, że z grubsza wiedział, kim jest. Środki odurzające też nie pomagały mu rozeznać się w sytuacji, choć był wdzięczny, że morfina stępia ból. W ciągu kilku następnych dni powoli rozjaśniało mu się w głowie i zaczął odzyskiwać głos. Wciąż przychodziły do niego tłumy, rodzina i przyjaciele, żeby życzyć mu szybkiego powrotu do zdrowia, a może po to, żeby czegoś się dowiedzieć. Josh i Kate odwiedzali go regularnie; czasami odrabiali lekcje, kiedy on drzemał, albo odpowiadali na pytania, które przez kilka pierwszych dni wciąż zadawał.

W końcu Mack zrozumiał, choć mówiono mu to wiele razy, że po strasznym wypadku w Joseph przez prawie cztery dni leżał nieprzytomny. Nan oświadczyła mu wprost, że ma jej dużo do wyjaśnienia, ale na razie bardziej interesowała się jego zdrowiem niż ewentualnymi opowieściami. Zresztą i tak niewiele pamiętał, a jeśli już, to oderwane, niejasne obrazy, których nie umiał połączyć w sensowną całość.

W pamięci utkwiła mu jedynie podróż do chaty, ale później wspomnienia stawały się zamazane i fragmentaryczne, niczym kawałki pękniętego lustra. W snach wracały do niego obrazy Taty, Jezusa, Missy bawiącej się nad jeziorem, Sofii w jaskini, kolorowych świateł i uroczystości na łące. Towarzyszyła im radość, ale Mack nie był pewien, czy są prawdziwe, czy to tylko halucynacje spowodowane przez uszkodzenia neuronów i narkotyki krążące w jego żyłach.

Trzeciego popołudnia po tym, jak odzyskał przytomność, obudził się i zobaczył Williego, który stał przy łóżku i patrzył na niego z naburmuszoną miną.

– Ty idioto! – warknął Willie.

– Mnie również miło cię widzieć – powiedział Mack i ziewnął przeciągle.

– Gdzie uczyłeś się prowadzić samochód! No tak, wszystko jasne. Chłopak z farmy, nieprzyzwyczajony do skrzyżowań. Z tego, co słyszałem, oddech tamtego faceta można było wyczuć z odległości mili. – Mack słuchał gderającego przyjaciela, ale niewiele rozumiał z jego słów. – A teraz Nan jest na mnie wściekła jak diabli i nie chce ze mną rozmawiać. Ma pretensję, że pożyczyłem ci swojego jeepa i pozwoliłem jechać do chaty.

– Ale po co ja tam pojechałem? – zapytał Mack, usiłując pozbierać myśli. – Wszystko jest zamazane.

Willie sapnął z irytacją.

– Musisz jej powiedzieć, że próbowałem cię od tego odwieść.

– A próbowałeś?

– Nie rób mi tego, Mack. Starałem się wyperswadować ci...

Mack uśmiechnął się, słuchając połajanek przyjaciela. Wśród niewielu rzeczy, które pamiętał, była pewność, że ten człowiek naprawdę go lubi i się o niego troszczy. Sama ta myśl sprawiła mu przyjemność. Nagle ujrzał tuż nad sobą twarz Williego.

– On naprawdę tam był? – wyszeptał przyjaciel i rozejrzał się szybko, sprawdzając, czy nikogo nie ma w pobliżu.

– Kto? – równie cicho zapytał Mack. – I dlaczego szepczemy?

– No przecież wiesz. Bóg. Był w chacie?

– Willie, to żaden sekret – odparł Mack szczerze rozbawiony. – Bóg jest wszędzie, więc był i w chacie.

– Wiem, ptasi móżdżku. Nic nie pamiętasz? Nawet listu? No wiesz, tego, który dostałeś od Taty. Znalazłeś go w skrzynce, a potem pośliznąłeś się na lodzie i nieźle potłukłeś.

W tym momencie Mackowi rozjaśniło się w głowie i elementy układanki trafiły na swoje miejsce. Wszystko nagle nabrało sensu, kiedy umysł zaczął łączyć kropki i uzupełniać szczegóły: liścik, jeep, pistolet, podróż do chaty, wyjątkowe przeżycia z tamtego cudownego weekendu. Obrazy i wspomnienia napłynęły potężną falą, która omal nie zmiotła go z łóżka i z tego świata. A kiedy wróciła mu pamięć, z jego oczu popłynęły łzy.

– Przepraszam, stary – bąknął Willie ze skruchą. – Co ja takiego powiedziałem?

Mack wyciągnął rękę i dotknął jego twarzy.

– Nic, Willie. Już wszystko pamiętam. List, chatę, Missy, Tatę. Pamiętam wszystko.

Przyjaciel nie odzywał się przez dłuższą chwilę, niepewny, co myśleć ani co powiedzieć. Bał się, że wytrącił chorego z równowagi, i teraz biedak coś bredzi. W końcu odważył się zapytać:

– Więc mówisz, że on tam był? To znaczy, Bóg?

– Willie, on tam był! – wykrzyknął Mack, jednocześnie śmiejąc się i płacząc. – Naprawdę tam był! Zaczekaj, aż ci wszystko opowiem, człowieku. Nigdy mi nie uwierzysz.

Zresztą ja też nie jestem pewien, w co wierzyć. – Umilkł na chwilę i pogrążył się we wspomnieniach. – Już wiem. Poprosił mnie, żebym ci coś przekazał.

– Co?! Mnie? – Willie pochylił się nad łóżkiem. – Co powiedział?

Na twarzy Macka pojawił się wyraz skupienia.

– Powiedział: „Przekaż Williemu, że szczególnie go lubię".

Przyjacielowi stężała twarz, oczy napełniły się łzami, usta i broda zaczęły drżeć, gdy próbował nad sobą zapanować.

– Muszę iść – wykrztusił ochryple. – Później mi wszystko opowiesz.

Odwrócił się i wyszedł z pokoju, zostawiając Macka z jego wspomnieniami.

Kiedy przyszła Nan, jej mąż siedział oparty o poduszki i uśmiechał się od ucha do ucha. Nie wiedział, od czego zacząć, więc pozwolił jej mówić pierwszej. Podała mu więc szczegóły, których nie był pewien, wyraźnie ucieszona, że wreszcie jego umysł pracuje jak należy. Powiedziała, że omal nie został zabity przez pijanego kierowcę i przeszedł natychmiastową operację z powodu licznych złamań i wewnętrznych obrażeń. Istniały obawy, że pozostanie w długotrwałej śpiączce, więc jego przebudzenie sprawiło wszystkim niespodziankę i wielką radość.

Kiedy Nan mówiła, Mack pomyślał, że to takie dziwne, że miał wypadek tuż po spędzeniu weekendu z Bogiem. „Pozorny chaos życia", tak to ujął Tata?

I nagle dotarły do niego słowa Nan, że wypadek zdarzył się w piątkową noc.

– Masz na myśli niedzielę?

– Niedzielę? Nie uważasz, że dobrze wiem, kiedy to się stało? Przywieźli cię tutaj w piątek w nocy.

Zdumiony Mack przez chwilę się zastanawiał, czy wydarzenia w chacie nie były jednak snem. Albo jedną z czasoprzestrzennych manipulacji Sarayu.

Kiedy Nan skończyła przedstawiać swoją wersję wydarzeń, Mack opowiedział, co naprawdę mu się przydarzyło. Ale najpierw poprosił ją o wybaczenie i wyznał, w jaki sposób i dlaczego ją okłamał. Zaskoczona Nan przypisała jego niezwykłą otwartość traumie i morfinie.

Cała historia weekendu, czy też jednego dnia, jak wciąż przypominała mu żona, rozwijała się powoli, podzielona na kilka odcinków. Czasami środki uśmierzające ból brały nad nim górę i Mack zapadał w sen bez marzeń, nawet w pół zdania. Początkowo Nan starała się uzbroić w cierpliwość, okazywać zainteresowanie i powstrzymać się od osądzania, choć była przekonana, że rojenia męża są wynikiem neurologicznych uszkodzeń. Ale głębia i obrazowość jego wspomnień tak ją poruszyły, że wkrótce zapomniała o swoim postanowieniu, żeby zachować obiektywizm. Wyczuła prawdę w jego opowieści i szybko zrozumiała, że cokolwiek się zdarzyło, miało na jej męża ogromny wpływ i bardzo go zmieniło.

Jej sceptycyzm zniknął bez śladu, tak że w końcu zgodziła się poszukać sposobu na to, żeby oboje mogli spędzić trochę czasu z Kate. Mack nie chciał jej powiedzieć, o co chodzi, więc trochę się denerwowała, ale była gotowa mu zaufać w tej kwestii. Tak więc wysłali Josha, żeby załatwił jakąś sprawę, i zostali tylko we trójkę w szpitalnym pokoju.

Mack wyciągnął rękę do córki.

– Kate – zaczął słabym i zachrypniętym głosem – chcę, żebyś wiedziała, że kocham cię całym sercem.

– Ja też cię kocham, tatusiu. – Widząc go w takim stanie, najwyraźniej trochę złagodniała.

Mack uśmiechnął się, ale zaraz spoważniał.

– Chcę porozmawiać z tobą o Missy.

Kate drgnęła jak oparzona i spochmurniała. Próbowała zabrać rękę, ale Mack trzymał ją mocno, co wymagało od niego sporego wysiłku. Dziewczyna obejrzała się, szukając ratunku u matki, a wtedy Nan podeszła i objęła ją.

– Dlaczego? – zapytała szeptem córka.

– To nie była twoja wina, Kate.

Dziewczyna zadrżała i zrobiła minę, jakby przyłapano ją na ukrywaniu jakiejś tajemnicy.

– Co nie było moją winą?

– Że straciliśmy Missy. – Gdy Mack wypowiedział te słowa, po jego policzkach spłynęły łzy.

Kate znowu się wzdrygnęła i odwróciła twarz.

– Kochanie, nikt cię nie wini za to, co się stało.

Jej milczenie trwało tylko kilka sekund, a potem pękła tama.

– Ale gdybym nie była nieostrożna w kajaku, nie musiałbyś...

Mack przerwał córce, kładąc dłoń na jej ramieniu.

– Właśnie to próbuję ci powiedzieć, kochanie. Nie jesteś niczemu winna.

Dziewczyna zaczęła szlochać, kiedy wreszcie dotarło do niej znaczenie słów ojca.

– Ale ja zawsze uważałam, że to moja wina. I myślałam, że ty i mama mnie obwiniacie, a przecież ja nie chciałam...

– Nikt z nas nie chciał, żeby to się zdarzyło, Kate. Po prostu się zdarzyło i musimy się nauczyć z tym żyć. Ale nauczymy się razem, dobrze?

Kate nie miała pojęcia, co odpowiedzieć. Roztrzęsiona i szlochająca wyrwała się ojcu i wybiegła z pokoju.

Zapłakana Nan posłała mężowi bezradne spojrzenie i szybko wyszła za córką.

Następnym razem, kiedy Mack się obudził, Kate spała obok niego na łóżku. Najwyraźniej matce udało się trochę ulżyć jej w bólu. Gdy Nan zauważyła, że Mack ma otwarte oczy, podeszła do niego cicho, żeby nie obudzić córki, i pocałowała go w czoło.

– Wierzę ci – wyszeptała, a on uśmiechnął się i skinął głową, zaskoczony, że tak bardzo czekał na te słowa.

To przez te narkotyki zrobiłem się taki płaczliwy, pomyślał.

***

Przez kilka następnych tygodni Mack szybko dochodził do siebie. Zaledwie miesiąc po wyjściu ze szpitala zadzwonili razem z Nan do nowo mianowanego zastępcy szeryfa w Joseph, Tommy'ego Daltona, żeby porozmawiać z nim o możliwości wszczęcia poszukiwań w okolicach jeziora. Ponieważ chata wróciła do pierwotnego stanu zaniedbania, Mack zaczął mieć wątpliwości, czy ciało Missy nadal jest w jaskini. Miałby trudności z wyjaśnieniem władzom, skąd wiedział, gdzie ukryto zwłoki córki, ale był pewien, że przyjaciel chociaż spróbuje mu uwierzyć.

Tommy rzeczywiście okazał zrozumienie. Wysłuchawszy historii o weekendzie, przypisał ją snom i nocnym koszmarom ojca nadal pogrążonego w żałobie. Mimo to zgodził się pojechać do chaty. Zresztą i tak chciał zobaczyć się z przyjacielem. Z wraku jeepa zabrano osobiste rzeczy Macka, więc zwrócenie ich było dobrym pretekstem, żeby spędzić trochę czasu razem. Tak więc w pogodny i rześki sobotni ranek na początku listopada Willie zawiózł Macka i Nan niedawno kupionym używanym SUV-em do Joseph. Tam spotkali się z zastępcą szeryfa i we czwórkę wyruszyli do rezerwatu.

Na miejscu Mack od razu skierował się do drzewa rosnącego na początku szlaku, o którym wspomniał im w czasie jazdy. Teraz pokazał czerwony łuk namalowany na pniu. Nadal lekko kulejąc, poprowadził ich na dwugodzinną wyprawę przez pustkowie. Nan nie odezwała się ani słowem, ale na jej twarzy wyraźnie malowały się emocje, choć bardzo starała się nad nimi zapanować. Po drodze znajdowali ten sam znak umieszczony na drzewach i na głazach. Gdy dotarli do rozległego rumowiska, Tommy był niemal przekonany nie tyle do prawdziwości szalonej historii Macka, ile do tego, że idą szlakiem, który ktoś starannie oznakował... być może morderca Missy. Mack bez wahania wszedł prosto w labirynt skalnych ścian.

Prawdopodobnie nigdy nie znaleźliby właściwego miejsca, gdyby nie Bóg. Na wierzchu kamiennego usypiska tarasującego wejście do jaskini leżał kawałek skały z czerwonym znakiem wskazującym kierunek. Kiedy Mack zobaczył, co zrobił Tata, omal nie roześmiał się w głos.

Gdy Tommy nabrał pewności, że trafili na ślad, kazał im się zatrzymać. Mack rozumiał, dlaczego ważne jest zachowanie procedur, i dlatego zgodził się, choć niechętnie, żeby z powrotem zapieczętować jaskinię. Uzgodnili, że wrócą do Joseph, gdzie Dalton zawiadomi stosowne władze i specjalistów od medycyny sądowej. W drodze do chaty Tommy ponownie wysłuchał opowieści Macka, tym razem z otwartym umysłem. Skorzystał również z okazji, żeby poinstruować przyjaciela, jak ma się zachować w czasie przesłuchania, któremu wkrótce zostanie poddany.

Choć alibi Macka było niepodważalne, czekały go trudne chwile.

Następnego dnia eksperci znaleźli szczątki Missy. Wystarczyło kilka tygodni, żeby zebrać wystarczające dowody, wytropić i aresztować zabójcę dziewczynek. Dzięki znakom, które zostawił morderca, policja zdołała odnaleźć ciała pozostałych ofiar.

Posłowie

Zatem macie całą historię, przynajmniej tak, jak mi ją opowiedziano. Bez wątpienia niektórzy będą się zastanawiać, czy to wszystko rzeczywiście się wydarzyło, czy opowieść raczej należy przypisać skutkom wypadku i działaniu morfiny. Jeśli chodzi o Macka, nadal prowadzi normalne życie i stanowczo twierdzi, że mówił prawdę. Dla niego wystarczającym świadectwem jest przemiana, która się w nim dokonała. Wielki Smutek zniknął bez śladu, a on przez większość czasu odczuwa głęboką radość.

Tak więc, pisząc te słowa, zadaję sobie pytanie, jak zakończyć opowieść? Może najlepiej byłoby wyznać, jak ona wpłynęła na mnie. Jak już wspomniałem w przedmowie, historia Macka mnie również zmieniła, i to pod wieloma względami, zwłaszcza tymi, które najbardziej się liczą. Na przykład, inaczej układam swoje stosunki z ludźmi. Czy uważam, że to wszystko prawda? Chciałbym, żeby tak było. A jeśli nawet nie jest prawdą w potocznym sensie, jest nią mimo wszystko... jeśli wiecie, co mam na myśli. Chyba będziecie musieli sami to rozstrzygnąć. Z pomocą Sarayu.

A Mack? Cóż, jak w każdej ludzkiej istocie nadal zachodzą w nim zmiany. Tylko że on wita je z entuzjazmem, podczas gdy ja się im opieram. Zauważyłem, że on kocha bardziej niż inni, szybko wybacza i jeszcze skwapliwiej prosi o wybaczenie. Jego metamorfoza spowodowała również drobne wstrząsy w jego relacjach z ludźmi, ale muszę wam powiedzieć, że nie znam innego dorosłego, który prowadziłby życie tak proste i pełne radości. Albo ściślej mówiąc, stał się dzieckiem, na co nigdy wcześniej sobie nie pozwalał; ufnym i ciekawym. Nawet ciemniejsze strony życia traktuje jako część wyjątkowo skomplikowanego i wspaniałego gobelinu, utkanego po mistrzowsku przez niewidzialne ręce miłości.

Kiedy to piszę, Mack składa zeznania na procesie zabójcy dziewczynek. Chciał odwiedzić oskarżonego w więzieniu, ale jeszcze nie dostał pozwolenia. Tak czy inaczej, jest zdecydowany się z nim zobaczyć, nawet gdyby miało to nastąpić długo po wydaniu wyroku.

Gdybyście mieli kiedyś okazję poznać Macka, wkrótce dowiedzielibyście się, że on marzy o nowej rewolucji, miłości i dobroci. Najważniejszy będzie w niej Jezus, to, co dla nas zrobił i czego nadal dokonuje w każdym, kto pragnie pojednania i miejsca, które można nazwać domem. To nie ma być rewolucja, która wywróci świat do góry nogami, a jeśli nawet, to dokona tego w sposób, jakiego nigdy byśmy wcześniej nie wymyślili. Pozostanie zwykłe codzienne życie, umieranie, służenie, miłość, śmiech, prosta czułość, niewidzialna dobroć, bo *jeśli coś się liczy, wszystko się liczy*. I pewnego dnia, kiedy wszystko zostanie ujawnione, padniemy na kolana i wyznamy z pomocą Sarayu, że Jezus jest Panem całego Stworzenia na chwałę Taty.

I jeszcze ostatnia uwaga. Jestem przekonany, że Mack i Nan czasami nadal tam jeżdżą, do chaty, żeby pobyć w samotności. Nie zdziwiłoby mnie, gdyby Mack wychodził na

stary pomost, zdejmował buty i skarpetki i... stawiał stopę
na wodzie, żeby się przekonać, czy... no wiecie...

Willie

„Ziemia jest pełna nieba,
A każdy zwykły krzew płonie Bogiem,
Ale tylko ci, którzy widzą, zdejmują sandały;
Reszta siada i zrywa jagody".

Elizabeth Barrett Browning

Podziękowania

Przyniosłem kamień trzem przyjaciołom. Był to kawałek głazu, który odłupałem w jaskiniach mojego doświadczenia. Ci trzej, Wayne Jacobsen, Brad Cummings i Bobby Downes, z wielką troską i życzliwością pomogli mi ciosać tę skałę, aż udało nam się dojrzeć cud kryjący się pod jej powierzchnią.

Wayne pierwszy zobaczył tę historię i wychodził z siebie, żeby mnie zachęcić do jej opublikowania. Swoim entuzjazmem natchnął innych, żeby ją wygładzili i przygotowali do podzielenia się nią z szerszą publicznością, zarówno w druku, jak i, mamy nadzieję, w adaptacji filmowej. On i Brad mieli lwi udział w opracowaniu trzech głównych wersji, dzięki którym ta historia przybrała ostateczną formę, przedstawiali swoje poglądy na sposoby działania Boga, zadbali o wiarygodność historii cierpienia i ozdrowienia Macka. Ci dwaj wnieśli energię, kreatywność i umiejętność pisania, tak że poziom książki, którą trzymacie teraz w ręce, jest w dużej mierze zasługą ich talentów i poświęcenia. Bobby wniósł swoje wyjątkowe doświadczenie w kręceniu filmów i we współpracy z nami zadbał o potoczystość i dramatyzm tej opowieści. Możecie odwiedzić Wayne'a na jego stronie www.lifestream.org, Brada na www.thegodjourney.com,

279

a Bobby'ego na www.christiancinema.com. Szczególnie lubię każdego z was! KMW!

Wiele osób współdziałało przy tym projekcie, poświęcając czas i serce, żeby wygładzić powierzchnię, wyrzeźbić wzór albo wygłosić opinię, zachętę czy sprzeciw, zostawić kawałek swojego życia w tej historii. Należą do nich: Marisa Ghiglieri i Dave Aldrich jako współpomysłodawcy oraz Kate Lapin, a zwłaszcza Julie Williams, która pomagała przy produkcji. Wielu przyjaciół odrywało się od swoich zajęć, żeby mnie poszturchiwać, wspierać i poganiać, szczególnie przy pierwszych próbach. Zalicza się do nich Australijka Sue, błyskotliwy Jim Hawley z Tajwanu, a przede wszystkim mój kuzyn Dale Bruneski z Kanady.

Jest wielu takich, których wnikliwość, dystans, towarzystwo i zachęta wiele dla mnie znaczyły. Dziękuję Larry'emu Gillisowi z Hawajów, mojemu koledze Danowi Polkowi z DC, MaryKay i Rickowi Larsonom, Michaelowi i Renee Harrisom, Julie i Tomowi Rushtonom oraz rodzinie Gundersonów z Boring w Oregonie, a także ludziom z DCS, mojemu przyjacielowi Dave'owi Sargentowi z Portland, osobom i rodzinom ze społeczności portlandzkiej oraz Closnerom, Fosterom, Westonom i Dunbarom z Estacada.

Jestem pełen wdzięczności dla klanu Warrenów (liczącego sobie obecnie około stu osób), którzy pomogli Kim wyrwać mnie z ciemności, moim rodzicom i rodzinie z Kanady, Youngom, Sparrowom, Bruneskim i innym. Kocham cię, ciociu Ruby. Wiem, że ostatnio przeżywałaś trudne chwile. Brak mi również słów, żeby wyrazić swoją miłość do Kim, moich dzieci i naszych dwóch wspaniałych synowych, Courtney i Michelle, które urodziły nam pierwsze wnuki (Hura!).

Twórczą stymulację zawdzięczam także nieżyjącym kolegom po piórze: Jacquesowi Ellulowi, George'owi McDonaldowi, Tozerowi, Lewisowi, Gibranowi, grupie The Inklings i Sorenowi Kierkegaardowi. Jestem również wdzięczny pisarzom i mówcom takim jak: Ravi Zacherias, Malcolm Smith, Anne LaMott, Wayne Jacobsen, Marilynne Robinson, Donald Miller i Maya Angelou, żeby wymienić kilkoro. Muzyczna inspiracja jest eklektyczna: U2, Dylan, Moby, Paul Colman, Mark Knopfler, James Taylor, Bebo Norman, Matt Wertz (jesteś kimś wyjątkowym), Nichole Nordeman, Amos Lee, Kirk Franklin, David Wilcox, Sarah McLachlan, Jackson Browne, Indigo Girls, Dixie Chicks, Larry Norman i cała twórczość Bruce'a Cockburna.

Dziękuję ci, Anne Rice, za to, że pokochałaś tę historię i wniosłaś w nią swój talent muzyczny. Dałaś (mi) nam w ten sposób niezwykły dar.

Większość nas ma swoje smutki, nieziszczone marzenia, złamane serca i straty, swoją własną „chatę". Modlę się, żebyście znaleźli tę samą łaskę, którą ja znalazłem, i żeby obecność Taty, Jezusa i Sarayu napełniła waszą wewnętrzną pustkę nieopisaną radością i chwałą.

Spis treści

Fragmenty Wielkiego Sekretu odnajdywano na przestrzeni dziejów w przekazach ustnych, w literaturze, w religiach i systemach filozoficznych. Po raz pierwszy wszystkie jego elementy zostały zebrane w tej niewiarygodnej książce, której lektura może mieć fundamentalne znacznie dla wszystkich jej czytelników.

Dowiesz się z niej, jak wykorzystywać Sekret w każdym aspekcie swojego życia – gdy chodzi o pieniądze, zdrowie, związki uczuciowe, szczęście, czy jakikolwiek przejaw komunikacji ze światem. Zaczniesz pojmować ukrytą, niewykorzystaną siłę, którą masz w sobie, a jej ujawnienie wypełni radością każdy dzień twojego istnienia.

Sekret zawiera mądrość współczesnych nauczycieli – mężczyzn i kobiet, którzy posługiwali się nim i posługują nadal, by osiągnąć zdrowie, bogactwo i szczęście. Stosując wiedzę Sekretu, ujawniają niezwykłe historie zwycięstwa nad chorobą, zdobycia ogromnego bogactwa, pokonania przeszkód i osiągnięcia tego, co wielu uznałoby za niemożliwe.

Masz w swych dłoniach Wielki Sekret...

Magazyn „Time" umieścił go na liście stu najbardziej wpływowych ludzi na świecie. Telewizja ABC News nadała mu tytuł Człowieka Roku 2007. A wszystko dzięki swemu niezwykłemu wykładowi „Jak spełniłem swoje marzenia z dzieciństwa"

To miał być zwykły, pożegnalny wykład nieznanego szerzej profesora kończącego pracę na prestiżowym amerykańskim uniwersytecie Carnegie Mellon w Pittsburghu. I pewnie przemówienie śmiertelnie chorego na raka naukowca zapamiętałaby jedynie grupka najwierniejszych studentów, gdyby nie to, że zostało ono umieszczone w Internecie. Ostatni wykład pod tytułem „Jak spełniłem swoje marzenia z dzieciństwa" błyskawicznie stał się jednym z najchętniej oglądanych nagrań w serwisie YouTube http://www.youtube.com/watch?v=ji5_MqicxSo

„Jestem zaskoczony przyjęciem, jakie spotkało mój ostatni wykład. Tak naprawdę przygotowałem go z myślą o trójce moich dzieci, które wkrótce zostaną sierotami. Ale cieszę się, że również inni ludzie znaleźli w nim coś cennego dla siebie" – napisał.

Randy Pausch zmarł 25 lipca 2008 r. z powodu komplikacji wywołanych rakiem trzustki.

Oparta na dwudziestu latach badań wyjątkowa powieść głęboko osadzona w wierze chrześcijańskiej. Prawdziwa i kompletna historia Jezusa, jego życia, nauczania i ukrzyżowania z punktu widzenia Marii Magdaleny, zawarta przez nią w jej ewangelii.

Starodawna przepowiednia głosi nadejście Oczekiwanej, kobiety, której przeznaczeniem jest ujawnienie światu ewangelii Marii Magdaleny. Kiedy Maureen Pascal wkracza przypadkowo w niebezpieczny i sekretny świat ludzi, którzy gotowi są walczyć na śmierć i życie, by zachować – albo zniszczyć – największe na ziemi tajemnice, odkrywa również, że pradawna przepowiednia wskazuje właśnie na nią. Maureen przeżywa zapierającą dech w piersiach przygodę, odkrywając starodawne wskazówki, rzuca wyzwanie niezmiennym od wieków tradycjom i ryzykuje życie, by wypełnić przeznaczenie i odnaleźć zwój, który zaczyna się słowami: „Jestem Maria, zwana Magdaleną, księżniczka królewskiego plemienia Beniamina i córka Nazarejczyków. Jestem prawnie poślubioną małżonką Jezusa, Mesjasza Drogi...".

W swojej wizjonerskiej pracy *Odpowiedź*, **wielokrotnie nagradzany autor książek notowanych na liście bestsellerów „New York Times", John Assaraf i guru biznesu Murray Smith napisali na nowo książkę, która rewolucjonizuje zasady przedsiębiorczości XXI wieku.**

Dwaj odnoszący wielkie sukcesy przedsiębiorcy połączyli siły i zawarli swoje wyjątkowe umiejętności i techniki w rewolucyjnym przewodniku, który umożliwia odniesienie sukcesu w dzisiejszym świecie biznesu. Assaraf i Snith wiedzą jak zminimalizować ryzyko i zmaksymalizować zyski, a w *Odpowiedzi* zamknęli podstawy swojej wiedzy, doświadczenia i umiejętności, dzięki czemu miliony ludzi, mogą zrealizować marzenia swojego życia. Korzystając z wyników najnowszych badań nad funkcjonowaniem mózgu oraz badań z zakresu fizyki kwantowej, autorzy pokazują jak można zaprogramować swój umysł na sukces i mieć życie, o jakim się marzy. Ucząc czytelników sposobu wykorzystania nowo odkrytych „niezwykłych" zmysłów dla osiągnięcia sukcesu w biznesie, autorzy pokazują swoje marzenia, zwyczaje, myśli i działania jakie legły u podstaw zbudowania przez nich i rozwinięcia osiemnastu przedsiębiorstw, które generują multimilionowe dochody.

**Opowieść o niemal
dwudziestodziewię-
cioletnich siostrach
syjamskich jest
wyrazistym opisem
znaczenia w życiu
wzajemnych związ-
ków oraz o dystan-
sie, jakiego nie po-
trafi przezwyciężyć
nawet niezwykła
fizyczna bliskość.**

Opowieść jest prowa-
dzona z perspektywy
obu sióstr, choć pierw-
szoplanową narratorką jest Rose. To ona postanowiła napi-
sać autobiografię, po tym jak się okazało, że wraz z siostrą są
najdłużej żyjącymi siostrami syjamskimi. To Rose przoduje
intelektualnie w tym związku; to Rose chciała studiować,
ale nie mogła bez zgody siostry. To tylko jeden z kompro-
misów, jakie siostry czynią każdego dnia. Lori Lansens two-
rzy odrębne opowieści każdej z kobiet, czasami przywołuje
te same momenty, widziane i odbierane różnie przez jedną
i drugą siostrę, czasem po to, by podkreślić ich psychiczną
więź, a czasem, by podkreślić różnice w interpretacji tych
samych zdarzeń. Siostry, które są ze sobą tak blisko związane, nie zawsze znają się tak dobrze, jak im się wydaje.

Ta powieść to coś więcej niż tylko historia o życiu dwóch
bliźniaczek – to powieść o poszukiwaniu wspólnych wię-
zów w zwyczajnym życiu.